CÓMO ENAMORARTE

CÓMO ENAMORARTE

Cecelia Ahern

Traducción de Borja Folch

GRUPO ZETA

Barcelona • Madrid • Bogotá • Buenos Aires • Caracas • México D.F. • Miami • Montevideo • Santiago de Chile

Título original: *How to Fall in Love*
Traducción: Borja Folch
1.ª edición: marzo de 2015

© Cecelia Ahern 2013
© Ediciones B, S. A., 2014
   Consell de Cent 425-427 - 08009 Barcelona (España)
   www.edicionesb.com
   www.edicionesb.com.mx

ISBN: 978-607-480-804-9
DL B 20053-2014

Impreso por Programas Educativos, S. A. de C. V.

*Para David, que me enseñó
a enamorarme*

1

Cómo disuadir a un hombre

Dicen que un rayo nunca te alcanza dos veces. Falso. Bueno, es cierto que la gente lo dice; solo es falso como hecho. Científicos financiados por la NASA descubrieron que los rayos que caen al suelo suelen hacerlo en dos o más sitios y que las posibilidades de que te alcancen son un cuarenta y cinco por ciento mayores de lo que la gente supone. Pero lo que casi toda la gente quiere decir es que un rayo nunca cae dos veces en el mismo sitio en más de una ocasión, cosa que en realidad también es falsa. Aunque la probabilidad de que te alcance un rayo es de una entre tres mil, entre 1942 y 1977 Roy Cleveland Sullivan, guarda forestal en Virginia, fue alcanzado por un rayo en siete ocasiones distintas. Roy sobrevivió a todos los rayos pero se suicidó a los setenta y un años, disparándose en el estómago a causa, según los rumores, de un amor no correspondido. Si la gente prescindiera de la metáfora del rayo y en cambio solo dijera lo que quiere dar a entender, sería que «una misma cosa sumamente improbable nunca le ocurre a la misma persona dos veces». Falso. Si el motivo de la muerte de Roy es verdad, el desengaño amoroso conlleva su propio tipo de pesar y Roy habría sabido mejor que nadie que era sumamente improbable que esta desgracia sumamente improbable pudiera ocurrirle otra vez. Cosa que nos lleva al fondo de mi relato; el primero de mis dos acontecimientos sumamente improbables.

Eran las once de una gélida noche de diciembre en Dublín y me encontraba en un lugar donde no había estado nunca. No es una metáfora de mi estado psicológico, aunque sería acertada; lo que quiero decir es que estaba literalmente en una zona geográfica donde no había estado hasta entonces. Un viento glacial soplaba en la urbanización del Southside, provocando que las ventanas rotas y los quitamiedos de los andamios entonaran una suerte de melodía sobrenatural. Había enormes agujeros negros donde debería haber habido ventanas, superficies inacabadas con hoyos y losas amenazadoras, balcones y accesos abarrotados de cañerías, tubos y cables que comenzaban aquí y allá y terminaban en ninguna parte. En suma, un escenario perfecto para la tragedia. Su mera visión, y no la temperatura bajo cero, me helaba la sangre en las venas. Las viviendas tendrían que haber estado llenas de familias durmiendo con las luces apagadas y las cortinas corridas; en cambio, la urbanización estaba sin vida, evacuada por propietarios a quienes habían dejado vivir en bombas de relojería activadas, con graves carencias de seguridad antiincendios según la lista de mentiras que les habían entregado unos constructores que no habían cumplido la promesa de entregar viviendas de lujo a precios de burbuja inmobiliaria.

No tendría que haber estado allí. Había entrado en una propiedad privada sin autorización, pero no era eso lo que debería haberme preocupado, sino el peligro que encerraba. Para una persona normal y corriente aquel edificio era inhóspito, tendría que haberme marchado por donde había venido. Y aun así, sabiendo todo aquello, seguí adelante, debatiéndome con mi instinto. Entré.

Tres cuartos de hora más tarde estaba de nuevo fuera, tiritando, mientras aguardaba a los *gardaí** tal como me había ordenado la operadora del 999. Vi las luces de la ambulancia a lo lejos. La seguía de cerca un coche sin marcas de la *Garda*, del que se apeó el detective Maguire, sin afeitar, con el pelo revuelto, de facciones duras por no decir demacrado, y que desde entonces sé que es como el muñeco de resorte de una caja de sorpresas, reprimido y con problemas afectivos, listo para explotar en cualquier momento. Aunque su aspecto general podría haber sido *cool* en un miembro de un grupo de rock, se trataba de un detective de cuarenta y siete años que estaba de servicio, lo cual lo despojaba de estilo y subrayaba la seriedad de la situación en la que me encontraba. Tras indicarles cómo se llegaba al apartamento de Simon, volví a salir para aguardar a que me pidieran que refiriera mi relato.

Conté al detective Maguire mi encuentro con Simon Conway, el hombre de treinta y seis años que había conocido dentro del edificio y que, junto con otras cincuenta familias, había sido evacuado de la propiedad por razones de seguridad. Simon me había hablado ante todo sobre dinero, sobre la presión de tener que pagar la hipoteca de un apartamento en el que no estaba autorizado a vivir, y sobre el ayuntamiento, con el que tenía una causa pendiente por haber dejado de pagar por su alojamiento de sustitución, añadiendo que acababa de quedarse sin trabajo. Referí mi conversación con Simon al detective Maguire, lo que había dicho exactamente ya un tanto confuso, y fui saltando entre lo que creía haber dicho y lo que me di cuenta que debería haber dicho.

Verán, Simon Conway empuñaba una pistola cuando me

---

* Nombre que designa a los agentes de la *Garda*, el servicio de policía nacional irlandés. *(N. del T.)*

topé con él. Creo que yo me sorprendí más de verlo a él que él ante mi repentina aparición en su hogar abandonado. Parecía dar por sentado que me había enviado la policía para que hablara con él, y no le dije que ese no era el caso. Quería que pensara que tenía a un ejército en la habitación de al lado mientras él sostenía aquella pistola negra, blandiéndola de un lado a otro al hablar a la vez que yo me esforzaba en no agacharme, no echarme encima de él ni salir corriendo de la habitación. Entretanto el pánico y el miedo anidaban dentro de mí, procuré persuadirlo, tranquilizarlo, para que soltara la pistola. Hablamos de sus hijas, hice cuanto pude para mostrarle una luz en la oscuridad, y logré que Simon dejara la pistola sobre el mostrador de la cocina para que yo pudiera pedir ayuda a los *gardaí*, cosa que hice. Cuando colgué, algo ocurrió. Mis palabras, aunque inocentes, y que ahora sé que no debería haber pronunciado en aquel momento, desencadenaron algo.

Simon me miró y tuve claro que no me estaba viendo. Su rostro había cambiado. Timbres de alarma sonaron en mi cabeza pero antes de tener ocasión de decir o hacer algo más, Simon cogió la pistola y la apuntó a su cabeza. La pistola disparó.

2

Cómo abandonar a tu marido
(sin hacerle daño)

A veces, ver o experimentar algo realmente real hace que quieras dejar de fingir. Te sientes como una idiota, una charlatana. Hace que quieras alejarte de todo lo que es falso, bien sea inocente o perjudicial, o algo más serio; como tu matrimonio. Es lo que me ocurrió a mí.

Cuando una persona tiene celos de los matrimonios que terminan, esa persona debería saber que el suyo tiene problemas. Así era como me había encontrado los últimos meses, en esa situación inusual en la que sabes algo pero al mismo tiempo en realidad no lo sabes. Una vez que terminó, me di cuenta de que siempre había sabido que mi matrimonio no iba bien. Cuando estaba inmersa en él, tuve momentos de felicidad y una sensación general de esperanza. Y si bien el pensamiento positivo es la semilla de muchas grandes cosas, hacerse ilusiones no basta como cimiento para construir un matrimonio. Pero aquel suceso, la experiencia Simon Conway, como yo la llamaba, me ayudó a abrir los ojos. Había presenciado una de las cosas más reales de mi vida y eso hizo que quisiera dejar de fingir, hizo que quisiera ser real y que todo en mi vida fuese cierto y sincero.

Mi hermana Brenda creía que la ruptura de mi matrimonio se debía a una especie de trastorno de estrés postraumático y me suplicaba que hablara con alguien al respecto. Le comuniqué que ya estaba hablando con alguien, la conversación interior había comenzado bastante tiempo atrás. Y era la verdad, en cierto modo; Simon solo aceleró la epifanía final. Naturalmente, esta no era la respuesta que Brenda tenía en mente; ella se refería a una conversación con un profesional bien formado, no a mis ebrias divagaciones mientras tomaba vino en la cocina de su casa a medianoche un día entre semana.

Mi marido, Barry, me había brindado su comprensión y su apoyo en los momentos difíciles. Él también creía que la decisión repentina obedecía a algún efecto de la onda expansiva del disparo. Pero cuando se dio cuenta, cuando recogí mis pertenencias y me fui de casa, cuando entendió que iba en serio, no tardó nada en insultarme de la manera más vil. No se lo tuve en cuenta, aunque no estaba gorda ni lo había estado jamás, y le intrigó descubrir que yo sintiera mucho más afecto por su madre de lo que él creía. Entendía que todos se mostraran confusos e incapaces de creerme. Tenía mucho que ver con lo bien que había disimulado mi infelicidad y tenía todo que ver con mi falta de sentido de la oportunidad.

La noche de la experiencia Simon Conway, tras darme cuenta de que el chillido espeluznante había salido de mi propia boca, y después de haber llamado a la policía por segunda vez y de que me tomaran declaración para archivarla en sus informes, después de la taza de Styrofoam de té con leche que compré en el EuroSpar del barrio, regresé a casa en coche e hice cuatro cosas. En primer lugar, me di una ducha para apartar de mi mente la escena; en segundo, hojeé mi manoseado ejemplar de *Cómo abandonar a tu marido (sin hacerle daño)*; en tercero, lo desperté con un café y una tostada para decirle que nuestro matrimonio había terminado, y en cuarto, cuando me preguntó, le dije que había presenciado el suicidio de un hombre que se había pegado un tiro. Si me detengo a pensarlo, Barry me hizo más preguntas concretas sobre el disparo que sobre el final de nuestro matrimonio.

Su comportamiento a partir de entonces me ha sorprendido, y mi propio asombro me ha impresionado por igual, porque pensaba que era muy leída en esa materia. Antes de aquella gran prueba a la que me sometía la vida había estudiado, había investigado cómo nos sentiríamos si alguna vez decidíamos poner fin a nuestro matrimonio; solo para prepararme, para estar al tanto, para resolver si era una decisión acertada. Tenía amigos cuyos matrimonios habían terminado, había pasado muchas veladas escuchando a ambas partes hasta bien entrada la noche. Sin embargo, nunca se me había ocurrido pensar que mi marido resultara ser el tipo de hombre en que se convirtió, que sufriría un trasplante completo de personalidad, volviéndose tan frío y despiadado, tan amargado y malicioso como se ha vuelto. El apartamento, que era nuestro, ahora es suyo; no me deja poner un pie. El coche que había sido nuestro ahora es suyo, no me dejaría compartirlo ni en sueños. En cuanto a todo lo demás que era nuestro, iba a hacer cuanto pudiera para quedárselo. Incluso las cosas que yo no quería. Y esto es una cita literal. Si hubiésemos tenido hijos se los habría quedado y no me habría permitido verlos. Fue muy concreto en cuanto a la cafetera, posesivo con las tazas de *espresso*, se puso bastante frenético a propósito de la tostadora y me echó una buena bronca por el hervidor. Dejé que se le fuera la olla en la cocina, igual que lo hice en el salón, el dormitorio e incluso cuando me siguió al cuarto de baño para seguir gritándome mientras orinaba. Intenté no perder la paciencia y ser tan comprensiva como podía. Siempre se me ha dado bien escuchar, podía escucharlo hasta que se hartara, lo que no se me da tan bien es dar explicaciones y me sorprendió necesitarlo tanto como él requería. Estaba convencida de que en el fondo él sentía lo mismo acerca de nuestro matrimonio, pero le dolía tanto que le sucediera a él que había olvidado los momentos en que ambos nos sentíamos atrapados en algo que había sido erróneo desde el principio. Pero estaba enojado, y el enojo a menudo cierra los oídos a la realidad; el suyo lo hizo, en cualquier caso, de modo que aguardé a que se le pasara la rabieta con la esperanza de que en algún momento pudiéramos hablar con sinceridad.

Sabía que mis motivos eran válidos, pero apenas podía vivir con el dolor que sentía en mi corazón por lo que le había hecho. De modo que cargaba con eso, y con el fracaso de impedir que un hombre se matara de un tiro pesándome sobre los hombros. Llevaba meses sin dormir bien y ahora me sentía como si no hubiese dormido nada en semanas.

—Oscar —dije al cliente, sentado en el sillón del otro lado de mi escritorio—. El conductor del autobús no quiere matarte.

—Sí quiere. Me odia. Y tú no puedes saberlo porque no lo has visto ni has visto cómo me mira.

—¿Y por qué crees que el conductor del autobús te tiene manía?

Se encogió de hombros.

—En cuanto el autobús se para, abre las puertas y me fulmina con la mirada.

—¿Te dice algo?

—Si me subo, nada. Si no, refunfuña.

—¿Es que hay veces en las que no subes?

Puso los ojos en blanco y se miró los dedos.

—A veces mi asiento no está libre.

—¿Tu asiento? Esto es nuevo. ¿Qué asiento?

Suspiró, sabiendo que lo había desenmascarado, y confesó.

—Mira, en el autobús todo el mundo te observa, ¿vale? Soy el único que sube en esa parada y todos me miran. Y como todos me miran me siento detrás del conductor. ¿Sabes ese asiento que está de lado, de cara a la ventana? Es como un asiento de ventana, bien apartado del resto del autobús.

—Ahí te sientes seguro.

—Es perfecto. Podría pasarme todo el trayecto hasta el centro sentado en ese asiento. Pero a veces lo ocupa una chica, una chica con necesidades especiales, escucha su iPod y canta para que la oiga el autobús entero. Cuando está allí no puedo subir y no solo porque las personas con necesidades especiales me ponen nervioso, sino porque es mi asiento, ¿entiendes? Y no puedo saber si ella está dentro hasta que el autobús se para. Por eso compruebo que el asiento esté libre y me vuelvo a bajar si veo que está ocupado. El conductor me odia.

—¿Cuánto hace que esto empezó?

—No lo sé. ¿Unas semanas?

—Oscar, ya sabes lo que eso significa. Vamos a tener que empezar desde el principio otra vez.

—Vaya, hombre. —Se tapó la cara con las manos y bajó la cabeza—. Pero si ya estaba a medio camino del centro.

—Pon cuidado en no proyectar tu ansiedad real en otro temor futuro. Cortemos esto de raíz enseguida. Bien, mañana vas a subir al autobús. Vas a sentarte en cualquier sitio que esté libre y te quedarás sentado hasta la primera parada. Entonces podrás regresar a casa caminando. El día siguiente, miércoles, subirás al autobús, te sentarás en cualquier sitio, te quedarás hasta la segunda parada y luego volverás a casa. El jueves te quedarás tres paradas y el viernes cuatro paradas, ¿entendido? Tienes que ir poco a poco, dando pequeños pasos, y al final lo conseguirás.

No estaba segura de a quién intentaba convencer. Si a él o a mí.

Oscar levantó la cara despacio. Estaba pálido.

—Puedes hacerlo —dije amablemente.

—Tú haces que parezca muy fácil.

—Y para ti no lo es, eso lo entiendo. Trabaja en las técnicas de respiración. Pronto dejará de ser tan difícil. Serás capaz de quedarte en el autobús todo el trayecto hasta el centro de la ciudad, y esa sensación de miedo quedará reemplazada por la euforia. Tus peores momentos pronto se convertirán en los más felices porque estarás superando desafíos enormes.

Parecía inseguro.

—Confía en mí.

—Ya lo hago, pero no me siento valiente.

—El hombre valiente no es el que no tiene miedo sino el que conquista ese miedo.

—¿Uno de tus libros?

Señaló con la cabeza los estantes abarrotados de libros de autoayuda que tenía en la oficina.

—Nelson Mandela.

Sonreí.

—Lástima que trabajes en una agencia de colocación, habrías sido una buena psicóloga —dijo, levantándose de su asiento.

—Sí, bueno, esto lo hago por los dos. Si consigues quedarte sentado en el autobús durante más de cuatro paradas, tendrás más oportunidades de encontrar trabajo. —Procuré que mi voz no reflejara tensión. Oscar era un chico prodigio, un científico muy cualificado para quien podía encontrar un empleo fácilmente, de hecho ya le había encontrado tres, pero debido a sus problemas de transporte, sus oportunidades de trabajo eran limitadas. Intentaba ayudarlo a vencer sus temores de modo que finalmente pudiera colocarlo en un empleo en el que se presentara cada día. Le daba miedo aprender a conducir y yo no podía asumir las funciones de instructora de autoescuela, pero al menos estuve de acuerdo en ayudarlo a vencer su miedo al transporte público. Eché un vistazo al reloj de pared—. Bien, pide a Gemma una cita para la semana que viene. Estaré deseando saber cómo te ha ido.

En cuanto la puerta se cerró a sus espaldas dejé de sonreír y busqué en la estantería una de mis colecciones de *Cómo...* Los clientes se maravillaban ante la cantidad de libros que tenía, creo que la pequeña librería de mi amiga Amelia se mantenía abierta gracias a mí. Los libros eran mis biblias, mis ayudantes para todo cuando personalmente estaba perdida o necesitaba soluciones para clientes atribulados. Había soñado con escribir un libro durante los últimos diez años, pero nunca había ido más allá de sentarme a mi escritorio y encender el ordenador, bien dispuesta, preparada para contar mi historia, para terminar mirando fijamente la pantalla en blanco y el icono parpadeante, con el vacío que tenía delante reflejando mi flujo creativo.

Mi hermana Brenda decía que estaba más interesada en la idea de escribir un libro que en escribirlo de verdad porque si realmente deseara escribir, lo haría sin más, cada día, por mí, para mí, tanto si fuese un libro como si no. Decía que los escritores se sienten obligados a escribir tanto si tienen una idea como si no, tanto si tienen ordenador como si no, tanto si tienen bolígrafo y papel como si no. Su deseo no viene determinado por una marca concreta de bolígrafo ni por si su café con leche tiene suficiente azúcar o no, cosas que para mi proceso creativo constituían distracciones y obstáculos cada vez que me sentaba a escribir. Brenda a menudo salía con ideas patéticas, pero temí que por una vez sus observaciones sobre mí fuesen ciertas. Quería escribir, solo que no sabía si sería capaz de hacerlo, y si alguna vez llegaba a comenzar, me daba miedo descubrir que era incapaz. Había dormido con *Cómo escribir una novela de éxito* al lado de la cama durante meses, pero no lo había abierto ni una sola vez por temor a que no ser capaz de seguir sus consejos significara que nunca podría escribir un libro, de modo que lo escondí en el cajón de la mesita de noche, aparcando ese sueño en concreto hasta que llegara su momento.

Finalmente encontré lo que estaba buscando en la estantería. *Seis consejos para despedir a un empleado (con imágenes).*

No estoy segura de que las imágenes ayudaran, pero había probado a plantarme delante del espejo del cuarto de baño procurando emular la cara de preocupación del empresario. Estudié las notas que había escrito en un *post-it* pegado en la primera página, dudando de si sería capaz de hacer aquello. Mi empresa, Rose Recruitment, llevaba en marcha cuatro años y era una oficina pequeña en la que trabajaban cuatro personas, y nuestra secretaria Gemma nos ayudaba a funcionar. No quería desprenderme de ella, pero debido a la creciente presión económica me estaba viendo obligada a planteármelo. Estaba leyendo las notas cuando llamaron a la puerta y acto seguido entró Gemma.

—¡Gemma! —chillé, intentando ocultarle el libro con torpeza, llevada por la culpa. Lo estaba metiendo entre los libros de un estante abarrotado, se me escurrió de la mano y cayó en picado al suelo, aterrizando a los pies de Gemma.

Gemma se rio y se agachó para recoger el libro. Al fijarse en el título se sonrojó. Me miró; sorpresa, espanto, confusión y dolor cruzaron su semblante. Abrí y cerré la boca sin que saliera palabra alguna, tratando de recordar en qué orden decía el libro que había que dar la noticia, la manera adecuada de expresarse, las expresiones faciales correctas, los consejos, *claridad, empatía, no demasiado emotivo, ¿comunicar con franqueza o sin franqueza?* Pero tardé demasiado y para entonces ella ya lo supo.

—Vaya, por fin uno de tus estúpidos libros da resultado —dijo Gemma, con lágrimas asomándole a los ojos mientras me pasaba el libro, daba media vuelta, cogía su bolso y salía de la oficina hecha una furia.

Avergonzada, no pude evitar ofenderme por el énfasis puesto en «por fin». Yo vivía de aquellos libros. Daban resultado.

—Maguire —ladró la voz antipática por teléfono.

—Detective Maguire, soy Christine Rose.

Me metí un dedo en la oreja libre para no oír el ruido del teléfono que sonaba al otro lado del tabique que me separaba de la recepción. Gemma todavía no había regresado después de marcharse furiosa, y yo no había logrado reunir a los demás para resolver cómo repartirnos las obligaciones de Gemma, pues mis colegas Peter y Paul se negaban a hacer el trabajo de alguien que había sido despedido injustamente. Todos se volvieron contra mí por más que les dije que había sido un error. «No tenía intención de despedirla... hoy» no fue una buena defensa.

Sencillamente, era una mañana desastrosa. Pero aunque era evidente que debía conservar a Gemma —cosa que, sin duda, Gemma estaba intentando demostrar— el saldo de mi cuenta corriente no estaba de acuerdo. Tenía que seguir pagando la mitad de la hipoteca del hogar que ya no compartía con Barry, y a partir de aquel mes tendría que aflojar otros seiscientos euros por un apartamento de una habitación mientras resolvíamos ese asunto. Teniendo en cuenta que debíamos vender un apartamento que nadie quería por un precio final que no le solucionaría la vida a ninguno de los dos, me figuré que tendría que echar mano de mis ahorros durante una buena temporada. Y llegado el caso de que grandes males exigieran grandes remedios, Barry ya había comenzado una guerra por mi colección de joyas, apartando todas las piezas que me había regalado para quedárselas él. Ese fue el mensaje de voz que oí al despertar aquella mañana.

—¿Sí? —fue la respuesta de Maguire, lejos de quedarse extasiado al saber de mí, si bien me sorprendió que recordara mi nombre.

—Llevo dos semanas llamándole. Le he dejado mensajes.

—Los tengo todos, atascaron mi buzón de voz. No tiene nada que temer. No está metida en problemas.

Me quedé helada. No se me había pasado por la cabeza que pudiera tener problemas.

—No le llamaba por eso.

—¿No? —fingió sorpresa—. Lo digo porque todavía no me ha explicado qué hacía en un bloque de apartamentos abandonado, una propiedad privada, a las once de la noche.

Guardé silencio mientras rumiaba. Casi todas las personas que me conocían me habían hecho la misma pregunta, y las que no, era obvio que se lo preguntaban, y yo no había contestado a nadie. Tenía que cambiar de tema enseguida, antes de que intentara ponerme entre la espada y la pared otra vez.

—Le he estado llamando para pedirle más información sobre Simon Conway. Quería saber cuándo y dónde se celebraría el funeral. No encontré nada en los periódicos. Pero eso fue hace dos semanas, de modo que ya es tarde.

Procuré que mi voz no sonara molesta. Lo estaba llamando para obtener más información, Simon había dejado un agujero enorme en mi vida y un sinfín de preguntas en mi cabeza. No podría descansar hasta que supiera todo lo que había ocurrido y se había dicho después de aquel día, quería las señas de su familia para explicarles todas las cosas bonitas que me había contado sobre ellos, lo mucho que los amaba y que sus actos no tenían nada que ver con ellos. Quería mirarlos a la cara y decirles que había hecho todo lo que había podido. ¿Para aliviar su dolor o para aliviar mi culpa? ¿Qué tenía de malo querer ambas cosas? No quería parecer tan desesperada haciéndole exactamente estas preguntas a Maguire, además me constaba que no me contestaría, pero no podía poner punto final a lo que había experimentado. Quería, necesitaba más.

—Dos cosas. La primera, no debería involucrarse tanto con una víctima. Llevo mucho tiempo en este juego y...

—¿Juego? Vi cómo un hombre se pegaba un tiro en la cabeza delante de mis narices. Para mí, esto no es un juego —se me quebró la voz, y lo interpreté como una indirecta para que me callara.

Se hizo el silencio. Me acobardé y me tapé la cara. La había pifiado. Me recompuse y carraspeé.

—¿Hola?

Me esperaba una respuesta aguda, algo cínico y frío, pero no llegó. Al contrario, su voz fue suave, el ruido de fondo de dondequiera que estuviese se había acallado y me preocupó que todo el mundo me hubiese dejado de escuchar.

—Ya sabe que aquí tenemos personas con las que hablar después de un suceso como este —dijo, amable por una vez—.

Se lo dije la otra noche. Le di una tarjeta. ¿Todavía la tiene?

—No necesito hablar con nadie —respondí enojada.

—Por supuesto. —Dejó de hacerse el bueno—. Oiga, como le decía antes de que me interrumpiera, no hay arreglos para el funeral. No hubo funeral. No sé de dónde ha sacado esa información pero le han contado milongas.

—¿Qué quiere decir?

—Milongas, mentiras.

—No, ¿qué quiere decir con que no hubo funeral?

Pareció exasperarse por tener que contarme algo que para él era más que evidente.

—No murió. Al menos, por ahora. Está en el hospital. Averiguaré en cuál. Los llamaré para que sepan que está autorizada a visitarlo.

Me quedé helada, sin habla.

Hubo un largo silencio.

—¿Algo más?

Maguire volvía a moverse, oí un portazo y estuvo de nuevo en la habitación donde sonaban voces.

Me esforcé en formular un único pensamiento mientras me hundía lentamente en mi sillón.

A veces, cuando presencias un milagro, crees que todo es posible.

3

Cómo reconocer un milagro
y qué hacer cuando ocurre

La habitación era todo silencio y quietud, los únicos sonidos eran los bips constantes del cardiógrafo de Simon y el zumbido del respirador. Simon era el polo opuesto de cuando lo había visto por última vez. Ahora se lo veía tranquilo, el lado derecho y la cabeza vendados, el lado izquierdo sereno y relajado como si nada hubiese pasado. Decidí sentarme de cara al lado izquierdo.

—Vi cómo se disparó —susurré a Angela, la enfermera de guardia—. Se puso la pistola aquí. —Hice el gesto—. Y apretó el gatillo. Vi cómo su... todo... se desparramaba. ¿Cómo es posible que sobreviviera?

Angela sonrió, la suya fue una sonrisa triste, en realidad ninguna sonrisa, solo músculos moviéndose en torno a sus labios.

—¿Un milagro?

—¿Qué clase de milagro es este? —Seguía susurrando porque no quería que Simon me oyera—. No paro de darle vueltas una y otra vez. —Había estado leyendo libros sobre el suicidio y lo que debería haber dicho, y decían que si conseguías que una persona que amenaza con suicidarse pensara racionalmente, de hecho que pensara en la realidad del suicidio y sus consecuencias, era posible que abandonara la decisión. Lo que buscan es un remedio rápido para poner fin a su sufrimiento emocional, no poner fin a su vida, de modo que si logras ayudarlos a ver otra manera de aliviar el dolor quizá los disuadas—. Teniendo en cuenta que no tengo experiencia, creo que lo hice bien, creo que realmente logré que me escuchara. Creo que reaccionó a lo que le dije. Al menos por un momento. O sea, soltó la pistola. Lo que no sé es qué lo devolvió a ese estado mental.

Angela frunció el ceño como si estuviera oyendo o viendo algo que no le gustara.

—Sabe que no es culpa suya, ¿verdad?

—Sí, ya lo sé —contesté, sobreponiéndome.

Me estudió pensativa y me concentré en la rueda derecha de la cama de hospital, en cómo causaba una marca negra en el suelo cada vez que la movían, montones de marcas en ambos sentidos, e intenté contar cuántas veces la habían movido. Decenas, como mínimo.

—Sabe que hay personas con las que puede hablar de estas cosas. Me parece que sería buena idea que sacara fuera sus preocupaciones.

—¿Por qué todo el mundo me dice lo mismo? —Me reí, procurando parecer despreocupada aunque en el fondo sentía el enojo que anidaba en mi pecho. Estaba harta de que me analizaran, harta de que la gente me tratara como si hubiera que ocuparse de mí—. Estoy bien.

—La dejo un rato a solas con él.

Angela se marchó, sus zapatos blancos silenciosos sobre el suelo como si flotara.

Ahora que estaba allí, no sabía muy bien qué hacer. Fui a tocarle la mano pero me contuve. Si tenía conciencia, tal vez no quería que lo tocara, quizá me culpaba de lo sucedido. Mi tarea había consistido en detenerlo y no lo hice. A lo mejor había querido que le hiciera cambiar de opinión, había deseado con todas sus fuerzas que le dijera las palabras apropiadas y le había fallado. Carraspeé, miré en derredor para asegurarme de que nadie escuchaba y me incliné para acercarme a su oído izquierdo, aunque no tanto como para asustarlo.

—Hola, Simon —susurré.

Miré a ver si reaccionaba. Nada.

—Me llamo Christine Rose, soy la mujer con la que habló la noche de... del incidente. Espero que no le importe que le haga compañía un rato.

Agucé el oído y estudié su semblante y sus manos por si daba algún signo de estar molesto con mi presencia. No quería causarle más sufrimiento. Visto que todo lo aparente permanecía como estaba, en paz y tranquilidad, me apoyé en el respaldo de la silla para ponerme cómoda. No esperaba que se despertara, no tenía nada que decirle, tan solo me gustaba estar allí, envuelta en el silencio, a su lado. Pues mientras estuviera a su lado no estaría en ninguna otra parte, preguntándome por él.

A las nueve de la noche, terminado el horario de visitas, todavía no me habían pedido que me marchara. Supuse que el horario establecido no contaba para alguien en un estado como el de Simon. Estaba en coma, conectado a una máquina que mantenía sus constantes vitales, y su estado no mejoraba. Estuve un rato pensando en mi vida y en la de Simon y en cómo habían cambiado para ambos al cruzarse nuestros caminos. Solo habían transcurrido unas pocas semanas desde el intento de suicidio de Simon, pero ese tiempo había bastado para que mi vida saliera disparada en otra dirección. Me pregunté si era pura coincidencia o si había sido cosa del destino que yo hubiera estado fortuitamente en aquel lugar.

—¿Qué estás haciendo aquí? —me preguntó Barry, confundido, adormilado, incorporándose en la cama con el rostro arrugado, sus diminutos ojos enormes al ponerse sus gafas de montura negra tras haberlas cogido de la mesita de noche. No supe qué responderle entonces; tampoco sabría cómo contestarle ahora. Decirlo en voz alta sería embarazoso, pondría de relieve lo perdida que estaba, y no me pasaba por alto la ironía de esta frase.

Aparte de lo que estuviera haciendo allí, el hecho de que hubiese decidido entablar conversación con un hombre armado en un edificio abandonado bastaba para que me cuestionara a mí misma. Me gustaba ayudar a la gente pero no estaba segura de que se tratara solo de eso. Me veía como una persona capaz de resolver problemas y aplicaba ese pensamiento a casi todos los aspectos de la vida. Si algo no podía arreglarse, al menos cabía cambiarlo, en particular la conducta.

Mi sistema de creencias era fruto de tener un padre que era un arreglador. Era el tipo de persona que preguntaba cuál era el problema y se ponía a solucionarlo, tal como lo hizo para sus tres hijas, que se criaron sin su madre. Como carecía del instinto de mamá para saber si las cosas nos iban bien y no tenía con quien hablarlo, nos preguntaba, escuchaba la respuesta y acto seguido buscaba la solución. Era su manera de ser y lo que él consideraba que podía hacer por nosotras. Abandonado con tres hijas menores de diez años, un padre hace lo que puede a fin de protegerlas.

Dirijo mi propia agencia de colocación, cosa que suena bastante elemental, solo que yo prefiero verme como una casamentera que busca a la persona adecuada para el empleo adecuado. Es importante aportar la energía apropiada a la empresa apropiada y viceversa, es decir, lo que la empresa puede hacer por una persona. A veces es un asunto meramente matemático, un empleo disponible para una persona disponible con las aptitudes apropiadas; otras veces, cuando llego a conocer a la persona, como en el caso de Oscar, lo cierto es que voy más allá de lo que dicta el deber en lo que respecta a colocarla. Las personas con quienes trato tienen distintos sentimientos acerca de sus metas, algunas porque han perdido el empleo y soportan mucho estrés, otras simplemente tienen ganas de cambiar de carrera y están inquietas pero llenas de felices expectativas, y luego están las que acceden al mundo laboral por primera vez, excitadas ante un nuevo comienzo. En cualquier caso, todas están haciendo un viaje y yo estoy en medio. Siempre he sentido la misma responsabilidad por cada una de ellas, la responsabilidad de ayudarlas a encontrar su lugar en el mundo. Y, sin embargo, sirviéndome de esta filosofía, mis palabras habían enviado a Simon Conway a aquella habitación.

No quería dejarlo solo y regresar a un apartamento prestado sin televisión y sin nada mejor que hacer que mirar las cuatro paredes. Tenía muchos amigos que podrían haberme acogido, pero como eran amigos comunes de Barry y míos les costaba ofrecerse, renuentes a meterse en medio del lío, a dar la impresión de tomar partido, sobre todo habida cuenta de que era yo quien acababa apareciendo como la mala, la loba feroz que le había partido el corazón a Barry. Más me valía no someterlos a semejante estrés.

Brenda me había invitado a quedarme en su casa, pero no soportaba la inquietud de mi hermana a propósito de mi supuesto trastorno postraumático. Necesitaba ir y venir a mi antojo sin que me hicieran preguntas, especialmente acerca de mi cordura. Quería sentirme libre; esa era la principal razón por la que había abandonado a mi marido. El hecho de que me sintiera más cómoda en una unidad de cuidados intensivos que en cualquier otra parte resultaba muy elocuente.

Esto era precisamente lo que no podía decirles al detective Maguire ni a Barry, ni a mi padre y mis dos hermanas, ni a nadie, en realidad. Estaba buscando un lugar determinado que me hiciera sentir mejor conmigo misma. Esto lo aprendí en un libro: *Cómo vivir en un lugar que te haga feliz*. La idea era elegir un lugar que te levantara el ánimo. Podía ser cualquier lugar donde conectaras con un recuerdo que te enriqueciera el alma o simplemente un lugar cuya luz te gustara, o un lugar que te contentara por un motivo que no podías reconocer a nivel consciente. Una vez que encontrabas ese lugar, el libro proponía ejercicios para ayudarte a evocar el mismo sentimiento de felicidad en cualquier momento y cualquier lugar que tu corazón deseara, pero solo daban resultado si previamente habías encontrado el lugar apropiado. Había estado buscando. Eso es lo que estaba haciendo en el edificio la noche que conocí a Simon Conway. No era el edificio lo que andaba buscando, era lo que había sido antes de convertirse en un edificio. Conservaba un recuerdo feliz de aquel terreno.

Jugaban un partido de críquet el Clontarf contra el Saggart. Yo tenía cinco años, mamá había muerto solo unos pocos meses antes y recuerdo que era un día soleado, el primero después de un largo, oscuro y frío invierno, y mis hermanas y yo estábamos allí para ver jugar a papá. El club de críquet entero estaba fuera, recuerdo el olor a cerveza, y todavía noto en los labios el sabor salado de los paquetes de cacahuetes que comía uno tras otro. Papá lanzaba y faltaba poco para que terminara el partido; alcanzaba a ver la intensa mirada de su rostro, la mirada que habíamos visto a diario durante las últimas semanas, la oscura mirada con los ojos prácticamente perdidos bajo sus cejas. Lanzó su tercera pelota y el tipo que bateaba erró por completo su swing y falló. La pelota dio contra los palos y el tipo quedó eliminado. Papá gritó muy fuerte y agitó el puño en el aire con tanta ferocidad que a nuestro alrededor todo el mundo se puso a vitorear. Al principio me asustó ver la histeria colectiva, como si todos hubieran pillado un virus extraño que había visto en una película de zombis y yo fuese la única que no estaba afectada, pero entonces vi el rostro de papá y entendí que todo iba bien. Sonreía de oreja a oreja, y recuerdo cómo lo miraban mis hermanas. A ellas tampoco les interesaba demasiado el críquet. De hecho, se habían estado quejando todo el camino en el coche porque no podrían juagar con sus amigos en la calle. Pero ahí estaban, observando a papá celebrar la victoria, aupado a hombros por sus compañeros. Todos sonreían y en ese momento pensé: vamos a estar bien.

Fui al edificio para recuperar este sentimiento, pero al llegar me encontré con una finca fantasma y conocí a Simon.

Cuando aquella noche dejé a Simon en el hospital continué con mi búsqueda de lugares que me levantaran el ánimo. Llevaba unas seis semanas haciéndolo y para entonces ya había visitado mi antigua escuela de primaria, una cancha de baloncesto donde besé a un chico que creía que no estaba a mi alcance, mi instituto, la casa de mis abuelos, el parque, el club de tenis donde había pasado los veranos y varios otros sitios de los que guardaba buenos recuerdos. Me presenté inopinadamente en casa de una antigua amiga del colegio con quien mantuve una conversación de lo más incómoda, y enseguida deseé no haberme molestado en hacerlo. La visité porque al pasar por delante de su casa me sobrevino un recuerdo repentino: el olor dulce y cálido del horno de su cocina. Cada vez que iba a jugar allí, su madre estaba horneando algo. Veinticuatro años después, el olor del horno había desaparecido, igual que su madre, y en su lugar estaban los dos hijos de mi agotada amiga, que la estaban utilizando a modo de rocódromo sin concedernos ni un segundo para hablar, cosa que fue una bendición puesto que no teníamos nada que decirnos una a la otra aparte de la pregunta callada que ella tenía en la punta de la lengua: «¿Por qué demonios has venido? Nunca fuimos amigas íntimas.» Dando por sentado que yo estaba pasando un mal momento, fue lo suficientemente educada para no pronunciarla en voz alta.

Durante las primeras semanas no me preocupó no encontrar mi lugar, la búsqueda era una manera de pasar el tiempo, pero al cabo de tres semanas mi incapacidad para encontrar mi lugar comenzó a obsesionarme. En vez de animarme, en realidad estaba deshaciendo los buenos recuerdos que conservaba.

Tras la visita al hospital, aún estuve más decidida a encontrar un lugar. Necesitaba levantarme la moral y sabía que regresar a casa, al bloque de apartamentos de alquiler rodeado de magnolios, no iba a ofrecerme el menor consuelo.

Esto es lo que estaba haciendo en el momento que el suceso sumamente improbable le ocurrió por segunda vez a la misma persona.

4

Cómo aferrarse a la vida

Las calles del centro de Dublín estaban tranquilas un domingo de diciembre por la noche y hacía un frío glacial mientras me dirigía al puente de Ha'penny Bridge desde Wellington Quay. Amenazaba con nevar, pero la nieve aún no había llegado. El Ha'penny Bridge, bautizado oficialmente como Liffey Bridge, el antiguo y encantador puente peatonal con sus barandillas de hierro colado, se extiende sobre el río, conectando el norte de la ciudad con el sur. Llegó a ser conocido como el Ha'penny porque ese era el peaje cuando se construyó en 1816. Siendo una de las vistas más reconocibles de Dublín, resulta especialmente bonito por la noche, cuando sus tres farolas decorativas están encendidas. Había elegido aquel lugar porque como parte de mi licenciatura universitaria en Administración de Empresas y Español, tuve que vivir en España durante un año. No me acuerdo de lo unidos que estábamos como familia antes de que mamá muriera, pero sin duda recuerdo que después estrechamos nuestros lazos y luego, a medida que transcurrían los años, parecía incomprensible que una de nosotras abandonara el redil. Al matricularme en la universidad sabía que el año de Erasmus era una realidad inevitable y en aquel momento sentí el incontenible deseo de cortar esos lazos y abrir mis alas. En cuanto llegué allí me di cuenta de que había sido una equivocación, lloraba sin cesar, no comía, no dormía, apenas me concentraba en mis estudios. Me sentía como si me hubieran arrancado el corazón del pecho y se hubiese quedado en casa con mi familia. Mi padre me escribía cada día ingeniosas cavilaciones sobre su vida cotidiana con mis hermanas con la intención de levantarme el ánimo pero que solo conseguían exacerbar mi añoranza. Aunque hubo una postal en particular que me ayudó a poner punto final a la añoranza. O, mejor dicho, la nostalgia seguía estando presente pero yo pasé a ser capaz de funcionar. Fue una postal del Ha'penny Bridge de noche, con el *skyline* iluminado de Dublín en el fondo y todas las luces de colores reflejadas en el Liffey. Me quedé embelesada con la imagen, miraba a las personas pixeladas y les daba nombre y una historia, lugares a los que iban, lugares de los que venían, nombres que me eran familiares y lugares que conocía. La clavaba a la pared cuando me acostaba y me la llevaba dentro de la revista de la universidad durante el día, me sentía como si llevara una parte de casa conmigo todo el rato.

No era tan tonta como para pensar que ese mismo sentimiento se reproduciría en cuanto viera el puente porque veía el puente casi cada semana. A aquellas alturas ya era una experta en lo de buscar mi lugar feliz y sabía que no sería algo instantáneo, pero esperaba poder al menos evocar aquella emoción, la experiencia, los sentimientos. Era de noche, los edificios del *skyline* estaban iluminados al fondo, y aunque los edificios nuevos que se levantaban a lo largo de los muelles creaban una imagen diferente a la de mi vieja postal, el reflejo de las luces en las aguas oscuras del río todavía parecía el mismo. Contenía todos los elementos clave de la postal.

Excepto una cosa.

Un hombre solo, vestido de negro, agarrado a la parte exterior del puente mientras miraba el agua fría que corría rápida y traicionera debajo de él.

En la escalera de acceso de Wellington Quay se había congregado un pequeño grupo de personas. Me sumé a ellas muy impresionada, preguntándome si Roy Cleveland Sullivan se había sentido así cuando lo alcanzó un rayo por segunda vez: «Otra vez no.»

Alguien había llamado a la policía y estaban comentando cuánto tardaría en llegar; tal vez no llegaría a tiempo. Debatían qué hacer. No pude evitar ver el rostro de Simon antes de que apretara el gatillo y después, en cuidados intensivos, reviviendo la manera en que su rostro había cambiado en su apartamento antes de volver a coger el arma. Algo había desencadenado aquel momento. ¿Pudo ser lo que le dije yo? No recordaba las palabras que había pronunciado; quizá fue culpa mía. Pensé en sus dos hijitas, aguardando a que su papá se despertara, preguntándose por qué no se había levantado como siempre. Entonces miré al hombre del puente y pensé en el sinfín de vidas en las que haría mella su necesidad de poner fin a su sufrimiento, su incapacidad de ver otra salida.

De repente la adrenalina se adueñó de mi cuerpo y no hubo otra decisión que pudiera tomar. No tenía elección: tenía que salvar al hombre del puente.

Esta vez lo haría de manera diferente. Desde lo de Simon Conway había leído unos cuantos libros, tratando de averiguar qué había hecho mal, cómo podría haberlo disuadido. El primer paso sería concentrarse en el hombre, ignorar la conmoción que me rodeaba. Las tres personas que tenía al lado empezaron a discutir qué hacer, y eso no iba a ayudar a nadie. Puse un pie en el primer escalón. «Puedes hacerlo», me dije, sintiéndome confiada y segura.

El viento gélido me alcanzó como una bofetada que me dieran, diciéndome: «¡Despierta!¡Prepárate!». Las orejas ya me dolían a causa del frío, y la nariz, entumecida, me empezaba a moquear. La marea estaba alta en el Liffey, el agua era negra, turbia, malévola, nada atractiva. Desconecté de las personas que aguardaban expectantes detrás de mí y procuré olvidar que cada palabra y que cada temblorosa bocanada de aire que inhalara podría llegar a oídos de los espectadores, llevadas por la brisa. Comencé a verlo con más claridad: un hombre de negro, de pie en el lado de fuera de la barandilla, los pies en la estrecha cornisa, encima del agua, las manos agarradas a la balaustrada. Ya era demasiado tarde para echarse atrás.

—Hola —llamé sin gritar, pues no quería darle un susto que lo tirara al agua. Aunque intentaba que me oyera por encima de la brisa, mantuve la voz serena y clara con un tono tranquilo y una expresión tierna, recordando lo que había leído: evite tonos cortantes y mantenga contacto visual—. Por favor, no se asuste, no voy a tocarlo.

Se volvió para mirarme y acto seguido sus ojos bajaron de nuevo hacia el río, mirando fijamente el agua. Estaba claro de que apenas había penetrado en los pensamientos que discurrían por su mente; estaba demasiado perdido en su cabeza para reparar en mí.

—Me llamo Christine —dije, dando pasos lentos y regulares hacia él. Permanecí cerca del borde del puente, deseosa de poder verle la cara mientras le hablaba.

—¡No te acerques más! —gritó, revelando su pánico.

Me detuve, satisfecha porque solo nos separaba un brazo de distancia. En caso necesario, podría agarrarlo.

—Vale, vale, me quedo aquí.

Se volvió para ver lo lejos que estaba de él.

—Concéntrate, no te vayas a caer.

—¿Caer? —Levantó la vista de golpe hacia mí, volvió a bajarla un instante y de nuevo la levantó y nos quedamos mirándonos a los ojos. Tenía treinta y tantos años, la mandíbula cincelada, el pelo oculto debajo de un gorro negro de lana. Sus ojos azules me miraban fijamente, grandes y aterrorizados, con las pupilas tan dilatadas que casi le tapaban todo el iris, y me pregunté si iba colocado o borracho—. ¿Lo dices en serio? —dijo—. ¿Crees que me preocupa caer? ¿Crees que he llegado aquí por accidente?

Trató de enajenarme otra vez y concentrarse en el río.

—¿Cómo te llamas?

—Déjame en paz —me espetó, y enseguida agregó amablemente—: Por favor.

Incluso angustiado, era educado.

—Estoy preocupada. Veo que estás afligido. Estoy aquí para ayudarte.

—No necesito tu ayuda.

Me apartó de su mente y volvió a concentrarse en el agua. Observé cómo sus nudillos, aferrados al hierro, pasaban del blanco al rojo según apretara o aflojara las manos. Mi corazón palpitaba cada vez que las aflojaba y me daba pavor que las soltara del todo. No tenía mucho tiempo.

—Me gustaría hablar contigo.

Me acerqué un poquitín más.

—Vete, por favor. Quiero estar solo. No quería nada de esto, no quería montar una escena, solo quiero hacer esto. A solas. Es solo que... no pensé que me llevara tanto rato.

Tragó saliva.

—Escucha, nadie se acercará a ti excepto si yo lo digo. Así que no hay motivo para tener pánico, ninguna prisa, no tienes por qué hacer algo sin reflexionar previamente. Tenemos mucho tiempo. Lo único que te pido es que me hables.

Se quedó callado. Otras preguntas más amables no obtuvieron respuesta. Estaba dispuesta a escuchar, preparada para decir lo apropiado, pero mis preguntas chocaban contra un muro de silencio. Por otra parte, todavía no había saltado, al menos.

—Me gustaría saber cómo te llamas —dije.

No se dio por aludido.

Rememoré el rostro de Simon cuando me miraba a los ojos y apretó el gatillo. La emoción se adueñó de mí y tuve ganas de llorar, ganas de venirme abajo y llorar. No estaba preparada para aquello. Fui presa del pánico. Estaba a punto de darme por vencida y regresar junto al grupo de espectadores para decirles que no era capaz de hacerlo, que no quería ser responsable de otra víctima, cuando habló.

—Adam.

—Bien —dije, aliviada al ver que se comunicaba conmigo. Recordé una frase de uno de los libros que decía que la persona que intentaba suicidarse necesitaba que le recordaran que había otras personas que pensaban en él, que lo amaban, tanto si él era consciente de ello como si no, pero me dio miedo que eso lo empujara en la dirección equivocada. ¿Y si estaba allí por culpa de ellas o porque consideraba que era una carga para ellas? Las ideas se me agolpaban en la cabeza mientras intentaba resolver qué hacer; había muchísimas reglas, y yo lo único que quería era ayudar.

—Quiero ayudarte, Adam —dije finalmente.

—No servirá de nada.

—Me gustaría oír lo que tengas que decir —le dije, manteniendo una actitud positiva. «Escuche con atención, no diga no, no diga no puedo.» Repasé todo lo que había leído. No podía equivocarme. Ni en una sola palabra.

—No podrás disuadirme.

—Dame una oportunidad para demostrarte que aunque tú creas que es la única opción, hay muchas más. Ahora tienes la mente cansada; deje que te ayude a salir de ahí. Luego podemos estudiar las alternativas. Es posible que ahora mismo cueste un poco verlas, pero te aseguro que existen. De momento salgamos de este puente, deja que te acompañe a un lugar seguro.

No contestó pero, en cambio, me miró. Reconocí aquella mirada; me resultaba familiar. Era la misma que había adoptado Simon.

—Lo siento.

Sus dedos soltaron los barrotes de hierro, su cuerpo se inclinó hacia delante, separándose de la barandilla.

—¡Adam!

Me lancé al rescate, metí los brazos a través de la barandilla y lo agarré rodeándole el pecho, tirando de él hacia atrás con tanta fuerza que se dio un golpe contra la barandilla. Mi cuerpo estaba tan apretado a la barandilla que tenía su espalda apretada contra mí. Hundí la cara en su gorro de lana, apreté los ojos y lo agarré bien. Esperé a que me empujara, me pregunté si conseguiría no soltarlo, sabiendo que no podría sujetarlo mucho rato si se servía de su fuerza para oponerme resistencia. Esperé que un espectador viniera corriendo a relevarme, esperé que los *gardaí* estuvieran cerca de modo que intervinieran los profesionales. Aquello me superaba, ¿qué creía estar haciendo? Apreté los ojos, apoyé mi cabeza en su cogote; olía a loción para después del afeitado, a limpio, como si acabara de darse una ducha. Olía a vivo, como alguien que estuviera de camino a alguna parte, no como alguien que tuviera planeado tirarse de un puente. Lo notaba fuerte y lleno de vida; apenas alcanzaba a rodearle el pecho de tan ancho como era. Me aferré a él, resuelta a no soltarlo jamás.

—¿Qué haces? —dijo jadeando, respirando agitadamente.

Finalmente levanté la vista y miré hacia la gente que tenía detrás. No había señales de luces de la *Garda*, ningún indicio de que alguien viniera a socorrerme. Las piernas me temblaban como si fuese yo quien estuviera mirando las tenebrosas profundidades del Liffey.

—No lo hagas —susurré, echándome a llorar—. Por favor, no lo hagas.

Intentó dar media vuelta para verme, pero yo estaba justo detrás de él y ni pudo verme la cara.

—¿Estás... estás llorando?

—Sí —sollocé—. Por favor, no lo hagas.

—Jesús.

Volvió a intentar volverse para mirarme.

Ahora lloraba a moco tendido, sollozando de manera incontrolable, sacudiendo los hombros, con los brazos todavía en torno a su pecho, agarrada como si me fuese la vida en ello.

—¿Qué demonios?

Se movió un poco más, arrastró los pies a lo largo del borde de la cornisa para poder volver la cabeza y verme la cara.

Nuestras miradas se encontraron.

—¿Estás... estás bien? —me preguntó. Se ablandó un poco, saliendo del estado como de trance en el que se había sumido hasta entonces.

—No.

Intenté dejar de llorar. Quería secarme la nariz, que me moqueaba como un grifo abierto, pero me daba miedo soltarlo.

—¿Te conozco? —preguntó confundido, escrutándome el rostro mientras se preguntaba por qué me importaba tanto.

—No —contesté, sorbiéndome la nariz otra vez. Lo apreté con más fuerza, abrazándolo como no había abrazado a nadie en años, al menos desde que era niña, desde que mi madre me tomaba en sus brazos.

Me miraba como si estuviera loca, como si él fuese el cuerdo y yo la que había perdido el juicio. Nuestras narices estaban prácticamente pegadas mientras me estudiaba la cara, como si buscara algo más que lo que podía ver.

El hechizo se rompió cuando un idiota de los que observaban desde los muelles gritó: «¡Salta!» El hombre de negro empezó a intentar zafarse de mí con renovado enojo.

—Quítame las manos de encima —dijo, zarandeándose para soltarse.

—No. —Negué con la cabeza—. Escúchame, por favor... —Procuré recobrar la compostura antes de proseguir—. Ahí abajo las cosas no serán como te figuras —dije, mirando hacia el agua e imaginando cómo sería para él mirar esa oscuridad, queriendo poner fin a todo; lo mal que debían irle las cosas para desear aquello. Me estaba mirando de hito en hito otra vez—. Tú no quieres poner fin a tu vida, quieres poner fin a tu sufrimiento, al dolor que estás sintiendo ahora mismo, al dolor que estoy segura que te aguarda al despertar y con el que te acuestas por la noche. Quizá nadie de tu entorno lo entienda, pero yo sí, créeme. —Vi que los ojos se le arrasaban en lágrimas. Estaba llegando a su interior—. Pero no quieres ponerle fin todo el tiempo, ¿no? Solo a veces te pasa por la cabeza, probablemente más a menudo de un tiempo a esta parte. Es como un hábito, intentar pensar en maneras diferentes de poner fin a todo. Pero se pasa, ¿verdad?

Me miraba atentamente, asimilando cada una de mis palabras.

—Es un mal momento, nada más. Y los momentos pasan. Si sigues adelante, este momento pasará y ya no querrás poner fin a tu vida. Probablemente piensas que a nadie le importa, o que te olvidarán. Quizá piensas que desean que hagas esto. No es así. Nadie le desea esto a nadie. Quizá tengas la sensación de que no hay alternativas, pero las hay; puedes salir de esta. Ven aquí y hablémoslo. Sea lo que sea lo que te ocurre, puedes superarlo. Es un mal momento, nada más —susurré, con lágrimas resbalándome por las mejillas.

Lo miré de reojo. Tragó saliva, estaba mirando abajo. Pensándolo, sopesando sus opciones. Vivir o morir. Eché una mirada furtiva a ambas entradas del puente en Bachelors Walk y Wellington Quay; ni rastro de los *gardaí* todavía, ningún espectador que viniera en mi ayuda. A aquellas alturas, esto me alegró; había logrado entablar conversación con él, no quería que alguien lo distrajera, le infundiera pánico, lo devolviera a ese lugar otra vez. Pensé sobre qué decir a continuación, algo que sirviera para pasar el tiempo hasta que llegara ayuda profesional, algo positivo que no desencadenara ningún enojo en él. Pero al final no tuve que decir nada porque él habló primero.

—Leí algo sobre un tipo que saltó al río el año pasado. Estaba borracho y decidió ir a nadar, solo que se quedó enganchado debajo de un carrito de la compra y las corrientes lo arrastraron. No logró salir —dijo, con la voz quebrada a causa de la emoción.

—¿Y te gustó lo que leíste?

—No. Pero luego todo habrá terminado. Después de todo eso, habrá terminado.

—O será el principio de un nuevo tipo de sufrimiento. En cuanto estés en el agua, por más que ahora lo desees, te entrará el pánico. Lucharás. Te esforzarás por inhalar oxígeno y los pulmones se te llenarán de agua porque, aunque tú creas que no quieres vivir, tu instinto será seguir con vida. Está en ti el querer seguir vivo. En cuanto el agua te entre en la laringe, otro instinto natural será tragártela. El agua llenará tus pulmones, que actuarán como un lastre, y si cambias de opinión y decides que quieres vivir e intentas regresar a la superficie, no podrás. Y el caso es que ahora mismo hay tantas personas alrededor que más de una estará dispuesta a zambullirse y rescatarte, ¿y sabes qué? Piensas que será demasiado tarde pero no lo será. Incluso cuando hayas perdido el conocimiento, el corazón seguirá latiendo. Pueden hacerte el boca a boca y bombear el agua y volver a llenarte los pulmones de aire. Podrían salvarte.

El cuerpo le temblaba, y no solo por el frío. Noté que relajaba los músculos debajo de mis brazos.

—Quiero que todo termine. —La voz le temblaba al hablar—. Me duele.

—¿Qué te duele?

—¿En concreto? Vivir. —Se rio sin ganas—. Levantarse es la peor parte del día. Lleva mucho tiempo siéndolo.

—¿Por qué no hablamos de esto en otro sitio? —dije preocupada, al constatar que su cuerpo se ponía tenso otra vez. Quizá no era buena idea hablar de sus problemas mientras siguiera agarrado al lado de fuera del puente—. Quiero escuchar todo lo que tengas que decir, vayámonos de aquí.

—Es demasiado. —Cerró los ojos y habló más bien para sí mismo—. Ya no puedo cambiar las cosas. Es demasiado tarde —dijo en voz baja, echando la cabeza hacia atrás de modo que se apoyara en mi mejilla. Estábamos curiosamente cerca, para ser desconocidos.

—Nunca es demasiado tarde. Créeme, es posible que tu vida cambie. Tú puedes cambiarla. Yo puedo ayudarte —dije, mi voz poco más que un susurro. No era preciso que hablara más alto; su oreja estaba allí mismo, junto a mis labios.

Me miró a los ojos y no pude mirar a otro lado, me sentí cautiva. Él parecía muy perdido.

—¿Y qué pasa si no da resultado? ¿Si nada cambia como dices que lo hará?

—Lo hará.

—Pero ¿si no lo hace?

—Te estoy diciendo que lo hará.

«¡Sácalo del puente, Christine!»

Estudió mi semblante, apretando la mandíbula mientras reflexionaba.

—Si te equivocas, juro que lo volveré a hacer —amenazó—. No será aquí, pero ya encontraré la manera porque no quiero volver a estar como antes.

No quería que pensara demasiado en lo negativo, en lo que fuere que lo había llevado hasta allí.

—De acuerdo —dije con confianza—, si tu vida no cambia, lo que hagas es decisión tuya. Pero te estoy diciendo que puede cambiar. Te lo demostraré. Lo haremos juntos, tú y yo, veremos lo maravillosa que puede ser la vida. Te lo prometo.

—Trato hecho —dijo casi en un susurro.

El pavor se adueñó de mi cuerpo. ¿Un trato? No había tenido intención de hacer un trato con él, pero no iba a discutírselo ahora. Estaba cansada. Solo quería que saliera del puente. Quería estar en la cama, bien arropada, con todo aquello a mis espaldas.

—Tienes que soltarme para que pueda saltar al otro lado —dijo.

—No voy a soltarte. Ni hablar —dije severamente.

Hizo amago de reírse, fue una risa apenas insinuada, pero allí estaba.

—Oye, estoy intentando volver al puente y no me dejas.

Me fijé en la altura de los barrotes que tenía que trepar y luego en la caída hasta el agua. Aquello iba a ser peligroso.

—Deja que pida ayuda —dije.

Lentamente aparté una mano de su pecho, sin confiar del todo en que fuera a mantener su palabra.

—He llegado aquí por mi cuenta, puedo regresar al puente sin ayuda —respondió.

—No me gusta nada la idea, deja que pida ayuda a alguien.

Pero hizo caso omiso y me quedé observando cómo daba media vuelta, sus pies enormes sobre la estrecha cornisa. Pasó la mano derecha a un barrote más alejado y arrastró los pies para poder ponerse de cara al puente. El corazón me palpitaba y me sentía impotente. Tenía ganas de gritar a los espectadores que alguien nos ayudara, pero gritar en aquel momento le daría un susto que lo haría caer al agua. De pronto el viento pareció más fuerte, el aire más frío y todavía fui más consciente del peligro que él corría tras nuestro breve respiro. Inclinó el cuerpo hacia la derecha desde la cintura, preparándose para pasar el pie izquierdo por encima del agua y volverse de cara a los barrotes, pero al apoyar el peso en el pie derecho, se le resbaló de la estrecha cornisa. De un modo u otro su mano izquierda logró agarrar justo a tiempo el barrote que había deseado, dejándolo colgado de un solo brazo. Oí el grito ahogado colectivo de los espectadores mientras alargaba el brazo, le agarraba la mano derecha y, sujetándola con firmeza, tiraba de él con todas mis fuerzas. En ese instante fue el miedo en sus ojos lo que más me aterró, pero pensándolo bien fue esa mirada la que me dio fuerzas, porque el hombre que solo momentos antes había querido poner fin a su vida ahora luchaba por sobrevivir.

Lo ayudé a subir y se aferró a los barrotes, con los ojos cerrados, respirando profundamente. Yo todavía estaba intentando recobrar la compostura cuando el detective Maguire vino corriendo hacia nosotros con una mirada fulminante.

—Quiere volver al puente —dije con un hilo de voz.

—Ya lo veo.

Me apartó de un empujón y tuve que mirar hacia otra parte mientras ponían a Adam a salvo. En cuanto aterrizó en el puente, ambos nos sentamos pesadamente en el suelo, completamente exhaustos.

Adam estaba apoyado contra la barandilla, yo sentada frente a él en el otro lado, intentando que la cabeza dejara de darme vueltas. La metí entre las rodillas y respiré profundamente.

—¿Estás bien? —preguntó Adam, preocupado.

—Sí. —Cerré los ojos—. Gracias —añadí.

—¿Por qué?

—Por no saltar.

Hizo una mueca, el agotamiento se le notaba en el rostro y en el cuerpo.

—Siempre dispuesto a hacer un favor. Parecía que significara más para ti que para mí.

—Vaya, te lo agradezco —dije con una sonrisa temblorosa.

Enarcó las cejas.

—Perdona, no he pillado tu nombre.

—Christine.

—Adam.

Se acercó y me tendió la mano. Me aparté de la barandilla para estrechársela y cuando su mano tomó la mía, la sujetó con firmeza y me miró a los ojos.

—Deseo que me convenzas de que esto ha sido buena idea, Christine. Creo que mi cumpleaños sería un buen plazo.

¿Plazo? Me quedé inmóvil, con mi mano todavía en la suya. Lo había dicho con dulzura, pero a mí me sonó como una advertencia. De súbito me sentí mareada, por no decir tonta, al pensar en el trato que había aceptado. ¿Qué había hecho?

Pese a mi deseo de retirarlo todo, asentí nerviosa. Me estrechó la mano una vez, un único apretón en medio del puente, y luego me soltó.

5

Cómo llevar tu relación
al siguiente nivel

—¿Qué demonios hacía usted aquí? —gruñó el detective Maguire, acercando su cara a la mía.

—Intentaba ayudar.

—¿Lo conoce?

Queriendo decir: ¿También lo conoce?

—No.

—¿Pues qué ha ocurrido?

—Pasaba por aquí y he visto que tenía problemas. Nos preocupaba que ustedes no llegaran a tiempo, y se me ha ocurrido hablar con él.

—Por el buen resultado que le dio la primera vez —me soltó, y acto seguido pareció arrepentirse—. En serio, Christine, ¿espera que me crea ese cuento? ¿Tan solo pasaba por aquí? ¿Dos veces en un mes? ¿Espera que me crea que ha sido pura coincidencia? Si tiene planes de convertirse en un héroe de capa y espada...

—En absoluto. Estaba en el lugar equivocado en el momento equivocado. He pensado que podía ayudar. —Enfadada por la manera en que me trataba, agregué—: ¿Y lo he hecho, no? Ha regresado al puente.

—Por poco —respondió echando humo.

Caminaba de un lado a otro delante de mí.

De lejos vi que Adam me miraba preocupado. Le dediqué una débil sonrisa.

—No le veo la gracia.

—No me estoy riendo.

Me estudió, tratando de decidir qué hacer conmigo.

—Puede contarme todo esto de principio a fin en la comisaría.

—¡No he hecho nada malo!

—No está detenida, Christine. Tengo que redactar un informe.

Se marchó, esperando que yo lo siguiera hasta el coche.

—A ella no puede llevársela —protestó Adam. Se veía y sonaba exhausto.

—No se preocupe por lo que hagamos con ella.

Maguire adoptó un tono de voz diferente, mucho más suave para beneficio de Adam, un tono que yo no sabía que existiera en su repertorio.

—En serio, estoy bien —objetó Adam cuando Maguire comenzó a llevarlo hacia el coche—. Ha sido un momento de locura. Ahora estoy bien. Solo quiero irme a casa.

Maguire murmuró palabras de apoyo pero lo acompañó hasta el coche igualmente, haciendo caso omiso de sus deseos. Mientras llevaban a Adam en un coche, a mí me llevaron en otro a la comisaría de Pearse Street, donde me pidieron que relatara mi historia otra vez. Era evidente que Maguire no estaba del todo convencido de que estuviera diciendo la verdad. El hecho era que ocultaba algo y él lo sabía. No me veía capaz de contarle lo que en realidad estaba haciendo en el puente o en el edificio. Y no podía decírselo a la amable señora que entró en la habitación después de él, deseosa de hablar conmigo sobre mi experiencia.

Al cabo de una hora el detective Maguire me dijo que podía marcharme.

—¿Qué pasa con Adam?

—Adam ya no es asunto suyo.

—Pero ¿dónde está?

—Lo está evaluando un psicólogo.

—¿Y cuándo podré verlo?

—Christine... —me advirtió, tratando de librarse de mí.

—¿Qué?

—¿Qué le dije sobre lo de implicarse? Fuera hay un taxi. Váyase a casa. Duerma un poco. Procure no meterse en líos.

De modo que me marché de la comisaría de la *Garda*. Era medianoche de un domingo y el frío me caló hasta los huesos; las calles estaban vacías de tráfico, aparte de algún que otro taxi. El ubicuo Trinity College se alzaba oscuro delante de mí. No sé cuánto rato me quedé allí, intentando entenderlo todo, asumiendo la impresión, cuando la puerta se abrió a mis espaldas y sentí la presencia de Maguire antes de oírlo.

—Todavía está aquí.

No supe qué contestar a eso, de modo que simplemente lo miré.

—Ha preguntado por usted.

El corazón me dio un vuelco.

—Pasará la noche bajo custodia. ¿Puedo darle su número?

Asentí.

—Tome un taxi, Christine —dijo Maguire, y me lanzó una mirada tan amenazadora que me encontré parando el primer taxi que pasó.

Me fui a casa.

Como era de esperar, no dormí. Pasé la noche en vela con la única compañía de la cafetera mientras miraba el teléfono y me preguntaba si el detective Maguire le había dado a Adam el número correcto. Cuando dieron las siete de la mañana y oí coches en la calle, me quedé dormida. Quince minutos después sonó el despertador; hora de ir a trabajar. Adam no me llamó en todo el día, y a las seis de la tarde, cuando estaba apagando mi ordenador, sonó mi teléfono.

Acordamos vernos en el Ha'penny Bridge, cosa que pareció acertada en aquel momento puesto que era nuestro único vínculo, pero una vez que ambos estuvimos allí, veinticuatro horas después del incidente, nos sentimos incómodos. Él no estaba en el puente sino junto a la entrada de Bachelors Walk, mirando el agua. Habría dado cualquier cosa por saber qué estaba pensando.

—Adam.

Al oír mi voz, se volvió. Llevaba la misma trenca negra y el gorro de lana de la noche anterior, con las manos en los bolsillos.

—¿Estás bien? —pregunté.

—Sí, claro. —Parecía traumatizado por la guerra—. Estoy bien.

—¿Dónde te llevaron anoche?

—Unas cuantas preguntas en comisaría, luego al St. John of Gods para una evaluación psicológica. Salí muy airoso —bromeó—. En cualquier caso, te he llamado porque quería darte las gracias en persona. —Pasó su peso de un pie al otro—. Así pues, gracias.

—De acuerdo. Bien, no hay de qué —contesté con torpeza, sin saber si darle la mano o un abrazo. Todas las señales indicaban que debería dejarlo en paz.

Entonces Adam asintió y se volvió para cruzar la calle hacia Lower Liffey Street. No miraba por dónde iba y un coche tocó el claxon furiosamente cuando por poco lo atropelló. Apenas reparó en el ruido y siguió caminando.

—¡Adam!

Dio media vuelta.

—Accidente. Lo prometo.

Entonces me di cuenta de que tendría que seguirlo. En el hospital quizá le habían creído, pero de ninguna manera iba a dejarlo solo después de lo que había pasado. Pulsé el botón de peatones para que los semáforos cambiaran, pero tardaban demasiado; con miedo a perderlo, aguardé a que hubiera un hueco entre el tráfico y crucé la calle corriendo. Otro coche tocó el claxon. Corrí para acercarme a él y luego aflojé el paso, decidiendo que podía asegurarme de que estuviera a salvo desde cierta distancia. Torció a la derecha en Middle Abbey Street y cuando dobló la esquina y lo perdí de vista, hice un *sprint* para alcanzarlo. Doblé la esquina a mi vez y no vi ni rastro de él, como si se hubiese esfumado. A aquella hora no había tiendas abiertas en las que pudiera haber entrado. Lo busqué por la oscura calle desierta y me maldije por haberlo perdido, deseando haberle pedido al menos su número de teléfono.

—¡Bu! —dijo de repente, deliberadamente inexpresivo al salir de entre las sombras.

Di un salto.

—Jesús, Adam. ¿Intentas provocarme un ataque al corazón?

Me sonrió, divertido.

—Déjate de ardides a lo *Cagney and Lacey* conmigo.

Noté que me ponía colorada en la oscuridad.

—Quería asegurarme de que estás bien, pero no entrometerme.

—Ya te he dicho que estoy bien.

—Dudo mucho de que lo estés.

Miró hacia otro lado, parpadeando porque los ojos se le empezaron a llenar de lágrimas otra vez. Los veía brillar a la luz de la farola.

—Necesito saber que vas a estar bien. No puedo abandonarte sin más. ¿Vas a pedir alguna clase de ayuda? —pregunté.

—¿Y cómo van arreglar algo todas esas conversaciones que la gente quiere mantener conmigo? No cambiarán lo que está sucediendo.

—¿Qué está sucediendo?

Se echó para atrás.

—Vale, no tienes que decírmelo. Pero ¿estás aliviado al menos? ¿Por no haber saltado?

—Claro. Fue una gran equivocación. Me arrepiento de haber ido al puente.

Sonreí.

—¿Lo ves? Eso está bien, ya estás avanzando.

—Tendría que haber subido ahí —dijo, levantando la mirada hacia Liberty Hall, el edificio de dieciséis plantas que era el más alto del centro de Dublín.

—¿Cuándo es tu cumpleaños? —dije, recordando nuestro trato.

Se rio con ganas.

—¿Adónde estamos yendo? —pregunté, corriendo para alcanzarlo mientras él caminaba a grandes zancadas por O'Connell Street. Tenía los pies y las manos entumecidos, de modo que esperé que no tuviéramos que ir muy lejos. Adam daba la impresión de ir caminando sin rumbo, sin un destino en mente, cosa que me llevó a preguntarme si la muerte por congelación sería su siguiente método de suicidio.

—Tengo habitación en el Gresham Hotel. —Levantó la

vista hacia el Spire—.* O podría haberme tirado en paracaídas y aterrizar ahí encima. Quizá me habría atravesado la barriga. O mejor aún, el corazón.

—Ok, estoy empezando a entender tu sentido del humor. Y es un poco enfermizo.

—Afortunadamente en el hospital no pensaron lo mismo.

—¿Cómo lograste salir de allí?

—Los cautivé con mi alegría y estupor juveniles —dijo, todavía con el rostro muy serio.

—Les mentiste —lo acusé. Adam se encogió de hombros—. ¿Dónde vives?

Titubeó.

—¿Actualmente? En Tipperary.

—¿Viniste a Dublín ex profeso para...?

—¿Saltar desde el Ha'penny Bridge? —Me miró divertido otra vez—. Qué arrogantes que sois los dublineses. Hay puentes perfectamente buenos en el resto del país, ¿sabes? No, vine aquí a ver a alguien. —Llegamos al Gresham Hotel y Adam se volvió hacia mí—. Bien, gracias. De nuevo. Por salvarme la vida. Debería, no sé, darte un beso o un abrazo... Ya lo tengo.

Levantó una mano en alto y puse los ojos en blanco antes de chocar mi palma contra la suya.

Y entonces sí que no supe qué más decir. ¿Buena suerte? ¿Disfruta de la vida?

Él estaba tan perdido como yo, de modo que siguieron fluyendo comentarios sarcásticos.

---

* El Spire de Dublín es una escultura de acero inoxidable que, con sus 120 metros de altura, se considera la escultura más alta del mundo. Consiste en un gran cono que en su base tiene 3 metros de diámetro y que se va estrechando hasta los 15 centímetros en su extremo superior. *(N. del T.)*

—Tendría que regalarte una estrella dorada —dijo—. O una medalla.

—Realmente preferiría no dejarte solo ahora mismo.

—Mi cumpleaños es dentro de dos semanas. Pocas cosas pueden cambiar en dos semanas, pero te agradezco que mintieras.

—Puede hacerse —dije, con más confianza de la que sentía. ¿Dos semanas? Había esperado disponer de un año entero, pero si eso era con lo que tenía que trabajar, que así fuese—. Tomaré mis vacaciones anuales y así podré verte cada día. Te aseguro que es posible —dije con optimismo.

Me dedicó la misma sonrisa divertida.

—Realmente preferiría estar solo ahora mismo.

—Para poder matarte.

—Podrías bajar la voz —siseó mientras una pareja pasaba a nuestro lado y nos miraba con recelo—. Una vez más, gracias —dijo con menos ganas. Luego, dejándome plantada en la acera, desapareció por la puerta giratoria. Me quedé mirando cómo cruzaba el vestíbulo y luego lo seguí. Iba a costarle lo suyo librarse de mí. Entró en el ascensor y, aguardando hasta el último momento posible antes de que se cerraran las puertas, eché una carrera y entré a mi vez. Me dedicó una mirada inexpresiva. Luego pulsó el botón.

Salimos en el piso más alto y lo seguí hasta la suite del ático que se llamaba Grace Kelly Suite. En cuanto entramos en el salón olí a flores. La puerta del dormitorio estaba abierta y vi una cama cubierta de pétalos de rosa esparcidos, y una botella de champán en un cubo de plata con dos copas cruzadas. Adam echó un vistazo a la cama y enseguida apartó la mirada, como si su mera visión lo ofendiera. Fue derecho al escritorio y cogió un trozo de papel.

Lo seguí.

—¿Es tu nota de suicidio?

Hizo un gesto de fastidio.

—¿Tienes que emplear esa palabra?

—¿Qué preferirías que dijera?

—¿«Adiós, Adam, ha sido un placer conocerte»?

Se quitó la trenca dejándola caer al suelo y luego el gorro, que tiró por los aires. Faltó poco para que cayera en el fuego encendido en la chimenea de mármol. Se dejó caer en el sofá, agotado.

Me quedé pasmada; no había esperado ver una mata de pelo rubio debajo del gorro de lana.

—¿Qué pasa? —preguntó, y me di cuenta de que estaba contemplando su belleza.

Me senté en el sillón de enfrente, me quité el abrigo y los guantes y confié en que el fuego me descongelase pronto.

—¿Puedo leerla?

—No.

Se la acercó al pecho y la dobló.

—¿Por qué no la rompes?

—Porque no. —Se la metió en un bolsillo—. Es un recuerdo. De mi viaje a Dublín.

—No eres muy gracioso, que digamos.

—Una cosa más que añadir a mi lista de cosas que no se me dan bien.

Miré el montaje que tenía alrededor e intenté comprenderlo.

—¿Esperabas a alguien esta noche?

—Por supuesto. Siempre pido champán y rosas para las chicas guapas que me alejan de los puentes.

Estaba mal y me constaba que estaba mal, pero en mi fuero interno celebré que me hubiese llamado guapa.

—No, tuvo que ser anoche —dije, observándolo. Pese a las

bromas y a la seguridad en sí mismo, estaba inquieto. Deduje que aquellas bromas eran lo único que impedía que se desplomara allí y entonces.

Se levantó y fue hasta el mueble del televisor, abrió el armario y apareció un minibar.

—No creo que el alcohol sea una buena idea.

—A lo mejor estoy cogiendo un refresco.

Me dedicó una mirada herida y me sentí culpable. Sacó un botellín de Jack Daniel's y me miró con picardía mientras regresaba al sofá.

No hice comentarios, pero me fijé que al vaciar el botellín en el vaso le temblaban las manos. Me quedé mirándolo un rato y de pronto, incapaz de aguantarme más, cogí otro para mí, solo que el mío lo mezclé con un refresco. Había hecho un pacto con un hombre que había intentado suicidarse y luego lo había seguido hasta la habitación de su hotel, así que ¿por qué no emborracharme con él también? Si existía un reglamento sobre integridad moral y ciudadanía responsable ya lo había pisoteado, así que ¿por qué no acabar el trabajo y tirarlo por la ventana? Además, estaba helada hasta los huesos y necesitaba algo que me ayudara a descongelarme. Tomé un sorbo; me quemó la garganta hasta el estómago y me sentí mejor.

—Mi novia —dijo inopinadamente, interrumpiendo mis pensamientos.

—¿Qué pasa con ella?

—Es a quien esperaba. Vine a Dublín para darle una sorpresa. Me había dicho que últimamente no era muy atento con ella. Que no estaba presente en su compañía o algo por el estilo. —Se frotó la cara con las palmas de las manos—. Dijo que teníamos problemas. Estábamos en peligro, fue la expresión que empleó.

—De modo que viniste a Dublín para salvar tu relación

—dije, contenta de por fin enterarme de algo acerca de él—. ¿Qué sucedió?

—Estaba con otro tío —dijo, apretando la mandíbula otra vez—. En el Milano's. Me había dicho que solía ir con las amigas. Vivimos en un apartamento allí cerca, en los muelles, solo he estado en Tipperary una temporada... Da igual, no estaba con las chicas —agregó con amargura, mirando fijamente el contenido de su vaso.

—¿Cómo sabes que no eran solo amigos?

—Claro que eran amigos. Los presenté yo. Mi mejor amigo, Sean. Tenían las manos entrelazadas encima de la mesa. Ni siquiera me vieron entrar en el restaurante. Ella no esperaba que yo viniera, se suponía que todavía estaba en Tipperary. Me enfrenté a ellos. No lo negaron.

Se encogió de hombros.

—¿Qué hiciste?

—¿Qué podía hacer? Me marché pareciendo idiota de remate.

—¿No tuviste ganas de pegar a Sean?

—Qué va. —Se recostó, derrotado—. Sabía lo que tenía que hacer.

—¿Intentar suicidarte?

—¿Quieres dejar de usar esa palabra?

Me quedé callada.

—Además, ¿de qué habría servido pegarle? ¿Para montar una escena? ¿Parecer un chulo de mierda?

—Habría relajado la tensión.

—¿Así que ahora la violencia es buena? —Negó con la cabeza—. Si le hubiese pegado, me habrías preguntado por qué no me había ido a dar una vuelta para calmarme.

—Pelear con tu supuesto amigo, que a todas luces lo merecía, es mejor que suicidarse. Siempre ganas de cajón.

—Deja de decir esa palabra —dijo en voz baja—. Jesús.

—Eso es lo que intentaste hacer, Adam.

—Y lo haré de nuevo si no cumples tu parte del trato —gritó.

Su enojo me pilló por sorpresa. Se levantó y fue hasta la puerta de cristal del balcón que daba a O'Connell Street y a los tejados del Northside.

Estaba convencida de que en la historia de Adam había mucho más que el deseo de acabar con su vida porque su novia lo engañara con otro. Aquello probablemente era el detonante de una mente conflictiva, pero no parecía que aquel fuese el mejor momento para averiguarlo. Adam estaba volviendo a ponerse tenso y ambos estábamos cansados, necesitábamos dormir.

Evidentemente, estuvo de acuerdo. Dándome la espalda, dijo:

—Puedes dormir en la habitación, yo me quedaré en el sofá. —Como no le contestaba, se volvió—. Me figuro que quieres quedarte.

—¿No te importa?

Lo meditó un momento.

—Creo que es buena idea.

Y dio media vuelta para seguir contemplando la ciudad.

Podría decirle un montón de cosas para resumir la jornada, ofrecerle palabras positivas de aliento. Había leído suficientes libros de autoayuda: las frases alentadoras iban a diez céntimos la docena, pero ninguna de ellas parecía apropiada en aquel momento. Si iba a ayudarlo a salir de aquello, tendría que resolver no solo qué decirle sino cuándo decírselo.

—Buenas noches —dije. Dejé la puerta del dormitorio entornada, pues no me gustaba que estuviera solo en una habitación con acceso al balcón. Lo observé por la rendija mientras se quitaba el jersey, mostrando la ceñida camiseta que llevaba debajo. No pude evitar mirarlo más tiempo del necesario, intentando convencerme de que lo hacía por su seguridad, por si se asfixiaba con su propio jersey. Se sentó en el sofá y puso los pies en alto. Era demasiado alto para el sofá; tuvo que apoyar los pies en el reposabrazos, cosa que me hizo sentir culpable por haber aceptado la cama. Estaba a punto de decírselo cuando habló.

—¿Disfrutando del espectáculo? —preguntó, con los ojos cerrados y los brazos cruzados debajo de la cabeza.

Con las mejillas ardiendo, puse los ojos en blanco y me aparté de la puerta. Me senté en la cama con dosel y el hielo derretido del cubo se derramó sobre la colcha. Lo dejé encima de la cómoda y me disponía a coger una fresa bañada en chocolate cuando reparé en la tarjeta que lo acompañaba. Decía: «Para mi preciosa prometida, Con amor, Adam.» De modo que había venido a Dublín para declararse. Convencida de que solo estaba arañando la superficie, decidí que me haría con aquella nota de suicidio.

Había creído que la noche que vi a Simon Conway dispararse, la noche que abandoné a mi marido y todas las noches posteriores habían sido las más largas de mi vida.

Me equivocaba.

6

Cómo serenarte y conciliar el sueño

No podía dormir. No era nada fuera de lo común, llevaba insomne prácticamente los últimos cuatro meses, desde que se me había ocurrido que quería poner fin a mi matrimonio. No era un pensamiento que ayudara a conciliar el sueño. Había estado buscando maneras de encontrar la felicidad, la plenitud, sentimientos positivos, maneras en las que salvar mi matrimonio; no maneras de terminarlo. Pero en cuanto tuve la idea de escapar, no hubo manera de apartarla de mi mente, sobre todo por la noche, cuando no tenía los problemas de otras personas para distraerme de los míos. Normalmente terminaba retomando mi lectura de mesita de noche, *42 consejos para vencer el insomnio*, y como consecuencia probé a sumergirme en baños calientes, limpiar el frigorífico, pintarme las uñas, hacer yoga —a veces haciendo dos de estas tres cosas simultáneamente— a todas horas de la madrugada, con la esperanza de hallar un respiro. Otras veces me conformaba con seguir leyendo el libro hasta que los ojos me escocían demasiado y tenía que cerrarlo. Nunca parecía capaz de derivar hacia el sueño tal como el libro decía que podría hacerlo; la sensación de ligereza que te sumía en esa deriva no existía. O bien estaba despierta, frustrada y agotada, o bien estaba dormida, frustrada y agotada, y todavía no había experimentado ese placentero deslizarse de un mundo al otro.

Aunque me había dado cuenta de que quería poner fin a mi matrimonio, nunca pensaba en terminarlo de verdad. Durante mucho tiempo pasé las noches preocupada por cómo iba a vivir con mi infelicidad, hasta que finalmente se me ocurrió que no tenía por qué hacerlo; en realidad, el consejo que daba a mis amigas podía ser válido para mí. A partir de ese momento pasé un sinfín de noches fantaseando sobre una vida con otro, alguien a quien verdaderamente amara, alguien que verdaderamente me amara; seríamos una de esas parejas que parecían hacer saltar chispas eléctricas cada vez que se miraban o se tocaban. Luego fantaseé sobre mí y cualquier hombre que me atrajera, que vino a ser lo mismo que la mayoría de hombres que de un modo u otro eran simpáticos conmigo. Incluido Leo Arnold, un cliente con cuyas citas disfrutaba particularmente. Leo se había convertido en el objeto de muchas de mis fantasías, cosa que me hacía ruborizar cada vez que entraba en mi despacho.

Detrás de todo esto, ahora lo reconozco, había un pánico subyacente; pánico a que fuera demasiado para mí, pero como ya lo había admitido no había manera de hacerlo desaparecer. Cada pequeño problema que surgía entre nosotros se magnificaba hasta convertirse en una señal más de que estábamos condenados. Como cuando en la cama él terminaba antes que yo por enésima vez; cuando dormía con calcetines porque siempre tenía frío en los pies; y cuando dejaba las uñas cortadas de los pies en un cuenco en el cuarto de baño sin acordarse de vaciarlo en la papelera. El que apenas ya no nos besáramos; aquellos besos plenos de antaño se habían reducido a familiares besos en la mejilla. Lo mucho que llegaron a aburrirme sus historias, estaba harta de escuchar siempre las mismas anécdotas de sus partidos de rugby. Si tuviera que juzgar mi vida con colores, cosa que aprendí a hacer en un libro, nuestra relación había pasado de un tono vibrante —al menos así es como fue durante un tiempo, cuando éramos novios— a un insulso y monótono gris. No era tan tonta como para pensar que la llama siempre ardería brillante en el matrimonio, pero pensaba que debería quedar como mínimo un titileo después de menos de un año de vida matrimonial. Mirándolo ahora, creo que me enamoré de la idea de estar enamorada. Y mi aventura amorosa con ese sueño había terminado.

Aquella noche, mientras estaba acostada en el ático del Gresham Hotel, todas mis preocupaciones comenzaron a amontonarse. La preocupación de haber abandonado a Barry; las tribulaciones económicas que le seguían; lo que la gente pensaba de mí; el miedo a no volver a conocer a alguien y estar sola el resto de mi vida; Simon Conway... Y ahora Adam, cuyo apellido desconocía, que veinticuatro horas antes había intentado quitarse la vida y estaba acostado en el sofá de la habitación contigua a la mía junto a un balcón con una caída impresionante, al lado de un minibar lleno, y que estaba aguardando a que cumpliera mi promesa de arreglarle la vida antes de su cumpleaños, o sea en quince días, o de lo contrario intentaría matarse otra vez.

Sintiendo náuseas ante tal perspectiva, me levanté de la cama para ver qué hacía. La tele estaba en silencio y los colores parpadeaban y cambiaban y bailaban por la habitación. Vi que el pecho se le movía al respirar. Según *42 consejos...* tenía varias opciones para serenarme y conciliar el sueño, pero lo único que pude hacer mientras aguzaba el oído fue tomar una infusión de manzanilla. Le di al interruptor del hervidor por cuarta vez.

—Jesús, ¿nunca duermes? —dijo Adam.

—Perdón, ¿te estoy molestando?

—No, pero esa máquina de vapor que tienes ahí sí.

Abrí la puerta.

—¿Quieres una taza? Oh. Veo que ya tienes suficiente bebida.

Había tres botellines vacíos de Jack Daniel's sobre la mesa de café.

—Yo no diría suficiente —respondió—. No puedes vigilarme veinticuatro horas al día. Tarde o temprano tendrás que dormir.

Finalmente abrió los ojos y me miró. Ni remotamente parecía cansado. O borracho. Simplemente guapo. Perfecto.

No quería contarle la verdadera razón, o razones, de mi insomnio.

—Preferiría dormir aquí contigo —dije.

—Es acogedor. Pero es un poco demasiado pronto después de mi ruptura, de modo que si no te importa, paso.

Me senté en el sillón igualmente.

—No voy a tirarme por el balcón —dijo.

—Pero ¿lo has pensado?

—Por supuesto. He pensado en una plétora de maneras de matarme sin salir de esta habitación. Eso hago. Podría haberme prendido fuego.

—Hay un extintor, te habría apagado.

—Podría haber empleado mi cuchilla de afeitar en el baño.

—La he escondido.

—Ahogarme en la bañera, o darme un baño con el secador de pelo.

—Te habría vigilado en la bañera, y ya no hay secadores de pelo en los hoteles.

—Habría usado el hervidor.

—A duras penas he conseguido calentar agua, no podría electrocutar ni a un ratón. Mucho ruido y pocas nueces.

Rio un poco.

—Y esa cubertería apenas sirve para cortar una manzana, no digamos ya una vena —agregué.

Miró la cubertería que había junto al frutero.

—Había pensado quedármela.

—¿Piensas mucho en matarte?

Recogí las piernas y me acurruqué en un lado del enorme sillón.

Dejó de fingir.

—Diríase que no puedo parar. Tenías razón en lo que dijiste en el puente, se ha convertido en una especie de *hobby* realmente enfermizo.

—No dije exactamente eso. Aunque probablemente no haya nada malo en que pienses en ello, siempre y cuando no lo lleves a la práctica.

—Gracias. Al menos no me arrebatarás los pensamientos.

—Pensar en ello te conforta, es tu muleta. No voy a quitarte la muleta, pero no debería ser la única manera de enfrentarte a los hechos. ¿Alguna vez has hablado con alguien al respecto?

—Sí, claro, es el tema número uno en las citas-exprés. ¿Tú qué piensas?

—¿Has pensado en hacer terapia?

—Acabo de pasar una noche y un día en terapia.

—Creo que no te vendría mal algo más que una noche y un día.

—La terapia no va conmigo.

—Seguramente es lo más apropiado en este momento.

—Pensaba que lo más apropiado eras tú. —Me miró—. ¿No es lo que dijiste? ¿Quédate conmigo y te mostraré lo maravillosa que puede ser la vida?

De nuevo me dio pánico que estuviera depositando toda su confianza en mí.

—Y lo haré. Solo me preguntaba... —Tragué saliva—. ¿Tu novia sabía lo que sentías?

—¿Maria? No lo sé. Me decía que había cambiado. Que estaba distraído. Encerrado en mí mismo. Que no era el mismo. Pero no, nunca le dije lo que pensaba.

—Has estado deprimido.

—Si quieres llamarlo así... Sirve de muy poco que cuando estás haciendo lo posible por ser jovial alguien te diga sin parar que no eres el mismo, que estás acabado, que no eres estimulante, que no eres espontáneo. Jesús, ¿qué más podía hacer? Estaba intentando mantener la cabeza fuera del agua. —Suspiró—. Ella pensaba que tenía que ver con mi padre. Y con el trabajo.

—¿Y no era por eso?

—Bah, no lo sé.

—¿Pero no te han ayudado? —propuse.

—No. En absoluto.

—Háblame de ese trabajo que te preocupa.

—Esto parece una sesión de terapia, yo tendido aquí, tú sentada ahí. —Levantó la vista hacia el techo—. En el trabajo me dieron licencia para que fuera a ayudar a mi padre a dirigir su empresa mientras estaba enfermo. La detesto, pero no pasaba nada porque era algo temporal. Entonces mi padre se puso peor, de modo que tuve que quedarme más tiempo. Fue difícil convencer a mis jefes de que ampliaran el permiso y ahora el médico dice que mi padre no está mejorando. Está terminal. Y la semana pasada me enteré de que van a despedirme; no pueden permitirse que siga pasando más tiempo fuera.

—O sea que pierdes a tu padre y tu trabajo. Y a tu novia. Y a tu mejor amigo —resumí—. Todo en una semana.

—Vaya, muchas gracias por decir todo eso en voz alta.

—Tengo catorce días para arreglarte, no tengo tiempo para ir de puntillas —dije a la ligera.

—Trece, en realidad.

—Cuando tu padre fallezca, nadie cuenta con que ocupes su puesto, ¿no?

—Ese es el problema: es un negocio familiar. Mi abuelo le dejó la empresa a mi padre, a continuación me corresponde a mí, y así sucesivamente.

La tensión se estaba acumulando solo por hablar de ello. Dándome cuenta de que debía andar con pies de plomo, pregunté:

—¿Le has dicho a tu padre que no te interesa ese trabajo?

Se rio con amargura.

—Está claro que no conoces a mi familia. Poco importa lo que le diga: el trabajo es mío tanto si me gusta como si no. El testamento de mi padre estipula que la empresa es de mi padre de por vida y que luego pasa a los hijos de mi padre, y si no entran en el negocio, pasa al hijo de mi tío y lo hereda su familia.

—Sin duda eso te salva.

Se tapó la cara con las manos y se restregó los ojos con frustración.

—Aún me jode más. Mira, agradezco que lo intentes, pero no entiendes la situación. Es demasiado complicada para que te la explique, pero digamos que conlleva años y años de mierda familiar y que estoy metido de pleno en medio.

Le temblaban las manos. Las frotaba en sus tejanos, arriba y abajo, arriba y abajo. Seguramente ni siquiera era consciente de estar haciéndolo. Hora de levantar el ánimo.

—Háblame de tu trabajo, del que te encanta.

Me miró con una curiosa picardía.

—¿A qué crees que me dedico?

Lo estudié.

—¿Eres modelo?

Bajó las piernas del sofá y se incorporó. Fue tan rápido que pensé que iba a lanzarse sobre mí; en cambio me miró escandalizado.

—¿Estás de broma?

—¿No eres modelo?

—¿Por qué demonios lo dices?

—Porque...

—¿Porque qué?

Estaba estupefacto. Era la primera vez que lo veía tan animado.

—No me digas que nadie te lo ha dicho antes.

Negó con la cabeza.

—No, nunca.

—Vaya. ¿Ni siquiera tu novia?

—¡No! —Se rio enseguida y fue bonito, un sonido bonito que deseé volver a oír—. Me estás tomando el pelo.

Volvió a recostarse con los pies en alto, sin rastro de su sonrisa.

—Pues no. Resulta que eres el hombre más guapo que he visto en mi vida y por eso he pensado que podías ser modelo —expliqué racionalmente—. ¡No me lo he inventado!

Entonces me miró con una expresión más tierna, un poco confundido, como si intentara averiguar si lo había dicho en broma. Pero yo no estaba bromeando. En todo caso, estaba muerta de vergüenza; no había tenido intención de soltarlo de esa manera. Había querido decirle que era guapo, pero me salió mal porque me surgió de sopetón.

—¿Pues a qué te dedicas?

Cambié de tema, quitando pelusa imaginaria de mis tejanos para evitar mirarlo.

—Esto te encantará.

—Adelante.

—Hago estriptis. Al estilo de los Chippendales. Porque soy tan guapo y tal.

Puse los ojos en blanco y me recosté.

—Venga, te estoy enredando. Soy piloto de helicóptero de la Guardia Costera de Irlanda.

Me quedé boquiabierta.

—¿Ves? Te he dicho que te encantaría —dijo estudiándome.

—Rescatas personas —dije.

—Tenemos mucho en común, tú y yo.

Era imposible que Adam regresara a su trabajo con aquel estado de ánimo. No iba a permitirlo, no podía permitirlo, ellos no lo permitirían.

—Has dicho que la empresa familiar pasa a manos de sus hijos después de muerto tu padre. ¿Tienes hermanos?

—Tengo una hermana mayor. Es la siguiente en la línea sucesoria pero se mudó a Boston. Tuvo que largarse cuando se descubrió que su marido había robado millones a sus amigos con un esquema Ponzi. Se suponía que iba a invertir el dinero pero lo que hizo fue gastárselo. A mí me quitó un buen pellizco. Y a mi padre una pequeña fortuna.

—Pobre, tu hermana.

—¿Lavinia? Lo más probable es que fuera el cerebro en la sombra. No es solo eso. Hay otras complicaciones. La empresa tendría que haber pasado a mi tío, que era el hermano mayor, pero es un capullo egoísta y mi abuelo sabía que hundiría la empresa si se la dejaba a él, de modo que fue para mi padre. Como consecuencia, la familia quedó dividida entre quienes simpatizaban con el tío Liam y quienes tomaron partido por mi padre. De ahí que si no me hago cargo yo y pasa a mi primo... Es difícil explicarlo a alguien que no forme parte de la familia. No te figuras lo duro que es darle la espalda a algo, por más que lo desprecies, cuando hay lealtades de por medio.

—Abandoné a mi marido la semana pasada —solté de improviso. El corazón me palpitaba en el pecho; debía ser la primera vez que se lo decía a alguien en voz alta. Durante mucho tiempo había querido abandonarlo, pero no podía porque quería ser una fiel esposa y seguir hasta el final con mis votos. Conocía perfectamente la lealtad de la que Adam estaba hablando.

Me miró sorprendido. Me estudió un momento, como cuestionándose si mi declaración era auténtica.

—¿Qué hizo?

—Es electricista, ¿por qué?

—No. ¿Por qué lo abandonaste? ¿Qué hizo mal?

Tragué saliva, me examiné las uñas.

—En realidad no hizo nada malo. Él... Yo no era feliz.

Sopló aire por la nariz, con cara de pocos amigos.

—O sea que buscaste tu propia felicidad a sus expensas.

Me constaba que estaba pensando en su novia.

—No es una filosofía que me guste predicar.

—Pero la practicas.

—No te figuras lo duro que es abandonar a alguien —dije, repitiendo sus palabras de un rato antes.

—*Touché!*

—Tienes que sopesar los riesgos —dije—. Juntos, los dos habríamos sido desgraciados el resto de nuestra vida. Me olvidará. Lo superará mucho más deprisa de lo que piensa.

—¿Y si no?

No supe qué contestar. Nunca se me había ocurrido aquella idea. Estaba convencida de que Barry me olvidaría. Tendría que hacerlo.

Acto seguido, Adam desapareció. Permaneció en la habitación pero sumido en sus pensamientos, sin duda ponderando el futuro que les aguardaba a él y a su novia. Olvidarla no era una opción válida; deseaba que volviera con él. Y si su novia sentía por Adam lo que yo sentí por Barry, no tenían una puñetera esperanza.

—¿Y tú a qué te dedicas? —preguntó, como si de pronto cayera en la cuenta de que no sabía nada sobre la mujer que estaba empeñada en salvarle la vida.

—¿A qué crees que me dedico? —respondí, siguiendo su juego.

No lo pensó mucho rato.

—¿Trabajas en una tienda benéfica?

Tuve que reír.

—Lo has dicho al azar.

Me miré la ropa, preguntándome si pensaba que mis vaqueros, la camisa tejana y las zapatillas Converse habían salido de una tienda benéfica. Quizá fueran informales pero todo era nuevo, y la loneta volvía a estar de moda.

Sonrió.

—No me refiero a tu ropa. Es más bien... Pareces del tipo solidario. ¿Tal vez veterinaria o algo relacionado con el rescate de animales? —Se encogió de hombros—. ¿Me acerco?

Carraspeé para aclararme la garganta.

—Trabajo en una agencia de empleo.

Su sonrisa se desvaneció. Su decepción era palpable, su preocupación todavía más. Y no intentó disimularlas.

Al cabo de unas horas me quedarían doce días. Y por el momento no había conseguido nada.

7

Cómo forjar una amistad
y generar confianza

Le habría jurado a cualquiera dispuesto a escucharme que no había dormido en toda la noche porque estaba segura de no haberlo hecho, pero en lugar de darme cuenta de que la mañana finalmente había llegado, fue el ruido del agua corriente lo que obligó a interrumpir el modo sueño. Confundida por haberme dormido, tardé un poco en saber dónde estaba. Estuve despierta del todo y alerta en un abrir y cerrar de ojos; nada de aturdimiento. Cuando descubrí que el sofá donde se había acostado Adam estaba vacío me puse de pie de un salto, corrí al dormitorio golpeándome la rodilla con la mesa de café y el codo con el marco de la puerta, sin pensar demasiado en lo que hacía, e irrumpí en el cuarto de baño, donde me encontré ante un culo muy respingón y musculoso que no había visto el sol en mucho tiempo. Adam giró el torso, sus rizos rubios estaban lacios y oscurecidos y le chorreaban el rostro. No pude dejar de mirarlo fijamente.

—No te preocupes, estoy vivo —dijo, divertido otra vez.

Salí enseguida del cuarto de baño, cerré la puerta sofocando una risita tonta y corrí al aseo de huéspedes para ponerme presentable tras una noche enfundada en tela tejana. Cuando salí a la sala de estar, el agua seguía cayendo en el cuarto de baño. Al cabo de diez minutos seguía cayendo. Fui de un lado al otro del dormitorio preguntándome qué hacer. Sorprenderlo en cueros una vez había sido algo accidental, una segunda vez sería directamente escalofriante, pero no estaba segura de que pudiera preocuparme por mi integridad cuando dos noches antes había intentado matarse, aunque aparte de encogerse hasta morir dudaba de que pudiera hacerse daño allí dentro. Había retirado los vasos del lavabo para que no se cortara y no había oído romper el espejo. Estaba a punto de abrir la puerta del baño otra vez cuando oí el sonido. Al principio era bajo, luego sonó ahogado, tan lleno de dolor, tan profundo y nostálgico que solté el pomo y apoyé la cabeza contra la puerta, deseando ayudarlo, consolarlo con toda mi alma. Sintiéndome impotente, escuché sus sollozos.

Entonces recordé la nota de suicidio. Si no le echaba mano antes de que saliera de la ducha, nunca la vería. Eché un vistazo a la habitación y vi su ropa sucia en un rincón, los vaqueros tirados encima de su bolsa de viaje. Palpé todos los bolsillos y finalmente encontré el trozo de papel doblado. Lo abrí, esperando entender mejor los motivos de su intento de suicidio pero en cambio encontré una serie de garabatos, algunos tachados, otros subrayados y enseguida me di cuenta de que no era ni remotamente una nota de suicidio; era su proposición de matrimonio a Maria, ensayada una y otra vez, reescrita hasta dejarla perfecta.

Una vibración del teléfono de Adam distrajo mi atención. Estaba al lado de la ropa limpia que había sacado para ponérsela ese día. El teléfono dejó de sonar y la pantalla anunció diecisiete llamadas perdidas. Volvió a sonar. Maria. Tomé una decisión rápida, que no conllevó demasiada reflexión. Contesté.

Estaba a media conversación con ella cuando reparé en que

el agua había dejado de correr en la ducha, de hecho, no la oía desde hacía un rato. Di media vuelta, con su teléfono todavía pegado a mi oreja. Adam estaba de pie en la puerta del cuarto de baño como si llevara allí un rato, con una toalla envuelta en la cintura y el semblante enojado. Me despedí deprisa y terminé la llamada. Hablé antes de que tuviera ocasión de atacarme.

—Tenías diecisiete llamadas perdidas en tu teléfono, he pensado que podía ser importante y por eso he contestado. Además, si esto va a funcionar entre nosotros, necesito acceso total a tu vida. Sin ningún tipo de restricciones. Ningún secreto.

Me callé para asegurarme de que me entendía. No puso objeciones.

—Era Maria. Estaba preocupada por ti. Tenía miedo de que te hubieras hecho daño la otra noche, o algo peor. Lleva preocupada por ti cosa de un año, extremadamente preocupada durante nueve meses. Tenía la sensación de que no lograba comunicarse contigo, de modo que recurrió a Sean para que la ayudara y así poder decidir qué hacer. Reprimió lo que sentía por él pero se enamoró de él. No querían hacerte daño. Hace seis semanas que están juntos. Ella no sabía cómo decírtelo. Pensaba que tu conducta se debía a que tu hermana se hubiese marchado de Irlanda, a que luego tuvieras que dejar tu trabajo y a que tu padre estuviera enfermo. Ha dicho que cada vez que quería hablar contigo ocurría algo malo. Quería contarte lo suyo con Sean, pero entonces llegó la noticia de que la enfermedad de tu padre es terminal. Ha dicho que finalmente había organizado un encuentro la semana pasada y que entonces le contaste que te iban a despedir. Deseaba que no lo hubieras descubierto de la manera que lo hiciste.

Lo observé mientras asimilaba todo esto. Le hervía la sangre, el enojo bullía bajo su piel pero vi que también sufría, estaba muy frágil, muy delicado, muy desconsolado, a un suspiro de venirse abajo.

Proseguí:

—Parecía molesta porque hubiera contestado el teléfono, ofendida, casi enfadada conmigo porque no sabía quién soy. Ha dicho que tras los seis años que llevabais juntos creía que conocía a todos tus amigos. Estaba celosa.

El enojo pareció pasársele un poco; la idea de que Maria tuviera celos de otra mujer fue como agua de mayo sobre su ardiente ira.

Dudé sobre si añadir el resto, pero me lo jugué todo pensando que merecería la pena.

—Ha dicho que ya no te reconoce. Que antes eras divertido, gracioso y espontáneo. Ha dicho que has perdido tu chispa.

Le asomaron lágrimas a los ojos y sacudió la cabeza, volvía el machote.

—Vamos a lograr que vuelvas a ser así, Adam, te lo prometo. Quién sabe, a lo mejor reconocerá al hombre del que se enamoró y se enamorará de ti otra vez. Redescubriremos tu chispa.

Le dejé sitio para que reflexionara y aguardé en la sala de estar, mordiéndome nerviosamente las uñas. Veinte largos minutos después apareció en el umbral, vestido, con la mirada limpia y ni rastro de su desesperación.

—¿Desayunamos?

El bufet del comedor ofrecía todo un surtido de cosas que elegir y los clientes iban y venían varias veces para aprovechar el menú come-cuanto-puedas. Nos sentamos de espaldas al mostrador de tazas de café e individuales limpios.

—Así que no comes, tampoco duermes y a los dos nos gusta rescatar a personas. ¿Qué más tenemos en común? —dijo Adam.

Yo había perdido el apetito tres meses antes, al mismo tiempo en que me di cuenta de que no era feliz en mi matrimonio. Como consecuencia de haber perdido el apetito había perdido mucho peso, aunque estaba trabajando en ello con mi libro *Cómo recuperar el apetito bocado a bocado*.

—Relaciones rotas —respondí.

—Tú abandonaste la tuya. A mí me dejaron. No cuenta.

—No te tomes tan a pecho que abandonara a mi marido.

—Será si quiero.

Suspiré.

—Venga, háblame de ti.

—Maria ha dicho que perdiste tu chispa hace más de un año, y ese comentario se me ha quedado.

—Sí, a mí también se me ha quedado —interrumpió con fingida vivacidad—. Me pregunto si se habrá dado cuenta antes o después de tirarse a mi mejor amigo, o quizá fue mientras lo hacía. Caray, ¿no sería ocurrente?

No contesté a eso, le permití desfogarse.

—¿Cómo eras cuando tu madre falleció? ¿Cómo reaccionaste?

Maria también me había revelado ese detalle por teléfono, desvelando buena parte de la vida de Adam y sus problemas como si yo fuera una vieja amiga de confianza que ya estuviera al corriente de toda aquella información. Estoy convencida de que habría sido mucho más precavida con lo que decía si hubiese conocido la situación real, pero no era así, no era asunto suyo, y por tanto la dejé hablar; su perorata fue un intento de justificar sus actos y también una manera de enterarme de ciertos aspectos de la vida de Adam que tal vez él no habría compartido conmigo.

—¿Por qué?

—Porque me resultará útil.

—¿Será útil para mí?

—Tu madre falleció, tu hermana se mudó, tu padre está enfermo, tu novia ha conocido a otro. Creo que el hecho de que tu novia te dejara fue el detonante. Tal vez no soportes que la gente se vaya. Quizá te sientes abandonado. ¿Sabes una cosa?, aprender a reconocer tus detonantes puede ayudarte a ser consciente de los sentimientos negativos antes de caer en una espiral descendente. Quizá cuando alguien te abandona conectas con lo que sentiste a los cinco años de edad.

Estaba impresionada conmigo misma, pero al parecer era la única.

—Creo que deberías dejar de hacerte la terapeuta.

—Creo que deberías ir a ver a uno de verdad, pero por la razón que sea no lo harás y la mejor que tienes a mano soy yo.

Esto lo hizo callar. Fueran cuales fuesen sus motivos, aquello no le parecía una opción válida. Aun así, con el tiempo esperaba conseguir convencerlo de lo contrario.

Adam suspiró y se recostó en la silla, mirando la araña del techo como si fuese eso lo que le hubiese hecho la pregunta.

—Tenía cinco años. Lavinia, diez. Mamá tenía cáncer. Era muy triste para todos aunque en realidad yo no lo entendía. No estaba triste, solo sabía que la situación lo era. No estaba enterado que tuviera cáncer, y si lo estaba no sabía qué era. Tan solo sabía que estaba enferma. En casa había una habitación abajo que ocupaba ella y donde no nos permitían entrar. Esto duró unas semanas o unos meses, no lo recuerdo bien. Daba la impresión de ser eterno. Teníamos que ser muy silenciosos si andábamos cerca de la puerta. Entraban y salían hombres con maletines de médico, me revolvían el pelo al pasar. Mi padre rara vez entraba. De pronto, un día la puerta de esa habitación estaba abierta. Entré; dentro había una cama que antes no estaba allí. La cama estaba vacía, pero aparte de eso el aspecto de la habitación era exactamente el mismo que siempre había tenido. El médico que solía darme palmaditas en la cabeza me dijo que mi madre se había ido. Le pregunté adónde, dijo que al Cielo. De modo que comprendí que no iba a regresar. Allí era adonde un día se había ido el abuelo y nunca había vuelto. Pensé que tenía que ser un lugar divertido para que quienes iban no quisieran regresar. Fuimos al funeral. Todo el mundo estaba muy triste. Pasé unos cuantos días en casa de mi tía. Luego me hicieron el equipaje y me enviaron a un internado. —Hablaba de todo ello sin la menor emoción, totalmente desconectado, como si su mecanismo de defensa contribuyera a bloquear un sufrimiento abrumador. Supuse que conectar, sentir el dolor, era más de lo que él podía soportar. Parecía aislado y desvinculado y me creí hasta la última palabra que dijo.

—¿Tu padre no comentó contigo lo que le estaba ocurriendo a tu madre?

—Mi padre no manifiesta sentimientos, cuando le dijeron que le quedaban semanas de vida pidió que le pusieran un aparato de fax en la habitación del hospital.

—¿Tu hermana fue más comunicativa? ¿Pudisteis hablarlo juntos, a fin de entenderlo?

—La enviaron a un internado en Kildare y nos veíamos unos pocos días en vacaciones. El primer verano que regresamos a casa desde el internado montó un tenderete en el pueblo y vendió los zapatos, los bolsos, los abrigos de piel y las joyas de mi madre, y cualquier otro objeto de valor, y ganó una fortuna. Lo vendió todo y no hubo manera de recomprarlo cuando, unas semanas después, alguien se dio cuenta de lo que había hecho. Además, ya se había gastado casi todo el dinero. Para mí era prácticamente una desconocida y todavía lo fue más después de aquello. Está hecha de la misma madera que mi padre. Es más inteligente que yo, lástima que no dé mejor uso a su cerebro. Debería ser ella quien ocupara el puesto de mi padre, no yo.

—¿Hiciste buenos amigos en el internado? —pregunté, esperando que hubiera existido un círculo en el que el pequeño Adam hubiese encontrado amor y amistad; quería un final feliz en alguna parte.

—Allí conocí a Sean.

Cosa que distaba de ser el final feliz, puesto que esa persona en quien confiaba lo había traicionado. No pude contenerme, alargué el brazo y puse una mano encima de la suya. El gesto hizo que se pusiera tenso, de modo que la retiré enseguida.

Cruzó los brazos.

—¿Qué te parece si nos dejamos de paparruchas y abordamos directamente el problema?

—Esto no son paparruchas. Creo que el fallecimiento de tu madre cuando tenías cinco años es significativo, afecta a tu comportamiento pasado y presente, a tus sentimientos, a tu manera de enfrentarte a las cosas.

Eso decía el libro y me constaba que era verdad.

—Salvo si tu madre murió cuando tenías cinco años, me parece que eso no se puede aprender en un libro. Estoy de narices, sigamos adelante.

—Lo hizo.

—¿Qué?

—Mi madre murió cuando yo tenía cuatro años.

Me miró sorprendido.

—Lo siento mucho.

—Gracias.

—¿Y cómo te ha afectado? —preguntó amablemente.

—Me parece que no soy yo quien quiere matarse en su treinta y cinco cumpleaños, de modo que sigamos adelante —le espeté, pues quería que volviéramos a hablar sobre él. A juzgar por su expresión de perplejidad había sonado más enojada de lo que me había propuesto. Recobré la compostura—. Perdón. Lo que quería decir era que, si no quieres hablar, ¿qué quieres de mí, Adam? ¿Cómo esperas que te ayude?

Se inclinó hacia delante, bajó la voz y pinchó la mesa con el índice para poner énfasis en cada punto.

—Mi cumpleaños es la semana que viene, no tengo demasiadas ganas de celebrar una fiesta, pero por alguna razón eso es lo que me está organizando la familia, y por mi familia no me refiero a mi hermana Lavinia, pues la única manera que tiene de aparecer en Irlanda sin que le pongan un par de esposas es en Skype. Me refiero a la familia de la empresa. La fiesta es en el ayuntamiento de Dublín, una gran ceremonia, y preferiría no asistir, pero digamos que tendré que estar presente porque la junta directiva ha elegido ese día para anunciar a diestro y siniestro que voy a coger las riendas de la empresa mientras mi padre está vivo, como que les gustaría recibir el sello de aprobación, por así decir. Faltan doce días. Como está tan enfermo, se reunieron la semana pasada para ver si podían adelantar mi fiesta de cumpleaños. Les dijo que eso no iba a suceder. Para empezar, no quiero el trabajo. Todavía no he resuelto cómo arreglarlo, pero esa noche anunciaré a otro como nuevo director. Y si tengo que entrar en esa maldita sala quiero a Maria a mi lado, dándome la mano tal como debería ser. —Se le quebró la voz y se tomó un momento para recomponerse—. He estado pensando y lo entiendo. Cambié. No estaba a su lado cuando me necesitaba, estaba preocupada, acudió a Sean y Sean se aprovechó de ella.

Fui a Benidorm con él cuando terminamos nuestro Leaving Cert, y he salido de juerga con él cada fin de semana desde los trece años; créeme, sé cómo puede llegar a ser con las mujeres. Ella no.

Abrí la boca para protestar, pero Adam levantó un dedo a modo de advertencia y prosiguió.

—También me gustaría recuperar mi empleo en la guardia costera, y quitarme de encima a todos los que han trabajado en la empresa de mi padre durante cien años porque me eligieron a mí y no a ellos para suceder a mi padre. Si de mí dependiera, preferiría que cualquiera de ellos se quedara el maldito trabajo. Ahora mismo parece poco probable, pero tú me vas a ayudar en esto. Tenemos que deshacer los deseos de mi abuelo. Lavinia y yo no podemos hacernos cargo de la empresa, pero es imperativo que no pase a manos de mi primo Nigel. Eso sería el fin de la empresa. Tengo que encontrar una solución. Si nada de esto puede arreglarse me tiraré a un puñetero río, si es preciso, porque no pienso vivir si no es a mi manera.

Golpeó la mesa con el cuchillo de la mantequilla para recalcar las dos palabras finales. Me miró con ojos como platos, tenso, amenazador, retándome a que me marchara, a que me diera por vencida con él.

Era tentador, cuando menos. Me levanté.

—¡Bien! —Di una palmada como si me dispusiera a empezar a limpiar un restaurante—. Tenemos mucho que hacer si queremos que ocurra todo eso. Ahora tu apartamento es zona prohibida, supongo, de modo que puedes alojarte conmigo. Tengo que ir a casa y cambiarme, tengo que ir a la oficina a recoger unas cuantas cosas y tengo que ir a una tienda; luego te cuento para qué. Primero tengo que ir a buscar el coche. ¿Vienes?

Se quedó mirándome, asombrado de que no lo abandonara tal como él había supuesto que haría, pero enseguida cogió su abrigo y me siguió.

Una vez que estuvimos en el taxi, mi teléfono sonó.

—Es la tercera vez seguida. Nunca miras tus mensajes. No es muy alentador para mí para cuando esté colgado de un puente en alguna parte con ganas de que me levantes el ánimo.

—No son mensajes de texto, son de voz.

—¿Cómo lo sabes?

Lo sabía porque eran las ocho de la mañana y solo había una cosa que ocurriera tan pronto como a las ocho de la mañana.

—Tan solo lo sé.

Me escrutó.

—Dijiste que nada de secretos, ¿recuerdas?

Me quedé pensando y llevada por la culpa de haber leído su «proposición», que entonces estaba en mi bolsillo, le pasé mi teléfono.

Marcó y escuchó los mensajes. Diez minutos después me devolvió el teléfono.

Lo miré, aguardando alguna reacción.

—Era tu marido, aunque creo que ya lo sabías. Ha dicho que se queda con el pececito y que ha puesto a trabajar a sus abogados para que legalmente no puedas volver a tener un pez. Piensa que quizá también consiga impedir que entres en una tienda de animales. No está seguro de que gane en las ferias, pero hará lo posible por vencerte y asegurarse de que no ganes tú.

—¿Eso es todo?

—En el segundo mensaje te ha llamado puta veinticinco

veces. No las he contado. Él sí. Ha dicho que eran veinticinco veces. Ha dicho que eras una puta multiplicada por veinticinco. Y luego lo ha dicho veinticinco veces.

Cogí el teléfono y suspiré. Barry no daba muestras de estar calmándose. En realidad parecía que se estaba poniendo peor, más frenético. ¿Ahora me venía con el pececito? Él odiaba aquel pececito. Se lo regaló su sobrina por su cumpleaños porque el hermano de Barry también odiaba a los peces, de modo que técnicamente era un regalo para ella misma, que se guardaría en nuestra casa para que ella pudiera mirarlo y darle de comer cuando nos visitara. Por mí ya podía quedarse el maldito pez.

—En realidad —Adam me arrebató el teléfono con una mirada traviesa— quiero contar las veces. ¿No sería divertido que se hubiese equivocado?

Escuchó el buzón de voz de nuevo con el manos libres y cada vez que Barry escupía la palabra, con veneno, amargura y tristeza chorreando de cada una de las letras, Adam contaba con las manos y una sonrisa de oreja a oreja. Terminó la llamada un tanto decepcionado.

—Bah. Veinticinco putas.

Me lo pasó y miró por la ventanilla.

Guardamos silencio unos minutos y mi teléfono volvió a sonar.

—Y yo que pensaba que quien tenía problemas era yo —dijo.

8

Cómo disculparte con sinceridad cuando le has hecho daño a alguien

—Así pues, ¿este es él?

—Sí —susurré, sentada en la silla que había junto a la cama de Simon Conway.

—No puede oírte, ¿sabes? —dijo Adam, levantando la voz más de lo normal—. No es preciso susurrar.

—Chitón.

Me irritó su falta de respeto, su patente necesidad de demostrar que no le conmovía lo que veía. Bien, yo sí estaba conmovida y no me daba miedo admitirlo; sentía una gran emoción. Cada vez que miraba a Simon revivía el momento en que se había disparado. Oía el ruido, la ensordecedora detonación. Repasaba las palabras que le había dicho y que lo llevaron a dejar la pistola encima del mostrador de la cocina. Todo iba bien, su determinación se había debilitado, nos habíamos comunicado a la perfección, pero entonces fui presa de la euforia y perdí toda noción de lo que dije a continuación, suponiendo que dijera algo. Cerré los ojos con fuerza e intenté recordar.

—¿Se supone que debo sentir algo ahora mismo? —dijo Adam en voz alta, interrumpiendo mis pensamientos—. ¿Esto es un mensaje en jerga psicológica para decirme la suerte que tengo de estar aquí y él ahí? —me retó.

Lo fulminé con la mirada.

—¿Quiénes son ustedes?

Salté de la silla ante la súbita irrupción de una mujer en la habitación. Tenía treinta y bastantes y llevaba de la mano a dos niñas rubias que la miraron perplejas con sus grandes ojos azules. Jessica y Kate; recordaba que Simon me había hablado de ellas. Jessica estaba triste porque el conejo que era su mascota había muerto y Kate fingía que lo veía cuando Jessica no estaba mirando, para que se sintiera mejor. Simon se había preguntado si Kate haría lo mismo con él cuando se hubiese ido y yo le dije que no tendría que preguntárselo, que no tendría que hacerlas pasar aquel mal trago si seguía vivo para estar con ellas. La mujer estaba destrozada. Susan, la esposa de Simon. El corazón me empezó a palpitar, me reconcomía la culpabilidad por haberme entrometido. Intenté recordar lo que había dicho Angela, lo que todo el mundo decía: no era culpa mía, solo había intentado ayudar. No era culpa mía.

—Hola.

Me devané los sesos buscando cómo presentarme. Quizá fueron unos segundos de silencio, pero dio la impresión de que se prolongaban eternamente. El semblante de Susan era hostil, nada receptivo, nada tranquilizador. No me ayudaba a calmar los nervios y empeoraba mi sentimiento de culpa. Notaba los ojos de Adam clavados en mí, su salvadora, que ahora no sabía qué decir en plena lección de fe en uno mismo y fortaleza interior.

Di un paso y tendí la mano, tragué saliva, oí el temblor de mi voz al hablar.

—Me llamo Christine Rose. Estaba con su marido la noche que... —eché un vistazo a las niñas, que me miraban inocentemente—, la noche del incidente. Solo quería decirle que...

—Márchese —dijo Susan en voz baja.

—¿Perdón?

Tragué saliva. De pronto tenía la boca seca. Aquella había sido mi peor pesadilla. Había vivido aquella escena mil veces de distintas maneras y a través de los ojos de muchas personas durante mis miedos de madrugada, pero nunca pensé que llegaría a concretarse. Creía que mis miedos eran irracionales; lo único que los hacía soportables era saber que no eran reales.

—Ya me ha oído —respondió Susan, tirando de sus hijas hacia el interior de la habitación para que la puerta quedara despejada y me pudiera ir.

Me quedé paralizada, aquello no estaba ocurriendo. Fue necesario que Adam apoyara una mano en mi hombro y me diera un ligero empujón para que finalmente entrara en razón. No hablamos hasta que ambos estuvimos en el coche, circulando. Adam abrió la boca para decir algo pero me adelanté.

—No quiero hablar de eso.

Me esforzaba por no llorar.

—De acuerdo —dijo amablemente, luego dio la impresión de ir a decir algo más pero se contuvo y miró por la ventanilla.

Ojalá hubiese sabido lo que se calló.

Me crie en Clontarf, un suburbio costero de Dublín Norte. Cuando conocí a Barry tuve la gentileza de mudarme a Sandymount, su parte de la ciudad. Vivimos en su apartamento de soltero porque quería estar cerca de su madre, a quien yo no le gustaba porque pertenecía a la Iglesia de Irlanda aunque no me tomaba la molestia de ser practicante; no sé cuál de estas dos cosas la molestaba más. Tras seis meses de noviazgo me pidió la mano, seguramente porque era lo que hacían nuestros contemporáneos en aquella época, y yo dije que sí porque eso era lo que estaban diciendo todos nuestros coetáneos, y parecía lo más maduro y propio de adultos a nuestra edad, y seis meses después estaba casada y vivía en un apartamento nuevo que habíamos comprado en Sandymount, dejando la fiesta atrás y con la realidad ahora y siempre extendiéndose ante mí. Mi negocio se quedó en Clontarf, un breve trayecto en DART cada mañana. Barry no había conseguido vender su apartamento de soltero y decidió alquilarlo; el alquiler pagaba la hipoteca. Muchos de nuestros problemas actuales se habrían solucionado si Barry hubiese regresado al apartamento que abandonó con tantos aspavientos, permitiendo así que yo me quedara en casa, pero no, estaba reivindicando nuestro apartamento. También reclamaba nuestro coche, de modo que conducía el de una buena amiga; Julie había emigrado a Toronto y todavía no había conseguido vender el coche, que ya llevaba un año en venta. A cambio del favor de prestármelo, me encargaba de su venta, anunciándolo con un cartel de SE VENDE en las ventanas delantera y trasera, con mi número de teléfono, y como resultado tenía que filtrar llamadas, dar varias informaciones y hacer pruebas de conducción. Estaba aprendiendo que la gente tenía una tendencia a llamar a horas intempestivas para preguntar exactamente los mismos detalles que aparecían en los anuncios de las revistas de coches, como si esperaran oír una respuesta completamente diferente.

Mi oficina estaba en Clontarf Road, en la primera planta de una casa de tres pisos que había sido el hogar de las tres hermanas solteras de mi padre, Brenda, Adrienne y Christine, cuyos nombres llevábamos mis dos hermanas y yo. Ahora el edificio albergaba la firma de mi padre y mis hermanas, que se llamaba Bufete Rose e Hijas porque mi padre es feminista. Mi padre tuvo su bufete aquí durante treinta años, desde que la última de mis tías con vida decidió trasladarse a un apartamento independiente en el semisótano para no tener que cuidar ella sola de una casa tan grande. En cuanto mis hermanas se licenciaron, se unieron a la firma. Yo había temido el día en que le dijera que no quería trabajar para la firma familiar, pero fue más que comprensivo. De hecho, no quería que trabajara con él.

—Eres una intelectual —dijo—. Nosotros somos gente de acción. Las chicas son como yo. Tú eres como tu madre, tú piensas. Así que, piensa.

Brenda se dedicaba al derecho de la propiedad, Adrienne se dedicaba al derecho de familia y a papá le gustaba encargarse de los accidentes porque creía que ahí era donde había más dinero. Ocupaban el segundo piso, mi oficina estaba en el primero junto con la de un contable que llevaba allí veinte años y que escondía una botella de vodka en un cajón de su escritorio y creía que nadie estaba enterado, cuando era obvio por el olor de su despacho y su aliento, pero sobre todo gracias a Jacinta, la limpiadora, que pasaba a papá todos los chismes de todos los despachos que pagaban alquiler. No era un acuerdo verbal, pero tenían un acuerdo según el cual, cuantos más chismes le contara Jacinta, más dinero le pagaba papá. Con frecuencia me preguntaba qué le contaba sobre mí.

Los negocios de la planta baja habían cambiado tantas veces en los últimos años que no sabía quién era quién cuando me cruzaba con sus propietarios en el vestíbulo. Gracias a la recesión, los negocios cerraban tan deprisa como abrían. Por el sótano, que había sido el hogar de mi tía abuela Christine en sus últimos años, habían pasado un agente de seguros, un corredor de bolsa y unos diseñadores gráficos y en aquel momento era mi hogar. De una Christine a otra. Mi padre había aceptado alquilármelo y amueblarlo a regañadientes; el día que llegué encontré una cama individual en el dormitorio, una única silla en la cocina y una butaca en la sala de estar. Tuve que terminar de equiparlo saqueando las casas de mis hermanas. A Brenda le pareció divertidísimo donarme el edredón de Spider-Man de su hijo. Había pensado que me levantaría el ánimo, pero no hizo más que entristecerme por la situación en la que estaba inmersa. Podía permitirme comprar un edredón, así que los primeros días tuve intención de cambiarlo, pero se me fue olvidando hasta que llegué a un punto en que ni reparaba en él.

En la puerta de al lado había una librería, la Book Stand, también conocida como la Last Stand debido a su testaruda tendencia a permanecer abierta y en activo mientras todas las librerías pequeñas de varios kilómetros a la redonda se habían visto obligadas a cerrar.* La dirigía mi amiga íntima Amelia, y sospecho que pedir libros para mí era lo único que la mantenía en el negocio dado que la tienda casi siempre estaba vacía. Tenía pocos libros en *stock* y casi todos los que querías tenía que pedirlos, de modo que resultaba poco atractiva para los curiosos. Amelia vivía encima de la tienda con su madre, que necesitaba atención constante como consecuencia de un derrame cerebral severo. Con mucha frecuencia la campanilla que sonaba en la tienda no anunciaba la entrada de un cliente por la puerta de la calle sino a su madre, que la llamaba desde arriba porque necesitaba algo. Todavía niña cuando su madre enfermó, Amelia había cuidado de ella desde entonces y a mi parecer necesitaba urgentemente un descanso, un poco de tiernas y amorosas atenciones. Igual que la mayoría de personas que tienen a su cuidado a un incapacitado sin recibir remuneración, Amelia precisaba que alguien la protegiera y

* Juego de palabras intraducible, con distintas acepciones de «stand»; «Book Stand» sería «puesto de libros» y «Last Stand», «último bastión» o «última batalla». (*N. del T.*)

cuidara a ella, para variar. La librería parecía algo casi secundario a lo que Amelia destinaba su tiempo día tras día, que era a estar siempre a entera disposición de su madre, dedicándole todos sus pensamientos y horas de vigilia.

—Hola, cariño.

Amelia se levantó de un salto del taburete donde estaba leyendo para pasar el rato en la tienda vacía. Miró detrás de mí a Adam, que me había seguido, y sus pupilas se dilataron al verlo.

—Pensaba que ibas a aguardar en el coche —dije.

—Has olvidado dejarme la ventanilla abierta —contestó con cara de póquer, echando un vistazo a la tienda.

—Amelia, él es Adam. Adam, ella es Amelia. Adam es... un cliente.

—Oh —dijo Amelia, decepcionada.

Sabía lo que quería y fui derecha a la sección de autoayuda. Adam deambuló por la tienda, mostrándose aturdido, ensimismado, mirando pero sin ver.

—Es guapísimo —susurró Amelia.

—Es un cliente —contesté, susurrando a mi vez.

—Es guapísimo.

Me reí.

—A Fred no le gustaría oírte decir eso.

Se estudió las uñas y enarcó las cejas.

—Me ha invitado a almorzar en el Pearl.

—¿En el Pearl? Es muy elegante. —Me quedé un tanto confundida puesto que Fred no era del tipo romántico espontáneo. De pronto caí—. ¡Te va a proponer matrimonio!

Amelia no pudo seguir aguantándose, saltaba a la vista que pensaba lo mismo.

—O sea, puede que no, quizá no, pero quién sabe...

Di un grito ahogado.

—¡Oh, Dios mío, cuánto me alegro por ti!

Nos abrazamos entusiasmadas.

—Todavía no ha ocurrido. —Amelia me dio un golpe—. Me vas a traer mala suerte.

—¿Puedes cargar esto en mi cuenta?

Amelia miró el libro que había seleccionado.

—¡Por fin! Christine, esto es estupendo —dijo aliviada.

Fruncí el ceño.

—No es para mí. ¿Qué quieres decir?

—Oh. Perdona. Nada. No. Es... Nada. —Se ruborizó y cambió de tema—. Barry me llamó anoche.

—Vaya —respondí. El miedo me invadió.

—Era bastante tarde. Creo que había tomado unas copas.

Me mordí las uñas.

Adam se unió a nosotras. Era como un tiburón percibiendo la sangre, sabía exactamente cuándo estar cerca de mí cada vez que alguien desmenuzaba mi vida.

—Estoy segura de que no era verdad, o quizá sí, pero... pero no tendría que habérmelo dicho a mí, en cualquier caso. Lo que vosotros habléis debería guardarse en privado, aunque sea sobre mí, solo que no te culpo por lo que dijiste sobre mí.

Estaba dolida, y su rostro contradecía todo lo que había dicho.

—Amelia, ¿qué te dijo?

Respiró profundamente y se lanzó.

—Dijo que piensas que soy una fracasada porque vivo en casa con mi madre, que debería tener una vida propia y mudarme. Que tengo que ingresarla en una residencia y marcharme a vivir con Freddy porque de lo contrario no te sorprendería que me dejara.

—Oh, Dios mío. —Me tapé la cara con las manos—. Siento mucho que te dijera esas cosas.

—No pasa nada. Le dije que sabía que lo estaba pasando mal pero que era repugnante. Espero que no te importe.

—No, qué va, tienes todo el derecho a decirle lo que quieras.

Me había puesto roja y lo notaba, revelando mi culpabilidad. No podía negar que Barry y yo habíamos comentado aquellas cosas, pero ¿cómo se había atrevido a decírselo a Amelia? Me pregunté cuántas llamadas habría hecho la noche anterior y cuántas verdades habría dicho a las personas que amaba, haciéndoles daño para hacerme daño a mí.

Amelia estaba esperando a que le dijera que no era verdad.

—Oye, lo que está claro es que no lo expresé de esa manera.

Pareció ofenderse.

—Solo me preocupa que siempre estés pendiente de otras personas y no de ti misma. Que estaría muy bien que tú y Fred vivierais juntos, que tuvierais una vida en común.

—Pero las cosas han sido así desde que tenía doce años, Christine, lo sabes de sobra. —Amelia se estaba enfadando—. No voy a enviarla a una residencia mientras yo voy a mi bola.

—Ya lo sé, ya lo sé, pero ni siquiera has salido del país una sola vez. Nunca has hecho vacaciones. Eso es lo único que dije, te lo prometo. Estaba preocupada por ti.

—No es preciso que te preocupes por mí —dijo, levantando la barbilla—. A Fred no le importa que las cosas sean como son. Lo comprende.

Nos interrumpió el consabido ruido de la campanilla. Amelia enseguida se excusó para atender a su madre. Salí de la tienda con el libro metido en el bolso, oculto a los ojos de Adam, sintiéndome peor que nunca.

—O sea que ahora se dedica a llamar a tus amigos. Qué listo —dijo Adam—. El día va de bien en mejor.

Levanté la barbilla.

—Sí, pero el truco está en cómo reaccionas, Adam. Hay que afrontarlo con un espíritu positivo.

Puso los ojos en blanco.

—Eso me plantea un problema. Por ejemplo, creo que tu amiga no debería adelantar acontecimientos antes del almuerzo de hoy.

—Has estado escuchando.

—Estabais chillando.

—¡Va a llevarla al Pearl!

—¿Y qué?

—Bueno, allí es donde la gente pide en matrimonio.

—También es donde la gente almuerza. No debería entusiasmarse antes de que suceda. Tal vez no ocurra.

Suspiré, sintiendo que su actitud me restaba energía.

—¿Sabes qué? Esto es lo que tenemos que arreglar. Eres muy negativo. No paras de pensar en todo lo malo que puede ocurrir en todo momento. Con el tiempo empiezas a hacer que pase. ¿Estás al tanto de las leyes de la atracción? —Pensé en mi roce con la esposa de Simon, en el montón de veces que había repetido mentalmente aquella escena hasta que finalmente sucedió—. Si piensas que tu vida es una mierda, tu vida será una mierda.

—Insisto, no creo que esto sea terminología de terapeuta oficial.

—Pues ve a ver a un terapeuta de verdad.

—No.

Entramos y subimos al primer piso. Me detuve delante de la puerta de mi oficina e intenté meter la llave en la cerradura. Probé otra, luego otra, luego otra de las diez que llevaba en el llavero.

—¿Qué eres, celadora en una cárcel?

No le hice caso y probé con la llave siguiente.

—Maldita sea. Lo han vuelto a hacer. Ven.

Subí cansinamente la escalera.

Mi padre y mis hermanas estaban sentados en torno a una mesa de reuniones en su oficina cuando entramos. Papá iba hecho un pincel con un traje de raya diplomática, camisa y corbata rosas y pañuelo en el bolsillo. Llevaba los zapatos negros perfectamente lustrados, no tenía un solo pelo fuera de sitio en la cabeza, se había hecho la manicura y las uñas le brillaban. Era bajo y parecía más un sastre que un abogado.

—Sabía que era porque había encontrado a otro tío —dijo Brenda, chasqueando los dedos en cuanto vio a Adam—. Jesús, Barry se morirá cuando lo vea. ¿Cómo va a comparar su cabecita calva con eso? —agregó, refiriéndose a la mata de rizos rubios de Adam.

—Hola, familia —dije—. Os presento a Adam. Es un cliente. Adam, este es mi padre, Michael, y las dos brujas son Brenda y Adrienne.

—Nos llamamos así por dos de las brujas que antes vivían aquí —le dijo Adrienne. Luego me miró y agregó—: La tercera era Christine, de modo que a fin de cuentas eres una de nosotras, por más que intentes escapar.

—Tenían el pelo lila y fumaban mucho —dijo Brenda, que seguía escudriñando a Adam.

Papá metió cuchara.

—Nunca se casaron.

—Lesbianas —dijo Adrienne.

—Nosotras no lo somos —replicó Brenda—. Adrienne era una fulana. Rechazó cinco proposiciones de matrimonio.

—¿Del mismo tío? —pregunté.

—No. Hombres distintos —dijo papá—. Me parece que

el tercero acabó asesinando a alguien. —Frunció el ceño—. Aunque quizá lo esté confundiendo con otro.

—Una fulana —corroboró Brenda.

—No se acostaba con ellos —dijo papá—. Las cosas eran distintas en aquellos tiempos.

—Lesbiana —insistió Adrienne.

Aguardé a que terminaran. Siempre jugaban a «fulana o lesbiana» con personas diferentes.

—Piensas que todas las mujeres son lesbianas porque tú lo eres —dijo papá a Adrienne.

—Soy bisexual, papá.

—Has tenido cinco novias y un novio. El chaval fue un experimento. Eres lesbiana. Cuanto antes lo aceptes, antes podrás sentar cabeza y tener una familia normal —dijo papá.

—Por cierto, ¿cómo conociste a Christine? —preguntó Brenda a Adam—. Toma, siéntate —añadió, ofreciéndole una silla.

Adam me miró. Me encogí de hombros y se sentó. Hizo una evaluación rápida de mi familia y entonces dijo:

—Impidió que me tirara del Ha'penny Bridge.

Todos lo miraron. Adam se revolvió un poco en el asiento, sin saber qué hacer con sus miradas que había suscitado aquella revelación. Estoy segura de que se preguntaba si había elegido mal el momento o si siquiera tendría que haberlo dicho. Pero a mi familia se le daban bien esas cosas: te hacían participar y sentir que lo importante en realidad no era en absoluto importante. Ellos decidían qué lo era.

Adrienne arrugó el semblante.

—¿El Ha'penny? Pero si ni siquiera es alto.

—¿Qué estás diciendo? —le preguntó Brenda.

—Apenas es una caída. ¿Cuánto hay, dos metros y medio hasta el agua?

—No intentaba matarse con la caída, Adrienne —dijo Brenda—. Me figuro que quería ahogarse. ¿Es lo que querías?

Todos lo miraron. Adam no supo qué contestar, tan grande era su asombro. Yo estaba acostumbrada a toda una gama de reacciones cuando llevaba gente a casa. Algunos amigos míos no lo soportaban; otros se lanzaban de cabeza y se unían a ellos; otros, como Adam, se contentaban con observar el inusual ritmo de la conversación y su sentido del humor, sin ofenderse para nada, puesto que estaba claro que no era esa su intención.

—He dicho que me figuro que pretendías ahogarte —dijo Brenda un poco más alto.

—No tiene agua en los oídos, Brenda —interrumpió Adrienne—. Ella lo salvó, ¿recuerdas?

Se rieron un poco. Adam me miró sin salir de su asombro.

Dije «lo siento» en silencio y articulando para que me leyera los labios y negó con la cabeza desconcertado, como si no tuviera por qué disculparme.

—Y bien que hiciste, Christine —dijo papá, levantando los pulgares—. Felicidades.

—Gracias.

—Esto seguramente hará que te sientas mejor a propósito del anterior, ¿verdad?

Adam me miró con una preocupada expresión protectora.

—Pero el Liffey tampoco es muy hondo, ¿no? —preguntó Adrienne.

—Adrienne, puedes ahogarte en un charco si te quedas atrapada bocabajo o tienes la espalda rota o lo que sea —explicó Brenda.

Adrienne miró a Adam.

—¿Tenías la espalda rota?

—No.

Mi hermana entornó los ojos.

—¿Sabes nadar?

—Sí.

—Entonces no lo entiendo. Sería como si Brenda se pasara el día comiendo helados para adelgazar. —Se volvió hacia Brenda al ocurrírsele una idea—: Cosa que, en realidad, intentas hacer.

—Andrew, ¿te gustaría ver mi anuncio? —preguntó papá.

—Se llama Adam y no quiere verlo —dije.

—Deja que hable por sí mismo.

Papá lo miró.

—Sí, claro, ¿por qué no?

Papá se levantó de la mesa y fue a su despacho.

—Papá es un cazador de ambulancias —explicó Brenda.

—Se dedica a responsabilidad civil —aclaré—. Gana más dinero que las otras dos juntas.

—Y se lo gasta en pedicuras —dijo Brenda.

—Y en depilarse la espalda y los bajos —apostilló Adrienne, y ambas rieron socarronamente.

—Os he oído, y solo lo hice una vez —dijo papá, regresando de su despacho con una cinta de vídeo en la mano—. Estaba en la India con un calor de mil demonios y supuso una gran diferencia —explicó con toda calma mientras nosotras hacíamos una mueca de asco solo de imaginarlo—. ¿Te hiciste daño en el puente, Andrew?

—Adam, y no, no me hice daño —contestó educadamente.

—¿Clavos oxidados, dolor de cervicales, ese tipo de cosas?

—No.

Papá se decepcionó.

—No importa. ¿Dónde podemos ver esto?

—Nuestra tele no reproduce cintas. Eso es prehistórico.

Volvió a decepcionarse.

—¿Sabes qué? Este anuncio se adelantó a su tiempo. Lo filmé hace veinte años. Irlanda no estaba preparada para él. Y ahora ves a todos esos tipos en la tele sin parar. Sobre todo en América. Si te cortas el dedo gordo del pie por accidente con el cortaúñas pueden conseguirte dinero. —Negó con la cabeza, admirado—. ¿Tienes reproductor de vídeo? Podrías ir a tu casa y traerlo.

—Vive en Tipperary —expliqué.

—¿Y qué haces aquí?

—Papá, ¿es que no escuchas?

—Intentó tirarse del Ha'penny Bridge —aclaró Adrienne.

—Pero si hay unos puentes fantásticos en Tipperary. Están el puente antiguo de Carrick-on-Suir, Madam's Bridge en Fethard, que es muy bonito, y también el viaducto de tres arcos del tren sobre el río Suir...

—De acuerdo, gracias —interrumpí.

—Oye, Adam... —Brenda apoyó el mentón en la mano y lo miró de hito en hito, lista para chismorrear—. ¿Christine te ha dicho que dejó a su marido?

—Sí.

—¿Y qué opinas?

—Que fue cruel por su parte. No parece que le haya hecho algo malo —dijo, como si yo no estuviera de pie justo a su lado.

—No lo hizo. Estoy de acuerdo contigo —declaró Brenda.

—Aunque era muy poco interesante —dijo papá.

—El aburrimiento no es motivo de divorcio —adujo Adrienne—. Si tal fuera el caso, Brenda no habría durado tanto con Bryan.

—Cierto —concedió Brenda.

—Bryan no es aburrido. —De pronto papá defendía a su yerno—. Es poco eficiente; un perezoso. Eso es diferente.

—También es cierto —dijo Brenda.

—Tenemos que irnos —añadió—. No quiero saber quién cambió mis cerraduras, solo quiero la llave de la nueva.

Brenda y Adrienne miraron a papá, que se echó a reír.

—Perdón, no he podido evitarlo. Se lo toma tan mal, que resulta divertido. Ahora traigo la llave.

Se levantó y volvió a irse a su despacho con la cinta de vídeo en la mano.

—¿Deduzco que Gemma no ha venido en busca de una llave? —pregunté. Normalmente llegaba antes que yo, Peter y Paul por la mañana, y yo no estaba preparada para enfrentarme a otra jornada sin ella, menos aún después del caos que había reinado en la oficina la semana anterior.

—Nos hemos enterado de que la despediste dejando caer a sus pies el libro *Cómo despedir a alguien*. No son maneras, Christine.

Adam me miró descontento.

—Fue un accidente. ¿Os lo contó ella?

—Estuvo aquí el viernes, buscando empleo.

—¡Dime que no le disteis uno!

—Quizá lo hagamos.

—No podéis, es mía.

—Tú no la quieres, y tampoco quieres que la tenga nadie más. Eres una patrona abusona.

—Definitivamente, voy a contratarla —respondió Adrienne, sonriendo divertida.

Les encantaba provocarme con burlas. Los tres eran muy parecidos. Su sentido del humor era y siempre había sido único y propio de ellos. Yo lo entendía pero nunca me divertía. Eso hacía que todo fuese todavía más hilarante desde su punto de vista, cosa que servía de acicate a su conducta. Era como si tuvieran un club secreto e hicieran todo lo posible para que no fuera secreto, con la esperanza de darme la bienvenida. Pero para mí era imposible, era demasiado diferente. Decir oveja negra era quedarse corto; yo pertenecía a una especie completamente distinta.

—Gemma se adelantó. No iba a despedirla. Solo estaba pensando en ello. Quizá tenga que hacer algunos recortes. El apartamento me está costando demasiado.

Fulminé a papá con la mirada cuando agitó las llaves sujetas con el índice y el pulgar y se las arrebaté.

—Nunca os he dado nada. Todas tenéis que pagar vuestros gastos —dijo.

—Existe algo que se llama echar una mano —repliqué, a punto de perder los estribos.

—Bien, pues regresa con tu marido —dijo—. Hay cosas peores que casarse con un tipo aburrido. Mira a Brenda. Esos críos son el mejor anuncio de *superglue* que he visto en mi vida.

—Ven a mi casa —propuso Brenda—. Siempre nos vendrá bien un poco de sangre fresca.

—No, ni hablar.

—¿Por qué no?

—Me pondríais de los nervios. Y Bryan, ya sabes, merodea —admití.

Adrienne y papá se echaron a reír. Adam parecía divertirse aunque no tenía ni idea de quién era Bryan.

—Es verdad, es un fisgón —corroboró Adrienne entre risas—. No me había dado cuenta hasta ahora.

—Siempre hace así —dijo papá. Miró con lascivia por encima del hombro de Adrienne y ambos rieron otra vez. Adam se sumó a ellos.

—Es verdad —corroboró Brenda a su vez.

—Lo único que digo es que agradecería que mi casero me tratara con un poco más de indulgencia —dije.

—Tengo una hipoteca que pagar —respondió papá, dejando de hacer el payaso y sentándose de nuevo.

—Este edificio se ha pagado más de cien veces, y nadie ha ocupado ese apartamento en mucho tiempo antes que yo. Apesta a humedad, la cisterna del váter no funciona bien y prácticamente no hay muebles, o sea que no puede decirse que hayas perdido a algún inquilino porque yo esté ahí.

—Perdona. Lo amueblé para ti.

—Poner una cuchara de té en un cajón no es amueblar un apartamento —exageré.

—A buen hambre no hay pan duro.

—No paso hambre, y además soy tu hija.

—Eso no es algo que se elija.

—Eso no viene a cuento, papá.

Me miró dando a entender que me equivocaba y que tendría que averiguar yo sola por qué.

—Y vosotros dos, ¿qué vais a hacer? —preguntó Brenda a Adam—. ¿Te va a colocar en un nuevo empleo para que sigas tu camino?

Adam parecía un tanto divertido con todo aquello; sus ojos tenían una chispa de luz.

—Tiene que convencerme de que me gusta mi vida antes de mi treinta y cinco cumpleaños.

Todos se callaron. No necesitaban preguntar qué ocurriría si su vida no le gustaba cuando llegara esa fecha límite; quedaba implícito.

—¿Cuándo es? —preguntó Adrienne.

—Dentro de dos semanas —dije.

—Doce días —me corrigió Adam.

—¿Vas a dar una fiesta? —preguntó Brenda.

—Sí —contestó Adam, perplejo por el derrotero que estaban tomando.

—¿Podemos asistir? —preguntó Adrienne.

—Deberías hacerte con una de esas tartas que parecen una tarta pero que en realidad son puro queso. Grandes quesos circulares, uno encima del otro. Son muy ocurrentes —dijo papá.

—Papá, estás obsesionado con las tartas de queso.

—Las encuentro ocurrentes.

—Te veo triste —dijo Brenda, mirando a Adam.

—Es que está triste —respondió Adrienne.

—No sé si Christine es la persona más adecuada para ti —dijo Brenda—. Los de JJ Recruitment son geniales.

—Si no, conozco a un terapeuta de primera —se ofreció Adrienne—. Cosa que Christine no es —enfatizó.

—Si es ese hombre al que estás viendo, no se lo recomendaría —le dijo papá.

—Un momento, ¿estáis cuestionando mi destreza? —pregunté—. Una agencia de empleo no se limita a buscar trabajo a la gente. Ayudo a personas constantemente. Averiguo qué buscan las personas y luego las llevo de un punto de su vida a otro —expliqué, tratando de vender mis aptitudes delante de Adam, sin mirarlo.

—Igual que un taxista —repuso Brenda.

—No... es algo más que eso.

Procuré no dejar traslucir mi frustración porque sabía que solo me estaban tomando el pelo.

—Nadie cuestiona tu destreza —dijo Brenda.

—Bien, a lo mejor se harán felices mutuamente —dijo papá, poniéndose de pie—. Se levanta la sesión, sigamos trabajando. Te deseo mucha suerte, Martin, y mira lo de esas tartas hechas de queso. Son muy ocurrentes.

Dedicó una destellante sonrisa anacarada a Adam y regresó a su despacho. De repente se oyó la frecuencia de la radio de la policía.

—Es el mejor candidato que hayas traído a casa alguna vez —dijo Brenda en voz baja mientras Adam salía de la oficina delante de mí, negando con la cabeza como si no estuviera seguro de lo que había presenciado.

—Brenda, el domingo por la noche intentó matarse —dije entre dientes.

—Aun así. Al menos tenía una vida que matar. Barry apenas tiene pulso en sus mejores días.

Seguí a Adam escaleras abajo.

—Ah, por cierto —gritó Brenda por la caja de la escalera—. ¡Barry me llamó anoche para decirme que meas en la ducha!

Adam y yo nos paramos en seco. Poco a poco volvió su rostro hacia mí. Cerré los ojos y respiré profundamente. Luego seguí bajando, adelantándolo.

—Tampoco quiero hablar de eso —dije en voz alta.

Le oí reír. Ese encantador sonido que tan pocas veces le había oído.

Cuando entramos en mi despacho, Gemma había dejado un mensaje sobre mi escritorio. Había cogido uno de los libros de la estantería: *Cómo disculparte sinceramente cuando te das cuenta de que has hecho daño a alguien*. Deduje que Gemma me estaba aconsejando que lo leyera en lugar de pedirle disculpas a ella.

A medida que fue transcurriendo la mañana me vi inundada de llamadas, mensajes de texto y de voz de amigos que habían hablado o recibido recados de Barry la noche anterior. Me di cuenta de que tal vez debería comenzar a leer. Tenía la impresión de que debía disculparme con unas cuantas personas.

9

Cómo disfrutar de tu vida
de treinta maneras sencillas

Lo primero que debía hacer antes de sentarme con Adam era cancelar todas mis citas de las dos semanas siguientes. Sin Gemma para ayudarme en la logística, tendría que delegar mi trabajo y mis reuniones en mis dos colegas Peter y Paul, que no me dirigían la palabra desde el injusto despido de Gemma. Me senté al escritorio de Gemma y me puse manos a la obra. Cancelar la cita con Oscar fue lo más largo porque lo llamé justo cuando había dejado pasar el tercer autobús sin subirse. Tuve que acompañarlo por teléfono durante la experiencia entera de subir al autobús, sentarse y aplicar las técnicas de respiración, luego contarle una historia para distraerlo y finalmente darle mi número de móvil porque se angustió mucho al saber que no estaría en la oficina durante los quince días siguientes. Ahora bien, cuando terminé pude despedirme de un hombre lleno de júbilo que se sentía el amo del mundo porque había aguantado tres paradas a bordo de un autobús. Su tarea siguiente consistía en regresar a casa a pie, cosa que haría la mar de contento. En cuanto hube colgado Adam me gritó desde mi despacho.

—*Cuarenta y dos consejos sobre cómo tener pensamientos positivos cuando todo va mal...* Otro título para mi colección.

Treinta y cinco maneras de pensar positivamente... —Soltó una risotada desdeñosa—. Estas cifras me intrigan. ¿Por qué son tan concretas? ¿Por qué cuarenta y dos y no cuarenta? ¿Por qué no se pueden redondear los pensamientos positivos con el diez más cercano?

Siguió avanzando ante la estantería.

—*Cinco maneras de demostrar amor. Cinco maneras de conservar tu energía. Diez maneras de conservar energía.* —Se rio—. ¡Ajá! Creo que ya sé cómo lo haces. Los archivas por orden numérico, ¿verdad? Te dices, «hoy estoy de humor para una larga ruta para conservar mi energía», o bien, «hoy estoy bastante cansada, de modo que tomaré el atajo para conservar mi energía». Seguro que siempre optarás por las cinco maneras de conservar tu energía porque ¿no sería un contrasentido hacer diez cosas cuando tienes la opción de hacer cinco? ¿Crees que la persona que escribió las cinco maneras tenía más o menos energía que la persona que escribió las diez maneras? Porque tiene más métodos pero escribió un libro más corto, cosa que seguramente le resultó menos agotadora. Deberían encontrarse; quizás este tío podría escribir un libro titulado *Cómo aconsejar a las personas a cómo escribir libros de autoayuda.* Seis maneras, doce maneras, treinta y nueve maneras, sesenta y seis maneras... ¡Sí, tenemos un ganador! —Sostuvo un libro en alto—. *Sesenta y seis maneras de resolver tus problemas económicos.* ¿Sesenta y seis? Yo solo sé una: ve a trabajar —le dijo al libro, y siguió husmeando.

—Hay gente que no puede trabajar.

—Claro. El estrés se ha convertido en el nuevo dolor de espalda.

—No estás en el trabajo. De hecho, tengo curiosidad por saber dónde piensan que estás exactamente.

No me hizo caso.

—¿Es como un tratamiento autorrecetado? Te dices, necesito seis maneras para perder peso, o esta semana necesito veintiuna maneras. Esta semana soy una persona del tipo nueve maneras de subir escaleras.

—Eso no es un libro.

—No, pero podría serlo. Deberías escribirlo tú. Me gustaría saber nueve modos de subir un tramo de escaleras. Está claro que la manera más obvia nunca es la que esta gente tiene en mente.

Por descontado, abrigaba la ambición de escribir un libro, pero no iba a confesárselo a él, habida cuenta de la opinión que le merecía la autoayuda. Aunque tenía la impresión de que estaba más cerca de hacerlo. La semana anterior pensé en sacar *Cómo escribir un libro de éxito* del montón de cajas sin abrir que contenían mi vida en el apartamento de abajo. Barry no me había apoyado mucho en mi sueño, aunque eso no debería haberme impedido hacer lo que quería. Admití libremente que en el pasado había usado su falta de apoyo como excusa porque me daba miedo hacerlo, pero ahora las cosas eran distintas y me había prometido a mí misma que lo intentaría.

Había muchos temas dándome vueltas por la cabeza, pero el título de trabajo era *Cómo encontrar el trabajo de tus sueños*. Hasta la fecha había encontrado publicadas treinta variantes del mismo título, había leído cuatro y aun así sentía que tenía algo que añadir. Los libros que había leído parecían centrarse en planteamientos del tipo «hacerse-rico-deprisa», mientras que yo siempre consideraba que el objetivo final debería ser la felicidad personal. Brenda me decía que la felicidad personal no vendía, que debería entretejer sexo en la oficina, o al menos dedicarle un capítulo; una vez más, la aportación de un familiar a mis ambiciones demostró ser infinitamente inútil.

Adam entretanto seguía despotricando sobre los libros de autoayuda.

—¿Hay una caja fuerte secreta con un cargamento de libros para mí? ¿Quizá *Cien maneras de no matarte*?

Creyéndose gracioso, se dejó caer en un sillón que resultó ser el mío. Visto lo mucho que había tardado en hacerlo, no puse objeciones. Me senté en la silla que solían ocupar mis clientes. No estaba acostumbrada a ver la habitación desde aquel ángulo y me sentí desconcertada de inmediato.

—No vas muy descaminado —dije, comenzando la sesión—. No voy a darte cien maneras para no matarte, pero vamos a trazar juntos un plan de crisis.

—¿Un qué?

Saqué un libro de la estantería que tenía detrás: *Cómo enfrentarse a los pensamientos suicidas*. Lo hojeé hasta dar con la página apropiada. Lo había leído dos veces seguidas en las noches de insomnio posteriores a la experiencia Simon Conway.

—En resumidas cuentas es una lista de instrucciones que debes seguir cuando tienes un pensamiento suicida, como los que has admitido haber tenido a montones. Puesto que ya has intentado ponerlos en práctica una vez, quizá te vengan ganas de volver a hacerlo.

—Ya te he dicho que querré hacerlo de nuevo si las cosas no cambian.

—Y hasta tu cumpleaños, eres mío —dije muy seria—. Hemos hecho un trato. Durante los próximos doce días haré todo lo posible por cumplir con mi parte del trato. Tú tendrás que cumplir la tuya. Seguir vivo. Esta es tu tarea. Sigue los pasos y seguirás vivo. Quizás incluso te veas más cerca de volver a encontrarte a ti mismo. Así es como puedo ayudarte a recuperar a Maria.

—Perfecto.

—De acuerdo. Pasaremos al plan dentro de un momento, nos llevará un rato redactarlo. Antes me gustaría que habláramos, necesito formarme una idea real del punto en que estás en tu vida, de cómo te sientes.

Me callé y dejé que el silencio se prolongara. Adam miró a la izquierda, luego a la derecha, en busca de una cámara oculta.

—Me siento... suicida.

Me constaba que estaba siendo sarcástico, pero no me reí.

—Para que te enteres, suicida no es un sentimiento. Es un estado del ser. La tristeza es un sentimiento, la soledad es un sentimiento, el enojo es un sentimiento. La frustración es un sentimiento. Los celos son un sentimiento. Suicida no es un sentimiento. Puedes tener pensamientos suicidas, pero un sentimiento solo es eso: un pensamiento. Nuestros pensamientos cambian constantemente porque somos nosotros quienes los dirigimos. Una vez que captes la diferencia entre los pensamientos suicidas y tus sentimientos, comenzarás a entender tus emociones. Puedes separar tus pensamientos suicidas de tus sentimientos. No pensarás «hoy quiero matarme». Pensarás «hoy estoy enojado porque mi hermana desapareció del mapa y me dejó al frente del negocio». Entonces te ocuparás de tu enojo. «Me agobia la responsabilidad de mi trabajo»; entonces te ocuparás de ese sentimiento de agobio. Puedo ayudarte a aprender a llegar al fondo de tus pensamientos suicidas, a desafiar esos pensamientos y recuperar el control. Así pues, Adam, ¿cómo te sientes?

Parecía incómodo. No paraba de moverse y desviaba la vista por la habitación. Finalmente su mirada se posó en algún lugar fuera de la ventana y se relajó un poco. Tras pensarlo un momento, dijo:

—Me siento... cabreado.

—Bien. ¿Por qué?

—Porque mi novia se está tirando a mi mejor amigo.

No era exactamente lo que yo andaba buscando, pero asentí para que prosiguiera.

—Me siento... un idiota de tomo y lomo por no haberme dado cuenta de lo que estaba pasando. —Se inclinó hacia delante y apoyó los codos en los muslos, aceptando que realmente iba a hacer aquello. Se frotó la cara con las manos y volvió a incorporarse—. Aunque creo que entiendo por qué lo hizo. Lo que decías esta mañana sobre que yo estaba distante; tiene razón. Perdí la perspectiva, me distraje con todas esas otras cosas que terminaron obsesionándome. No he estado en mi mejor momento. Pero puedo decirle que he cambiado y con un poco de suerte cambiará de opinión.

—¿Cuándo vas a decirle que has cambiado?

—No lo sé. ¿Hoy?

—O sea que has cambiado de la noche a la mañana. Todos los sentimientos de agobio por el trabajo, de ser abandonado por tu hermana, toda la amargura y el enojo de tener que dejar un trabajo y una vida que adoras para cumplir con un deber familiar, toda esa decepción con tu vida, con quien eres como persona, todos esos sentimientos en conflicto a propósito de la enfermedad terminal de tu padre, sintiendo que ya no quieres seguir viviendo... ¿Todos esos sentimientos han desaparecido?

Bajó la vista al suelo, apretando la mandíbula mientras le daba vueltas en la cabeza.

—No. Pero cambiaré. Tú me ayudarás. Lo prometiste.

—Mi ayuda comienza aquí, en esta habitación. Las cosas no cambiarán excepto si tú cambias. Así que háblame.

Estuvimos hablando durante dos horas. Cuando Adam dio muestras de estar agotado y la cabeza me martilleaba con todas las responsabilidades que pesaban sobre sus hombros, decidí hacer una pausa. Informada de los problemas, ahora tocaba ganar perspectiva y mostrarle la alegría de vivir. Esta era la parte que me ponía más nerviosa. No se me daba bien, no estaba segura de qué hacer ni dónde llevarlo. Sobre todo habida cuenta de que no me sentía precisamente el alma de la fiesta.

—¿Y ahora qué? —preguntó, obviamente cansado.

—Mmm. Aguarda un momento.

Salí de mi despacho; para entonces Peter y Paul ya habían llegado pero me seguían haciendo el vacío. No me importaba porque tenía otras cosas en mente. Cogí el libro nuevo que había comprado en la tienda de Amelia, *Treinta maneras sencillas de disfrutar de la vida*, el libro que Amelia había creído que compraba para mí, y recordé su comentario: ¡Por fin! ¿Tan aburrida era yo, realmente? Había procurado guardarme mis problemas para mí, no había comentado mi tristeza con nadie. Pensaba que había disimulado muy bien.

Hojeé las primeras páginas.

1. Disfruta de la comida, no te limites a comer. Degústala y aprecia sus sabores.

Comida; ¿en serio? Pero ¿qué más iba a hacer con él? Metí el libro en el bolso.

—Venga, vámonos.

—¿Adónde vamos?

—A comer —dije con desenfado.

No sabía si Gemma regresaría pero, por si acaso, a modo de explicación, dejé un ejemplar de *Cómo compartir tus problemas económicos con alguien que depende de ti* encima de su escritorio, confiando en que lo entendiera.

El lugar para el primer punto de nuestra lista fue el restaurante Bay de Clontarf, con vistas a la bahía de Dublín.

—¿Así que comer es divertido? —preguntó Adam, apoyando el mentón en la mano como si la cabeza le pesara demasiado para que se la sostuviera el cuello—. Creía que era algo necesario para vivir.

Mientras echaba un vistazo a la carta apáticamente, me fijé en el concurrido café. Estaba abarrotado, la gente hablaba alto, los platos contenían grandes raciones de comida de colores vistosos y los aromas que flotaban en el comedor probablemente hacían la boca agua a todo el mundo, aunque a mí me revolvían el estómago.

—Sí, por supuesto —mentí. Lo único que en verdad quería era tomar una ensalada verde y marcharme cuanto antes, pero tenía que darle buen ejemplo a Adam—. Tomaré estofado de pata de cordero con raíces suculentas, humus picante y ensalada de quinoa, por favor.

Sonreí forzadamente a la camarera mientras por dentro me espantaba la obligación de comer toda aquella comida.

—Para mí un café solo, gracias —dijo Adam, cerrando la carta.

—¡No, no! —Le hice un gesto admonitorio con el dedo. Abrí la carta y se la volví a dar—. Comida. Diversión. Comer.

Adam parecía estar perdido mientras sus ojos cansados recorrían la carta.

—¿Qué nos sugiere? —pregunté a la camarera.

—A mí me encanta el salmón marinado al horno sobre un lecho de *ratatouille* mediterránea y puré cremoso.

Por un momento pensé que Adam iba a vomitar.

—Le encantará, gracias.

—¿No quieren entrantes? —preguntó la camarera.

—No —respondimos al unísono.

—¿Cuándo perdiste el apetito? —pregunté.

—No lo sé, hará un par de meses. ¿Cuándo perdiste el tuyo?

—No lo he perdido.

Enarcó una ceja.

—El alcohol y la cafeína no son una buena idea para alguien que está deprimido —dije, tratando de recuperar el control de la situación para seguir centrándonos en él.

—¿Qué has desayunado esta mañana? —preguntó.

Recordé el café solo que había tomado en el hotel.

—Sí, de acuerdo, pero yo no estoy deprimida.

Dio un resoplido.

—El deprimido eres tú. Eres tú quien intentó matarse. Yo solo estoy... un poco alicaída.

—Un poco alicaída. —Me miró con ojo crítico—. Eso es un eufemismo. Eeyore* no tiene nada que envidiarte.

Me reí a pesar mío.

—Lo único que quería decir es que debemos controlar tu dieta. Te hará bien. Tiene mucho que ver con la depresión. Es evidente que estás en forma, o sea que seguro que entrenas mucho. —Noté que me ponía roja—. Nunca te veo comer, no sé de dónde sacas la energía necesaria.

—¿Prefieres que te lo diga de cinco maneras o de diez?

—Solo de una, por favor.

—Es de cuando hago estriptis, ¿sabes? Cuando estoy en el escenario, bailando con los chicos.

Me reí.

---

* Es un personaje del libro *Winnie the Pooh* de A. A. Milne. Generalmente se le representa como un viejo burro de peluche gris bastante pesimista, melancólico y deprimido. *(N. del T.)*

—Me parece que estás hecho un lío con lo de hacer estriptis y lo de hacer de modelo.

—Bueno, no sé qué pasa por tu cabeza —respondió, sonriendo.

La camarera dejó dos enormes platos de comida delante de nosotros. Ambos los miramos con espanto.

—¿Está todo bien? —preguntó la camarera al percatarse de nuestra reacción—. ¿Es lo que habían pedido?

—Sí, claro, tiene un aspecto... delicioso. Gracias.

Cogí el tenedor y el cuchillo y no supe por dónde empezar.

—Dime, ¿cuándo fue la última vez que saliste a comer, Christine, visto que piensas que es tan divertido? —preguntó, estudiando su plato e, igual que yo, sin saber por dónde empezar.

—Hace mucho tiempo, pero solo porque estábamos ahorrando para la boda. Mmm, esto está bueno. ¿Lo tuyo está bueno? —«No te limites a comer, degusta la comida»—. Esto no sé qué es; ¿jengibre? Está muy rico, y me parece que lleva un poco de limón. En fin, después de la boda nos fuimos de luna de miel al extranjero y nos volvimos a quedar sin dinero, de modo que durante un año cocinábamos en casa o tomábamos comida para llevar, y ya nos iba bien porque todos nuestros amigos estaban en las mismas.

—Diversión —dijo Adam con sarcasmo—. ¿Cuánto tiempo estuviste casada?

—Come. ¿Está rico eso? ¿Esta cremoso el puré?

—Sí, el puré está cremoso —dijo, siguiéndome la corriente—. Y las zanahorias saben a zanahoria.

—Nueve meses —respondí, obviando su comentario.

—¿Lo abandonaste al cabo de nueve meses? He estado mucho más tiempo con chicas que odiaba. No te debías esforzar mucho.

—Me esforcé mucho.

Bajé la vista y revolví la comida.

—Come. ¿Sabe a cordero tu cordero? —preguntó—. ¿Y cuándo supiste que te habías equivocado?

Tomó un bocado de salmón, lo masticó despacio y se lo tragó como si fuese una pastilla gigante.

Pensé antes de contestar. ¿Decir la verdad o dar la respuesta que había dado a todos los demás?

—Nada de secretos —agregó Adam.

—Tuve punzadas de duda durante una temporada, pero supe con certeza que me equivocaba mientras caminaba por el pasillo de la iglesia el día de mi boda.

Esa era la verdad.

Dejó de comer y me miró sorprendido.

—Sigue comiendo —dije—. Lloraba a moco tendido, caminando hacia él. La gente todavía lo comenta, pensaron que era un momento muy enternecedor. Pero mis hermanas supieron ver la verdad. No eran lágrimas de alegría.

—Siendo así, ¿por qué te casaste?

—Me entró el pánico. Quería parar pero me faltó coraje. Y no quería hacerle daño. No veía otra salida; estaba atrapada, pero era una trampa en la que me había metido yo misma. Así que me obligué a seguir adelante con la boda.

—¿Te casaste porque no querías herir sus sentimientos?

—Por eso no podía seguir casada con él, solo porque no quisiera herir sus sentimientos.

Lo ponderó y luego asintió.

—Un buen argumento.

—Si me hubiese parado a pensarlo en su momento, habría encontrado otra manera de salir. Una manera mejor.

—Era como estar en un puente.

—Exactamente igual. —Seguía revolviendo la comida por

el plato—. Lo amaba, ¿sabes?, pero tengo una teoría sobre el amor. Creo que, por buenos que sean, hay amores que no están destinados a durar para siempre.

Adam guardó silencio. Ambos tomamos unos cuantos bocados de comida. Finalmente dejó los cubiertos en el plato.

—Me rindo —dijo, levantando las manos—. No puedo comer más. ¿Puedo parar, por favor?

—Claro. —También yo dejé los cubiertos en el plato, aliviada—. Jesús, qué llena estoy —rezongué, con las manos en la barriga hinchada, dejando de fingir sin querer—. Figúrate, hay gente que hace esto tres veces al día.

Nos miramos y nos echamos a reír.

—¿Ahora qué toca? —preguntó Adam, inclinándose hacia delante con los ojos brillantes.

—Pues...

Miré en mi bolso y fingí buscar un pañuelo de papel. Abrí el libro a escondidas.

2. Ve a dar un paseo por el parque. No te limites a caminar, aprecia el entorno, fíjate en la belleza de la vida que te rodea.

—Vayamos a dar un paseo —dije, como si se me hubiera acabado de ocurrir.

Ambos estábamos dispuestos a dar un paseo para bajar la comida que nos habíamos obligado a comer, de modo que a pesar del frío extremo nos dirigimos a St. Anne's Park, el segundo parque municipal más grande de Dublín. Bien arrebujados, deambulamos en torno al jardín vallado, los establos rojos que albergaban mercados los fines de semana, el templo de Hércules junto al estanque de los patos, ante el que metí prisa a Adam por si sentía el impulso de saltar. La rosaleda en esa época del año fue una decepción y un mal lugar donde sentarse en un banco para hacer una pausa. Contemplamos las feas ramas podadas y desprovistas de color mientras el viento gélido nos azotaba el rostro y el frío del banco atravesaba nuestros abrigos y pantalones hasta llegarnos al trasero. Yo aprovechaba cualquier oportunidad o excusa que podía para investigar su mente.

—¿Comprabas flores para Maria a menudo?

—Sí, pero nunca el día de San Valentín. Tengo absolutamente prohibido comprarlas el día de San Valentín. Demasiado tópico.

—¿Y qué le regalas?

—El año pasado fue un pomelo. El anterior, una rana.

—Un momento, ya volveremos al pomelo. ¡¿Una rana?!

—Ya sabes, para que pudiera darle un beso y encontrar a su Príncipe Azul.

—Ecs. Es patético.

—¿Intentas aumentar mi confianza en mí mismo o hundirme?

—Perdón. Seguro que le encantó la rana.

—Pues sí. Los dos quisimos mucho a *Hulk*. Hasta que se escapó por la ventana de la terraza.

De pronto sonrió como si hubiese recordado algo divertido.

—¿Qué pasa?

—Nada, una tontería... personal.

La sonrisa secreta me intrigó; era un rasgo que revelaba un lado suyo que no había visto hasta entonces; un lado más blando, el Adam romántico.

—Vamos, tienes que decírmelo. Nada de secretos, ¿recuerdas?

—Es una tontería. No tiene importancia. Solíamos bromear sobre que le regalaba un tipo de flor. Eso es todo.

—¿Qué clase de flor?

—Un jacinto de agua. A ella le gustaba el cuadro, el de Monet.

Lo dejó ahí.

—Tiene que haber algo más en esa historia.

—Bueno, decidí regalarle uno. Tenía prohibido regalarle flores en San Valentín pero pensé que esta sería una excepción. Estaba en el parque, los vi y pensé en ella. Así que me metí en el lago para coger uno.

—¿Vestido?

—Claro. —Se rio—. Era más profundo de lo que pensaba. El agua me llegaba hasta la cintura pero tenía que seguir adelante. Los guardas del parque prácticamente me daban caza.

—Dudo de que esté permitido robar jacintos de agua.

—Bueno, esa es la cuestión: no lo hice. Me equivoqué. Le regalé un nenúfar. —Se echó a reír—. Me preguntaba por qué ella pensaba que eran tan especiales.

Me eché a reír.

—¡Serás idiota! ¿A quién se le ocurre pensar que un jacinto de agua es un nenúfar?

—No veo tan raro equivocarse en algo así. En cualquier caso le gustó. Lo usó en el apartamento. Puso una foto de nosotros encima, con velas.

—Qué detalle. —Sonreí—. ¿O sea que sois un par de románticos?

—Si quieres llamarlo romántico... —Se encogió de hombros—. Nos divertíamos. Nos divertimos —se corrigió.

Inopinadamente, me entristecí. Barry y yo no teníamos anécdotas como aquella. Me esforcé en recordar alguna; tampoco era que fuese a contársela, pero la quería para mí, para recordar los buenos tiempos. Ese tipo de gesto jamás se le ocurrió hacerlo a Barry, como tampoco a mí, pero me ayudó a formarme una idea de cómo era la relación de Adam y Maria. Era espontánea, divertida, única, privada.

Nos perdimos por los senderos, yo haciendo lo posible por señalar cosas, por hacer que Adam sintiera y viera toda la vida que nos rodeaba. Desconocía los nombres de las plantas, de modo que me detenía y leía los letreros, pidiendo a Adam que leyera los nombres en latín, cosa que nos hacía reír cuando los pronunciaba rematadamente mal.

—Suenan como dinosaurios —dije.

—Suenan como enfermedades —dijo él, metiéndose las manos en los bolsillos—. Disculpe, doctor, tengo un poco de *prunus avium*.

—¿Qué es eso? —pregunté.

Se acercó al letrero.

—El cerezo, según parece. Imagínate tener un nombre así.

—Por cierto, ¿cómo te llamas de apellido?

Sus ojos perdieron parte de la luz recién recobrada y entendí que le había tocado la fibra.

—Basil —dijo.

—Ah. Como el chocolate —respondí, procurando que no perdiera el buen humor.

—Y como la hierba.*

—Sí, pero el chocolate: «With Basil, You Dazzle» —dije con una vocecilla cursi, citando el lema de la empresa, que nunca acababa de funcionar si lo pronunciabas como lo hacían los americanos. De ahí que el lema de la empresa fuese

---

* «Basil» significa albahaca. El juego de palabras con el lema del fabricante de chocolate es fonético y, por tanto, intraducible; su significado es «Con Basil, deslumbras». *(N. del T.)*

With Bayzil, You Dayzzle. Era una marca irlandesa de productos de confitería muy apreciada que llevaba casi doscientos años en el mercado, y la mera mención de Basil hacía sonreír a todos los niños y adultos del país. Pero no a Adam. Al ver la expresión de su rostro, agregué—: Lo siento, te lo habrán dicho toda la vida.

—Pues sí. ¿Cómo se sale de aquí? —preguntó, como si de pronto se hubiese hartado de mi compañía.

Sonó mi teléfono.

—Amelia —leí.

—Ah, sí, la proposición de matrimonio que nunca ocurrió —dijo, en un tono monótono. Se alejó para darme intimidad.

—Amelia —contesté, con la voz expectante. Oí un gemido al otro de la línea—. Amelia, ¿qué ocurre?

—Tenías razón —sollozó.

—¿Cómo dices? ¿En qué tenía razón?

Mi voz resonó.

Adam dejó de buscar la salida y me miró fijamente. Al ver mi expresión entendió lo que había ocurrido y supe con toda exactitud lo que estaba pasando por su cabeza: para que luego me vengan con pensamientos positivos.

Corrí todo el paseo marítimo de Clontarf con el viento azotándome las mejillas. Tuve que concentrarme en mi avance, saltando y esquivando placas de hielo como si estuviera haciendo una carrera de obstáculos hasta que llegué a la librería. En algún lugar detrás de mí, Adam regresaba sin prisa con la llave de mi apartamento en la mano. Procuré no preocuparme porque fuera a tirarse al mar; le había dado instrucciones estrictas, repasé rápidamente el plan de crisis una vez más y me eché a correr. Tenía que llegar cuanto antes junto a mi amiga.

Amelia estaba sentada en un sillón en su rincón de la librería, con los ojos enrojecidos. En el otro lado de la tienda una mujer disfrazada de Drácula, con la cara pintada de blanco y sangre chorreándole de la boca, estaba leyendo un cuento a un grupo de atemorizados niños de entre tres y cinco años de edad.

—Bajaron por la escalera oscura hasta el sótano. Las teas que ardían en las paredes les alumbraban el camino. Y de pronto, delante de ellos, allí estaban... los ataúdes —dijo de un modo espeluznante.

Uno de los niños sollozó y corrió en busca de su madre. La madre recogió sus cosas, lanzó una mirada enojada a la mujer Drácula y se marchó de la librería.

—Amelia, ¿estás segura de que ese cuento es apropiado?

Amelia, que parecía comatosa y con la visión demasiado borrosa por las lágrimas para ver más allá de la punta de su nariz, se sorprendió al oír mi pregunta.

—¿Lo dices por Elaine? Sí, lo hace bien, acabo de contratarla. Ven, tengo que hablar contigo.

Salimos de la librería y subimos al apartamento que Amelia compartía con su madre, Magda.

—No quiero que mi madre lo sepa —dijo en voz baja, cerrando la puerta de la cocina—. Ella estaba convencida de que iba a proponerme matrimonio. No sé cómo decírselo.

Se puso a llorar otra vez.

—¿Qué ha sucedido?

—Ha dicho que le han propuesto un trabajo en Berlín y que tiene muchas ganas de mudarse allí porque es una gran oportunidad para él, pero sabe que yo no puedo ir. No puedo abandonar a mamá, ni siquiera para montar nuestra propia casa. Definitivamente, no puedo irme del país. ¿Qué pasaría con la tienda?

Pensé que no era el momento apropiado para recordarle que la tienda llevaba diez años con pérdidas, incapaz de competir con las grandes cadenas de librerías con cafetería, por no mencionar las tiendas *on-line* y los libros electrónicos. Apenas lograba impedir que Amelia escupiera a la gente cuando la veía leer en una tableta. Había hecho lo posible, organizando sesiones de cuentacuentos para niños, presentaciones con autores y un club de lectura, pero era una batalla perdida. Todo ello a fin de mantener vivo el recuerdo de su padre. La librería había sido su orgullo y su alegría, no los de ella. Era a él a quien amaba, no el negocio. Había intentado señalárselo en varias ocasiones, pero Amelia no me hacía caso.

—¿Es una opción llevar a tu madre a Berlín?

Amelia negó con la cabeza.

—Mamá odia viajar. Ya sabes cómo es, no se irá del país. ¡Sería imposible que viviera allí!

Me miró, horrorizada porque me hubiera atrevido a sugerirlo. Entendí la frustración de Fred. Amelia nunca se plantearía esa idea ni por un instante.

—Vamos. Eso no significa que hayáis terminado. Las relaciones a distancia funcionan. Así lo hicisteis cuando estuvo seis meses en Berlín, ¿recuerdas? Fue duro, pero puede hacerse.

—Verás, esa es la cuestión... —Se secó las lágrimas—. Conoció a otra mientras estuvo allí. No te lo conté en su momento, pero lo resolvimos. Le creí cuando dijo que había terminado con ella pero... Christine, él sabe de sobras que nunca me marcharé de aquí. Le consta que no lo haré. El restaurante, el champán, todo ha sido una ridícula farsa para obligarme a ser la que pusiera fin a la relación. Él sabía que diría que no, pero al menos así él no es el malo de la película. Si todavía no ha vuelto a ponerse en contacto con ella, tiene planes de hacerlo, lo sé.

—No lo sabes.

—¿Nunca has sabido algo al mismo tiempo que no lo sabías?

Sus palabras me impactaron; sabía perfectamente a qué se refería. Yo había utilizado la misma expresión cuando pensaba sobre mis sentimientos a propósito de mi matrimonio.

—Oh, Dios —dijo Amelia agotada. Dejó caer la cabeza sobre los brazos, que tenía cruzados encima de la mesa—. Menudo día.

—Y que lo digas —susurré.

—¿Qué hora es? —Amelia miró el reloj de pared—. Qué raro. Normalmente mamá habría pedido la cena a estas horas. Más vale que vaya a ver cómo está. —Se restregó los ojos—. ¿Tengo aspecto de haber llorado?

Tenía los ojos enrojecidos, a juego con su melena pelirroja.

—Te ves bien —mentí. Su madre se enteraría, tarde o temprano.

En cuanto salió de la cocina miré si tenía mensajes de Adam en el móvil. Le había dado las llaves de mi apartamento y esperaba que estuviera bien, pero en el apartamento no había con qué distraerse, ni libros ni televisor. Aquello no era bueno. Marqué su número enseguida.

—¡Christine! ¡Llama a una ambulancia! —chilló Amelia desde la habitación de al lado. Por su tono entendí que no debía hacer preguntas. Borré el número de Adam y marqué el 999.

Amelia había encontrado a Magda en el suelo junto a su cama. En cuanto llegó el personal de la ambulancia la declararon muerta. Había sufrido un derrame cerebral. Amelia era hija única sin personas a su cargo y nadie a quien recurrir, de modo que me quedé con ella, prestándole un hombro sobre el que llorar y ayudándola con las formalidades.

Eran las diez de la noche cuando por fin tuve ocasión de mirar mi teléfono. Tenía seis llamadas perdidas y un mensaje de voz. Era de la comisaría de la *Garda* de Clontarf, pidiéndome que llamara por un asunto relacionado con Adam Basil.

10

Cómo hacer una tortilla
sin cascar los huevos

—Vengo a ver a Adam Basil —dije, irrumpiendo en la comisaría de la *Garda* de Clontarf. Por el camino, mi ya de por sí abarrotada mente se vio aún más sobrecargada con preguntas y espantosos pensamientos sobre lo que podía haber hecho Adam. Ni siquiera recordaba cómo había llegado allí.

El *gardaí* me miró a través de la ventanilla.

—¿Puedo ver alguna identificación?

Se la pasé.

—¿Está bien? ¿Se ha hecho daño?

—Si se hubiese herido, estaría en un hospital.

—Sí, claro. —No se me había ocurrido pensarlo y me relajé. Acto seguido volví a ponerme tensa—: ¿Se ha metido en un lío?

—Se está tranquilizando —dijo el agente, saliendo del despacho y perdiéndose de vista.

Aguardé diez minutos y finalmente la puerta de la zona de espera se abrió y Adam entró en la habitación. La expresión de su rostro me advirtió que tendría que ir con pies de plomo. Su mirada era adusta. Tenía la camisa arrugada como si hubiese dormido con ella puesta, aunque obviamente no era así porque sus ojos estaban cansados y enojados. Si aquel era Adam después de calmarse, me asustaba pensar cómo había estado unas horas antes.

—Sabe que no es legal encerrarme tanto rato —le gruñó al *gardaí*—. Conozco mis derechos.

—No quiero volver a verle por aquí, ¿entendido? —le contestó el oficial, señalándolo con un dedo amenazador.

—¿Estás bien? —pregunté en voz baja.

Me fulminó con la mirada y se marchó hecho una furia.

—Lo hemos encontrado en el banco de un parque, mirando a los niños que estaban jugando. Los padres se han inquietado, recelosos, y nos han avisado para que fuéramos a echar un vistazo. Me he acercado para hacerle unas preguntas y ha perdido la cabeza.

—¿Y por eso lo han encerrado?

—Hablando a un *gardaí* como lo ha hecho, tiene suerte de que no presentara cargos contra él. Tiene que hablar con alguien, ese muchacho. Y usted debería tener cuidado —me advirtió.

Salí a la calle en busca de Adam, suponiendo que habría desaparecido. Pero allí estaba, de pie junto al coche.

—Perdona que no diera señales de vida en toda la tarde. Amelia estaba destrozada porque ha roto con su novio.

No pareció afectarlo la desgracia de mi amiga y no lo culpé después de lo que le había pasado durante la tarde.

—Estaba a punto de llamarte para decirte que ya iba de camino cuando ha descubierto que su madre había sufrido un derrame cerebral. Hemos llamado a una ambulancia pero ya era demasiado tarde, estaba muerta. Después de eso, no podía marcharme sin más.

De repente, estaba cansada. Muy, muy cansada.

Adam dejó de apretar la mandíbula.

—Lo siento por ella.

Fuimos en coche hasta el apartamento en silencio y cuando entramos contempló las habitaciones vacías, las paredes desnudas, mi edredón de Spider-Man.

—Perdona, pero esto es lo que hay —dije, avergonzada—. Es de alquiler. Todas mis cosas están retenidas como rehenes.

Dejó caer su bolsa al suelo.

—Es magnífico.

—Adam, el plan de crisis está para ayudarte. Sé que puede parecer inútil pero, si sigues los pasos, estoy segura de que lo encontrarás útil en el futuro.

—¿Útil? —gritó, dándome un susto. Sacó un trozo de papel arrugado de su bolsillo y se puso a romperlo hecho una furia. Me aparté de él unos pasos, súbitamente consciente de que era un perfecto desconocido con problemas de salud mental a quien había dejado entrar en mi casa. ¿Cuán estúpida había sido? No se dio cuenta de que me había alejado poco a poco.

»Esto es lo que me ha metido en problemas. «Llama a alguien de tu lista de emergencia cuando tengas un pensamiento suicida», dice. Y tenía una. La primera en mi lista de emergencia eres tú. Te he llamado. No has contestado. La segunda debería ser mi novia y el tercero, mi mejor amigo, pero ellos no están en la maldita lista. Mi madre está muerta y mi padre, agonizando. Tampoco están en la lista. Cuando esto falla: «Haz algo que te ponga contento cada vez que tengas un pensamiento suicida.» —Estrujó los restos de la nota con el puño—. Puesto que ya había comido y había dado un paseo, ¿qué otra cosa alegre podía hacer hoy? Entonces me he acordado del parque infantil y he oído a los niños reír y he pensado, eso es puñeteramente divertido, a lo mejor me ponen puñeteramente contento. De manera que me he sentado allí durante una hora, sin sentirme muy puñeteramente contento, ¡y entonces viene ese *gardaí* y me pregunta si soy pedófilo! Está claro que me cabreo si piensa que soy un psicópata que mira embobado a los niños. ¡Así que puedes coger tu puto plan de crisis y metértelo donde te quepa! —gritó, lanzando los trocitos de papel por los aires—. El novio de tu amiga ha roto con ella, su madre ha muerto y a ti no te va mucho mejor, que digamos. Gracias por mostrarme la belleza de la vida.

—De acuerdo... —balbuceé, intentando no tener miedo de aquel hombre al que no conocía, al mismo tiempo que me esforzaba por convencerme de que sí lo conocía, recordándome que había entrevisto a Adam siendo amable, mostrando su lado romántico, siendo divertido. Enfrentada a esa ira y oscuridad, costaba lo suyo creer que aquel otro Adam existiera. Miré hacia la puerta, procurando que no se diera cuenta. Podía huir. Podía llamar a los guardias, decirles lo que había ocurrido en el puente, decirles que quería matarse, podía poner fin a todo aquello de inmediato porque había fracasado. La había liado bien liada.

Respiré profundamente a fin de apaciguar los latidos de mi corazón. Sus gritos me estaban poniendo tan nerviosa que no podía pensar con claridad. Por fin se hizo el silencio. Ahí estaba él, mirándome fijamente. Tenía que decir algo. Algo comprensivo. Algo que no desencadenara otro arrebato de ira. No soportaría que se hiciera daño a sí mismo. No allí, no conmigo, nunca.

Tragué saliva y me sorprendió lo firme que sonó mi voz.

—Entiendo que estés enojado.

—Claro que estoy jodidamente enojado.

Pero no sonó tan enojado como antes. Parecía que se hubiese calmado un poco al ver que lo comprendía. Eso me dio más serenidad; quizá podría hacer aquello, después de todo.

Al menos podía intentarlo un poco más de tiempo. No quería darme por vencida con él.

—Tengo un remedio para eso.

Manteniendo las distancias, me dirigí a la cocina. Saqué seis huevos del frigorífico y escribí en ellos con un rotulador negro, fijándome en cuánto me temblaba la mano. Escribí los nombres «Basil», «Sean», «Maria», «Papá», «Lavinia» y «Christine» en los huevos, y luego abrí la puerta corredera de la cocina que daba al largo y estrecho jardín de atrás.

—Vamos —dije, llamándolo.

Me miró con ojos turbios.

—Vamos —repetí con más firmeza, intentando no sentirme intimidada, procurando mantener las cosas en marcha. Yo llevaba las riendas, debía conseguir que me hiciera caso. A regañadientes, me siguió.

»Aquí tengo seis huevos, con palabras que representan cosas que ahora mismo te hacen enojar. Tíralos. Tíralos donde quieras. Con toda la fuerza que quieras. Reviéntalos. Libérate de tu enojo.

Le pasé el cartón y le indiqué la puerta abierta.

—Estoy harto de tus tareas —dijo entre dientes.

—Muy bien.

Dejé el cartón en la encimera y salí de la cocina, dirigiéndome a mi dormitorio. Aunque tenía muchas ganas de cerrar la puerta con llave, no me gustó el mensaje que eso le transmitiría. De modo que me senté sobre mi edredón de Spider-Man y me quedé mirando la pared de color crema, la sombra cuadriculada que la luna proyectaba a través de la ventana, e intenté pensar qué hacer a continuación. Tenía ante mí una tarea ingente y ninguna idea de cómo llevarla a cabo. De un modo u otro, tenía que hacer que fuera a ver a un terapeuta. Pensé en la manera de conseguirlo. ¿Quizá fingir que íbamos a otro sitio y llegar a la consulta? Pero si hacía eso, nunca volvería a confiar en mí. Y entonces no contaría ni siquiera con la ayuda que pudiera darle yo, aunque fuera una negada.

Por primera vez desde que había aceptado aquel desafío, estaba comenzando a pensar que quizá no sería capaz de cumplirlo. La idea de que Adam podría matarse me puso físicamente enferma y corrí al baño y cerré la puerta. Agachada allí dentro, doblada por la mitad, le oí gemir como si algo le doliera, como si le hubieran pegado un puñetazo. Sobresaltada, recobré la compostura, me refresqué la cara con agua y salí enseguida. Me detuve en la puerta de la cocina. La luz a mis espaldas se derramaba en el jardín oscuro que estaba muy descuidado desde que falleciera mi tía abuela Christine, que tenía mucha mano con las plantas. Ahora no era más que una larga franja rectangular de hierba que nadie había atendido en una década como mínimo, y mucho menos en los últimos meses invernales. Recordé que mi tía abuela solía darnos fresas recién arrancadas de la mata, flores comestibles, ajo de oso y menta que nos comíamos más por el obsequio que por el sabor. Podía imaginarla recogiendo grosellas para hacer mermelada, el sombrero de paja de ala ancha protegiéndole el rostro del sol, su piel arrugada pendiendo en el cuello y el pecho temblando al trabajar, mientras su voz rasposa por un enfisema explicaba lo que iba haciendo. El jardín ahora distaba mucho de ser como entonces, pero el recuerdo permanecía intacto en un rincón de mi mente, la alegría de mi juventud un día soleado sintiéndome querida y segura contrastaba con aquella fría noche negra con miedo y pánico atenazándome el corazón.

Fuera, en el jardín, Adam miraba el cartón de huevos que sostenía en la mano, eligiendo con un aire pensativo. Cogió uno y efectuó un tremendo lanzamiento que llegó hasta el fondo del jardín. Soltó un grito y el huevo se estrelló contra la tapia de la otra punta. Mostrándose más motivado, fue en busca del cartón y cogió otro huevo. Lo lanzó, gritando al soltarlo en el aire, y observó cómo se reventaba contra la tapia del fondo. Repitió el gesto otras tres veces. Cuando hubo terminado, volvió a entrar en la casa como un vendaval, se metió en el baño y dio un portazo. Me retiré al dormitorio para cederle espacio. Se abrió el grifo de la ducha. Oí sus enojados sollozos perdiéndose entre el ruido del agua.

Salí en busca del cartón. Quedaba un huevo. Me agaché, cogí el huevo y se me saltaron las lágrimas. El nombre que ponía en el huevo que quedaba era «Christine».

Estaba acostada, apoyada en las almohadas, tensa y alerta, incapaz de relajarme mientras él estuviera de semejante humor, cuando apareció en el umbral de mi dormitorio. Instintivamente, me cubrí con el edredón, temiendo por mi seguridad. Al ver mi reacción, Adam hizo una mueca, dolido por mi miedo ante él.

—Lo siento —dijo amablemente—. Prometo no volver a comportarme así. Sé que estás intentando ayudarme.

Me percaté de que aquel era un Adam distinto del que se había enfurecido conmigo antes y me serené.

—Intentaré hacerlo mejor —dije.

—No hagas caso de lo que te he dicho. Lo estás haciendo bien. Gracias.

Sonreí.

—Buenas noches, Christine.

—Buenas noches, Adam.

11

Cómo desaparecer por completo
y que nunca te encuentren

A las cuatro de la madrugada tuve una revelación. Adam había estado en lo cierto la noche anterior: tenía que hacerlo mejor. Él no lo había dicho pero lo había dado a entender. Me daba cuenta de lo vulnerable que era. Tenía que hacerlo mejor. Completamente despierta, con la mente demasiado activa para dormir, me levanté, me puse un chándal y entré en la sala de estar tan silenciosamente como pude. La sala estaba a oscuras pero Adam estaba levantado, su rostro atribulado iluminado por el resplandor de su ordenador personal.

—Creía que estabas durmiendo.

—Estoy viendo *Ferris Bueller's Day Off*.

Era una de las cosas que habíamos puesto en la lista de su plan de crisis como distracción para cuando tuviera un bajón.

—¿Estás bien? —pregunté. Intenté escrutar su semblante, pero la pantalla del ordenador no daba suficiente luz para revelar sus pensamientos más íntimos.

Hizo caso omiso a mi pregunta.

—¿Adónde vas?

—A mi oficina. Regresaré dentro de un momento... si te parece bien.

Asintió.

Cuando regresé, su ordenador estaba bocabajo en el suelo, el cable del cargador, enrollado en su cuello y él despatarrado en el borde del sofá, con los ojos cerrados y la lengua colgándole fuera de la boca.

—Muy gracioso.

Seguí caminando, con los brazos sobrecargados de papel, bolígrafos, rotuladores y una pizarra blanca que dejé en mi dormitorio.

Adam sostenía que no quería ayuda emocional, insistiendo en que sus necesidades eran materiales, tangibles. Quería recuperar su trabajo en la Guardia Costera de Irlanda, quería recuperar a su novia, quería quitarse a su familia de encima. Yo había supuesto que podía tratar de resolverlo ayudándole en el terreno emocional, pero disponía de muy poco tiempo. Tal vez lo mejor que podía hacer fuese abordar sus necesidades materiales tal como lo haría con las emocionales. En el ámbito emocional, Adam ya tenía sus herramientas, tenía su plan de crisis. Lo que le faltaba era un conjunto de herramientas para enfrentarse a las necesidades físicas, y yo iba a dárselo.

Demasiado curioso para resistir más, Adam apareció en la puerta.

—¿Qué estás haciendo?

Estaba frenética trazando planes, registrando cosas gráficamente. Dibujaba cuadrículas, collages de ideas, subrayados, burbujas, toda clase de cosas volaban en la pizarra blanca.

—¿Cuánto café has tomado? —preguntó Adam.

—Demasiado. Pero no tiene sentido perder tiempo. Además, ninguno de los dos duerme, así que, ¿por qué no empezamos ahora? Quedan doce días —dije, con un tono apremiante—. Eso son doscientas ochenta y ocho horas. La mayoría de la gente duerme ocho horas cada noche; nosotros no, pero la gente sí. Eso nos da dieciséis horas al día para hacer lo que tenemos que hacer, lo que nos deja con solo ciento noventa y dos horas. No es mucho tiempo. Y son las cuatro de la mañana, por tanto, oficialmente, nos quedan once días.

Taché las cifras y me puse a calcularlas de nuevo febrilmente. Teníamos trabajo que hacer en Dublín y bastante pronto tendríamos que ir a Tipperary para ocuparnos del resto de los problemas de Adam.

—Me parece que estás teniendo un ataque de nervios —dijo Adam divertido, observándome con los brazos cruzados.

—No. Estoy teniendo una revelación. ¿Quieres mis servicios al completo y en exclusiva? Eso es lo que vas a tener. —Abrí el armario y saqué una linterna, comprobé si las pilas estaban cargadas y funcionaba. Metí toallas y una muda en una bolsa—. Te sugiero que te pongas algo de abrigo y que cojas una muda porque nos vamos.

—¿Nos vamos? Hace un frío que pela y son las cuatro de la mañana. ¿Adónde vamos?

—Tú y yo, amigo mío, vamos a reconquistar a Maria.

Casi sonrió.

—¿Y cómo vamos a hacerlo?

Lo aparté de la puerta de un empujón y no tuvo más remedio que ponerse el abrigo y seguirme.

St Anne's Park está abierto a todas horas, aunque no es el lugar más seguro para estar a las cuatro y media de la madrugada. En el pasado había sido escenario de varias agresiones y era harto posible que uno o dos cadáveres hubieran aparecido allí en los últimos años. No estaba demasiado bien iluminado por la noche, detalle que había olvidado de mi época adolescente de borracheras.

—Estás loca —dijo, siguiéndome mientras yo alumbraba el camino con la linterna—. ¿No crees que es un poco peligroso deambular por aquí?

—Por supuesto, pero tú eres fuerte y me protegerás —dije. Me castañeteaban los dientes. Cuanto más no adentrábamos en el parque, más se me pasaba el efecto de la cafeína. Las latas de cerveza y los grafitis recién pintados que aparecían cada mañana bastaban para decirme que no estábamos solos en el parque, pero obsesionada como estaba con la cuenta atrás, no había un instante que perder. No quería que la muerte de Adam pesara sobre mi conciencia porque entonces nunca volvería a dormir.

A pesar de la linterna solo alcanzaba a ver unos pocos metros delante de mí, y el sol no vendría en nuestro auxilio hasta al cabo de unas horas. No obstante, tenía a mi favor un buen conocimiento del parque. Me había criado en aquel parque y conocía sus doscientas hectáreas como la palma de mi mano. Aunque eso solo valía de día; habían transcurrido al menos quince años desde que, siendo adolescente, paseara dando traspiés en plena noche mientras bebía con mis amigos.

De repente me detuve, apunté la linterna a izquierda y derecha. Luego di media vuelta, tratando de orientarme.

—Christine —dijo Adam, en tono de advertencia.

Le hice caso omiso, intentando imaginar el lugar a plena luz. Di unos cuantos pasos hacia la derecha. Me paré y fui en dirección contraria.

—Jesús, no me digas que nos hemos perdido.

No contesté.

Adam tiritaba a mi lado. Oímos voces procedentes de una arboleda que quedaba a nuestra izquierda. Luego un entrechocar de botellas.

—Por aquí —dije con un hilo de voz, alejándome de la pandilla de la arboleda.

Adam murmuraba entre dientes.

—Vamos, qué más te da, de todos modos quieres morir —le espeté.

—Sí, pero a mi manera —protestó—. Morir a manos de un hatajo de borrachos no entraba en mis planes.

—A buen hambre no hay pan duro —dije, citando a papá.

Felizmente, conseguimos llegar al estanque y, afortunadamente, las farolas estaban encendidas para evitar que tipos como los de la arboleda cayeran dentro.

—¿Lo ves? —dije complacida.

—A esto lo llamo suerte. Pura y jodida suerte.

—Venga, no te quedes ahí parado. Ve a por el nenúfar.

Di patadas en el suelo y me froté las manos enguantadas. Noté sus ojos clavados en mí.

—¿Perdón?

—¿Por qué crees que te he dicho que trajeras una muda?

—¡Estamos a cuatro bajo cero! Me sorprende que el agua no se haya helado. Moriré de hipotermia.

—Si no fueras tan remilgado con el momento de morir, las cosas serían mucho más fáciles. En fin, si así es como tiene que ser...

Me quité el abrigo y el frío me caló hasta los huesos en el acto.

—No vas a meterte ahí.

—Uno de nosotros tiene que hacerlo, y es obvio que tú no estás dispuesto.

Me armé de valor y examiné el estanque en busca de la mejor hoja de nenúfar. Algunas estaban rotas, o sucias, y yo quería la hoja más verde y redonda que pudiera encontrar, una que Maria pudiera utilizar otra vez para contener sus cosas más preciadas y amadas y, con suerte, la foto enmarcada de Adam volvería a encontrar su sitio encima de ella. A lo mejor él le echaría la calderilla al llegar a casa del trabajo antes de meterse en la cama con Maria, o dejaría su reloj mientras se daba una ducha, pensando de vez en cuando en la loca que lo ayudó a sacarla del estanque aquella noche gélida de tiempo atrás, cuando él tenía problemas.

Por fin localicé la que quería; inoportunamente, no era la hoja de nenúfar más cercana, pero podría llegar hasta ella y regresar nadando deprisa. Sería cuestión de segundos. Diez segundos como máximo. Y se trataba de una situación de vida o muerte, cosa que atajó mi titubeo de inmediato. No estaba segura de lo profunda que era el agua, de modo que me puse a hurgar en busca de una rama que luego hundí en el estanque para comprobar su profundidad.

—¿De verdad vas a hacerlo?

La rama se detuvo a la mitad. No era nada profundo. Apenas un metro. Podía hacerlo y no tendría que nadar, solo estaba a unos pasos de mí. El estanque estaba turbio, verde y asqueroso, pero podía conseguirlo. Me arremangué el pantalón del chándal por encima de las rodillas.

—Oh, Dios mío —se rio Adam al constatar que realmente iba a llevar a cabo mi plan—. Mira, hay una justo al lado de la orilla, podría cogerla.

La miré. Adam podría alcanzarla y sacarla del agua sin problema.

—¿Crees que Maria mirará eso y pensará, vaya, realmente me ama? Es repugnante, le está creciendo algo peludo. Oh, y mira, hay una colilla. Dudo mucho de que este sea el mensaje que quieres transmitirle. No, queremos aquella —dije, señalando la que quedaba más lejos—. La que no ha tocado la mano del hombre.

—Te vas a congelar.

—Y luego me secaré. Me repondré. En cuanto haya salido, nos vamos pitando al coche.

Me metí en el agua. Me hundí mucho más de lo que esperaba, muy por encima de las rodillas, empapándome el chándal. Noté cómo me subía hasta la cintura. La rama había mentido, o había topado con una roca. Di un grito ahogado. Oí que Adam se reía, pero estaba demasiado concentrada para reprenderlo. Como ya estaba dentro del estanque, lo único que cabía hacer era seguir adelante. El suelo que pisaba era blando, me espantaba pensar lo que habría allí abajo. Juncos y hojas muertas se me pegaban a las piernas mientras me abría camino por el agua turbia. Me pregunté qué enfermedades podría contagiarme, pero no dejé de avanzar. En cuanto tuve la hoja de nenúfar a mi alcance, alargué el brazo y la arranqué. Cinco grandes zancadas por el suelo fangoso y ya estuve en la orilla. Adam me tendió una mano y tiró de mí. El chándal se me pegaba al cuerpo, chorreando apestosa agua del estanque. Fui chapoteando hasta mi bolsa, saqué una toalla, me quité los pantalones y los calcetines y me puse a secarme de inmediato. Adam miró hacia otro lado, todavía riendo para sus adentros, y me quité la ropa interior. Me puse un chándal limpio, sin dejar de apretar los dientes para resistir el frío glacial. Con manos temblorosas me puse calcetines y zapatillas secos y cambié mi suéter por un forro polar. Adam me sostuvo el abrigo abierto, metí los brazos en las mangas y me arrebujé bien. Me encasquetó su gorro de lana y me rodeó el cuerpo con los brazos para hacerme entrar en calor. La última vez que habíamos estado en esa postura estábamos en el puente y eran mis brazos los que rodeaban a Adam. Ahora Adam me abrazaba a mí. Su mentón se apoyaba en lo alto de mi cabeza y me frotaba la espalda en un esfuerzo por quitarme el frío. Mi corazón palpitaba por estar tan arrimada a él. No estaba segura de si era porque regresaba la sensación que había tenido en el puente o si era meramente por él, por su proximidad, su cuerpo pegado al mío, su olor confundiendo mis sentidos.

—¿Estás bien? —me preguntó al oído.

Casi me daba miedo volverme para mirarlo. No me atreví a hablar por si mi voz traslucía lo frágil que me sentía. De modo que asentí con la cabeza y, al hacerlo, todavía lo rocé más. No supe si eran imaginaciones mías, pero noté que sus brazos me estrechaban con más fuerza.

Oímos voces que se aproximaban; graves, masculinas, no muy amigables. El hechizo se rompió tan deprisa como se había producido. Me soltó enseguida, recogió mi bolsa y la hoja de nenúfar que estaba en el suelo.

—Vamos —dijo, y echamos a correr por donde habíamos venido.

Una vez en el coche, Adam puso la calefacción a la máxima potencia en un nuevo intento por hacerme entrar en calor. Estaba preocupado, los labios se me habían puesto azules y me era imposible dejar de tiritar.

—Esto ha sido muy mala idea, Christine —dijo, frunciendo el ceño con inquietud.

—Estoy bien —insistí, con las manos pegadas al chorro de aire caliente—. Es cuestión de un minuto.

—Regresemos al apartamento —dijo Adam—. Podrás darte una ducha caliente y tomar un café para entrar en calor.

—Conozco un garaje abierto veinticuatro horas donde sirven una mierda de café —logré decir pese al castañeteo de mis dientes—. Todavía no hemos terminado.

—No podemos llevarle esto ahora —respondió Adam, mirando la chorreante hoja de nenúfar del asiento trasero—. Aún estará acostada.

—No es ahí adonde vamos.

Con un café caliente dentro de mí y otro aguardando en el posavasos del coche, por fin comencé a derretirme.

—¿Por qué estamos yendo hacia Howth?

—Ya lo verás.

Otra recomendación de *Cómo disfrutar de tu vida de treinta maneras sencillas*, después de comer y pasear, era contemplar un amanecer o una puesta de sol. Confiaba en que la luz del alba iluminara a Adam. Y si además daba resultado para mí, no tendría motivo de queja. Conduje por la carretera de la costa hasta la cumbre de Howth Summit y, una vez allí, éramos el único coche del estacionamiento. Eran las seis y media de la mañana y el cielo estaba despejado, el marco perfecto para el amanecer sobre la bahía de Dublín.

Echamos el respaldo de los asientos para atrás, encendimos la radio a poco volumen y, café en mano, contemplamos el cielo. En la lejanía el rosa comenzaba a elevarse desde el mar.

—Y... acción —dijo Adam. Abrió una bolsa marrón y me la acercó. Olí azúcar, se me revolvió el estómago y negué con la cabeza.

Él sacó un bollo de canela.

—Mira qué acanelada es la canela y qué cítrica es la corteza de limón —dijo—. Estoy saboreando y apreciando mi comida. —Su voz se volvió robótica—. Estoy participando de una de las muchas alegrías de la vida.

—Al menos le estás cogiendo el tranquillo.

Mordió el bollo, empezó a masticar y lo escupió de nuevo en la bolsa de papel, metió el resto dentro y la estrujó.

—¿Cómo puede la gente comer esta bazofia?

Me encogí de hombros.

—Cuéntame alguna otra cosa divertida que hicieras por Maria o que hicieras con ella.

—¿Por qué?

—Porque necesito saberlo.

Me fue fácil decirlo pero, a decir verdad, no podía dejar de pensar en las cosas que había hecho por ella, los regalos tan originales que le había dado. Estaba deseando oír más.

—Vaya. —Pensó un rato—. Era fan de *Dónde está Wally*; ¿conoces esos libros? Así que cuando quise invitarla a salir por primera vez, me disfracé como él y de repente aparecía en cualquier sitio, allí donde ella estuviera. No la miraba. Pon que estuviera comprando; yo cruzaba la tienda sin decir palabra. La estuve siguiendo un día entero, limitándome a aparecer en distintas partes.

Lo miré arqueando las cejas tanto como pude. Acto seguido me eché a reír.

Sonrió de oreja a oreja.

—Por suerte pensó lo mismo que tú y dijo que sí que saldría conmigo.

Su sonrisa se desvaneció

—La recuperarás, Adam.

—Ya. Eso espero.

Nos quedamos callados, contemplando el cielo.

—Si esa hoja de nenúfar no la hace volver, no sé qué lo hará —dijo seriamente.

Me eché a reír otra vez. Cuando se me pasó la risa el cielo resplandecía.

—Bueno —dije, metiendo la llave en el contacto—. ¿Te sientes mejor?

—Muchísimo mejor —contestó sarcástico—. Ya no tengo ganas de matarme.

—Me lo figuraba.

Arranqué el motor y regresamos a casa.

Estaba sentada en la única silla con la que mi padre había amueblado la cocina, limpiando la hoja de nenúfar, primero con una toallita húmeda para bebés y luego sacándole brillo con cera para muebles. Era una hoja de nenúfar bastante impresionante; tenía un borde perfecto en todo el contorno e incluso había probado su resistencia poniéndole encima un juego de té. La pulí a la perfección y pensé que el ligero dolor de cabeza y el resfriado que veía venir habían merecido la pena. Estaba admirando mi obra cuando, a las ocho en punto de la mañana, mi teléfono emitió un pitido. Me debatí sobre si debía escuchar el buzón de voz. Sabía que era Barry, que solo oiría insultos y odio, y sabía que no debía escuchar tales cosas pero, por alguna razón, no lo podía evitar. Sentía que como mínimo le debía el escucharlo, que ignorar su sufrimiento sería otro rechazo más.

Adam entró en la cocina.

—¿Es él?

Asentí con la cabeza.

—¿Por qué llama a la misma hora cada día?

—Porque es cuando ya se ha levantado y vestido. Al dar las ocho está sentado a la mesa de la cocina tomando una taza de té y una tostada, comprobando los mensajes de su teléfono y pensando en maneras de hundirme en la miseria.

Notaba que Adam me observaba pero no lo miré, limitándome a seguir sacando brillo a la hoja de nenúfar, aunque no me pasaba por alto lo ridícula que era la situación. Él estaba de bajón y yo sacando brillo a una hoja de nenúfar que había robado en un parque público. Ninguno de los dos había salido bien parado de las respectivas rupturas.

—¿Vas a escucharlo?

Suspiré y finalmente levanté la vista hacia él.

—Seguramente.

—¿Para recordar por qué lo abandonaste?

—No. —Decidí ser sincera—. Lo hago porque es mi castigo.

Frunció el ceño.

—Porque cada cosa horrible que me dice me duele en lo más hondo, y que ese sea mi castigo por haberlo abandonado me hace sentir que estoy ganándome mi libertad. Así que, una vez más, soy una persona absolutamente egoísta y me sirvo del sufrimiento de otra para sentirme mejor conmigo misma.

Me miró con ojos como platos.

—Jesús. No te quedas a medias tintas. ¿Puedo escucharlo?

Dejé la hoja de nenúfar encima de la mesa y asentí. Lo observé mientras se sentaba en la encimera y escuchaba el mensaje de Barry, cambiando constantemente de cara —enarcando y bajando las cejas, arrugando la frente, abriendo la boca con sorpresa y regocijo— para demostrar lo entretenidos que le resultaban los insultos de Barry y, cuando colgó, las ganas de informarme de lo que había oído.

—Este te encantará —se rio, los ojos le brillaban. El teléfono sonó en su mano—. ¡Un momento, ha dejado otro! Este tío es increíble. —Soltó una risita, disfrutando de la diversión que le proporcionaba husmear en mi vida privada—. ¡Eres la monda, Barry! —bromeó, tomándome el pelo. Marcó mi buzón de voz otra vez y escuchó. La sonrisa se le petrificó y el brillo desapareció de sus ojos.

Mi corazón palpitó.

Treinta segundos después saltó de la encimera —a duras penas fue salto puesto que tenía las piernas muy largas— y me pasó el teléfono. Evitó mirarme a los ojos y acto seguido, incómodo, enfiló hacia la puerta de la cocina.

—¿Qué ha dicho?

—Bah, nada interesante.

—¡Adam! Te morías de ganas de contarme lo que decía en el primer mensaje.

—Ah, ese, sí, vale, una estupidez sobre una amiga tuya. Una chica que se llama Julie que dice que es una puta; no, espera: una fulana. Que no paraba de verla por ahí con tíos distintos. Se encontró con ella una noche en Leeson Street y estaba con un tío que sabe que está casado. —Se encogió de hombros—. También tenía cosas que decir sobre su indumentaria.

—¿Y eso te ha parecido divertido?

—Bueno, su manera de expresarlo ha sido excepcional.

Esbozó una sonrisa que terminó siendo una sonrisa triste.

Negué con la cabeza. Julie era una de mis amigas más íntimas del instituto, la misma Julie que se había mudado a Toronto dejándome el coche para que se lo vendiera. Los intentos de Barry por hacerme daño continuaban.

—¿Y qué decía en el otro mensaje?

Volvió a alejarse hacia la sala de estar.

—¡Adam!

—Nada, de verdad. No tenía sentido. Era más bien una diatriba... iracunda.

Me miró de hito en hito, callado, y salió de la cocina.

La manera en que me había mirado, rebosante de lástima, compasión... ¿intriga? No logré descifrarla pero me molestó. Marqué el número de mi buzón.

—No tiene mensajes nuevos.

—¡Adam, has borrado mis mensajes!

Lo seguí hasta la sala.

—¿En serio? Lo siento —contestó, concentrado en su ordenador.

—Lo has hecho a propósito.

—¿De veras?

—¿Qué ha dicho? ¡Cuéntame!

—Ya te lo he dicho: tu amiga Julie es una fulana. Por cierto, creo que debería conocerla; parece interesante —bromeó, tratando de relajar el ambiente.

—Cuéntame el segundo mensaje —exigí.

—No lo recuerdo.

—¡Adam, son mis malditos mensajes, así que desembucha! —grité, plantándome enfrente de él.

Mis gritos no lo alteraron lo más mínimo. Creía que podría provocarlo pero surtieron el efecto contrario, se ablandó, se puso compasivo, cosa que todavía me enfureció más.

—Más vale que no lo sepas. ¿De acuerdo? —dijo.

Por el modo en que me estaba estudiando, me dio miedo pensar qué información personal había revelado Barry. Era evidente que no iba a sonsacarle nada, al menos no en ese momento, de modo que salí de la habitación. Tuve ganas de largarme, de estar lejos de él, fuera del apartamento, estar a solas para gritar o llorar o despotricar por la frustración de ver hasta qué punto había perdido el control de mi vida, pero no pude hacerlo. Me sentía atada a él como una madre a su hijo, incapaz de abandonarlo aunque fuese lo que más deseaba en ese momento. Era mi responsabilidad todo el tiempo, constantemente, día y noche. Tenía que vigilarlo pese a que justo en aquel momento, gracias a lo que fuere que Barry había dicho, parecía que Adam sintiera que debía protegerme.

No tardé mucho en darme cuenta de que el humor de Adam era impredecible. En un momento dado estaba conversando, a veces llevando la voz cantante, otras meramente tolerándola, y entonces, de repente, se esfumaba. Desaparecía por completo. Se encerraba en sí mismo, con una mirada tan perdida, a veces tan enojada, que me espantaba pensar lo que estaba pensando. Esto podía ocurrir en mitad de una conversación. A media frase, incluso en medio de una frase suya, y podía durar horas. Se cerraba en banda. Esto fue lo que pasó después de que le gritara por haber borrado los mensajes de voz de mi buzón. Vi cómo se disponía a pasar otra hora comatoso en el sofá, odiando la vida, odiándose a sí mismo, odiando a todo el mundo y todo lo que lo rodeaba, de modo que tomé cartas en el asunto para remediarlo.

—Muy bien, vámonos.

Le lancé su abrigo.

—No voy a ninguna parte.

—Sí que vas. ¿Quieres desaparecer?

Me miró, confundido.

—Quieres desaparecer —afirmé—. Quieres perderte. Muy bien, pues perdámonos.

Alicia, mi sobrina de tres añitos, estaba sentada en los peldaños del porche de su casa con un asiento de coche para niños a su lado. Alicia era la hija pequeña de Brenda y como parte de mis deberes de tía, que me hacían disfrutar de lo lindo —sobre todo con Alicia, pues no acababa de conectar con los chicos, que siempre querían atarme y gritar que me iban a asar cada vez que entraba por la puerta—, me la llevaba a dar un paseo de varias horas cada semana. Nuestras excursiones habían comenzado cuatro meses antes, probablemente en las mismas fechas en que empecé a pensar en romper mi matrimonio. Al principio llevaba a Alicia a un parque infantil cubierto donde podía soltarla en un cuarto construido enteramente de esponja y verla dar brincos y rebotar de una pared a la otra y caer por una escalera hasta una piscina llena de bolas de plástico, para luego tratar de disimular mi horrorizada expresión cuando comprobaba si la estaba mirando. Camino de ese centro de juegos, un buen día Alicia anunció, en un semáforo donde solíamos torcer a la derecha, que prefería que torciera a la izquierda. Sin prisa por verla estrujada mientras gateaba entre dos cilindros de plástico acolchados que giraban en nombre de la diversión, y contemplativa después de que la noche anterior hubiese fantaseado que estaba con otro hombre, giré a la izquierda y luego pregunté a Alicia hacia dónde teníamos que ir a continuación. Durante una hora circulamos por ahí, girando a las órdenes de Alicia. Comenzamos a hacerlo cada semana y siempre terminábamos en lugares diferentes. Esos paseos me permitían pensar, mataban el rato y concedían a Alicia la novedad de ejercer autoridad sobre un adulto.

Uno de los consejos que figuraban en el manual *Maneras sencillas de disfrutar la vida* era pasar tiempo con niños. Explicaba que los sondeos habían demostrado que la felicidad que inspiraban los niños era inmensa. Aunque en otros estudios había leído que estaba en un rango semejante al de ir a comprar comida. Supongo que dependía de si te gustaban los niños o no. Confiaba en que esta fuese otra forma de conseguir que Adam abriera los ojos a la belleza de la vida. Y nadie lo arrestaría por mirar a aquella niña.

—Hola, Alicia.

Le di un abrazo.

—Hola, popó.

—¿Por qué estás sola aquí fuera?

—Lee está haciendo popó.

Lee, su niñera, saludó desde la ventana con Jayden, bebé de seis meses, en brazos. Lo tomé como señal de que podía llevarme a Alicia.

Abrí la puerta del pasajero, molestando a Adam, que estaba prácticamente comatoso.

—Puedes sentarte detrás con Alicia. Este es Adam, viene a perderse con nosotras.

Deseaba que Adam entablara conversación con ella; en el asiento delantero resultaría muy fácil ignorarla.

—¿Es tu verdadero amor, popó?

—No, popó, no lo es.

Alicia se rio tontamente.

Metí el asiento para niños en el coche y luego ayudé a Alicia a subirse. Adam se sentó a su lado, todavía absorto y mirando por la ventanilla. Hizo una pausa en sus ensoñaciones para echar un vistazo a la monada de tres años a la que estaban abrochando el cinturón de seguridad. Ambos se miraron a los ojos; ninguno dijo palabra.

—¿Qué tal te ha ido la Montessori hoy? —pregunté.

—Bien, popó.

—¿Vas a decir popó en cada frase?

—Sí, pipí.

Adam se mostró confuso pero divertido.

—¿Hay niños en tu familia? —le pregunté.

—Sí, los de Lavinia. Pero son unos cabroncetes pretenciosos. Perder su casa probablemente sea lo mejor que podría haberles pasado.

—Muy bonito —dije sarcásticamente.

—Perdón —respondió, haciendo una mueca.

Los miré a los dos por el retrovisor.

—Dime, ¿cuántos años tienes? —preguntó Adam a Alicia.

Alicia levantó cuatro dedos.

—Cuatro años.

—Tiene tres —dije.

—Y además es una mentirosa —la acusó Adam.

—¡Mira mi nariz, uuuuh!

Alicia hizo como que le creía la nariz.

—¿Adónde vamos? —preguntó Adam.

—A la izquierda —dijo Alicia.

—¿Con tres años sabe dar indicaciones?

Sonreí y puse el intermitente izquierdo. Cuando llegué al final de la calle, miré a Alicia por el espejo.

—Derecha —dijo Alicia.

Giré a la derecha.

—En serio, ¿sabes las indicaciones? —preguntó Adam a Alicia, volviéndose hacia ella.

—Sí —contestó Alicia.

—¿Cómo es posible? Tienes tres años.

—Sé todas las indicaciones. Para ir a todas partes. En el mundo entero. ¿Quieres ir a la calle, popó?

Echó la cabeza para atrás y se rio socarrona.

Doblamos varias esquinas, a la derecha, a la izquierda, recto, todo siguiendo las indicaciones de Alicia. Transcurrieron diez minutos.

—Vamos a ver, ¿puedo preguntar adónde vamos exactamente? —preguntó Adam.

—A la izquierda —dijo Alicia otra vez.

—Ya sé que vamos a la izquierda, pero ¿a la izquierda hacia dónde? —me preguntó Adam.

—Esta es la manera de perderse —dije.

—¿Me estás diciendo que vamos de un lado a otro, siguiendo las indicaciones de una niña? —preguntó.

—Exactamente. Y luego buscamos el camino de regreso a casa.

—¿Cuánto rato?

—Unas cuantas horas.

—¿Y hacéis esto a menudo?

—Normalmente, los domingos. La de hoy es una excursión especial. Suele ser interesante. La única regla es que las autopistas son zona prohibida. Una vez terminamos en las montañas de Dublín, otra vez en la playa de Malahide. Cuando llegamos a un sitio que nos gusta, bajamos del coche y damos un paseo. Descubrimos cosas nuevas cada semana. A veces no salimos de Clontarf y terminamos yendo en círculos, pero en realidad ella nunca se da cuenta.

—A la derecha —ordenó Adam.

—Ahí está el mar, popó —dijo Alicia, riendo.

—Exacto —respondió Adam, harto de nuestro juego.

Estuvo callado durante un cuarto de hora, con un humor de perros.

—Quiero probarlo —dijo de súbito—. ¿Puedo dar las indicaciones?

—¡No! —le espetó Alicia.

—Alicia... —avisé.

—¿Puedo dar las indicaciones, popó? —preguntó Adam.

Alicia se rio.

—Vale.

—Muy bien. —Adam puso cara de pensar—. Gira a la izquierda en el semáforo.

Estudié su semblante por el retrovisor.

—No puedes llevarnos a casa de Maria.

—No lo hago —replicó.

Giramos a la izquierda y circulamos durante unos minutos. Finalmente nos topamos con una pared, un callejón sin salida.

—Juro que nunca nos había ocurrido —dije, poniendo la marcha atrás.

—Típico.

Adam dobló los brazos, enfurruñado.

—Prueba otra vez, popó —dijo Alicia, apenada por él.

—Hay una callejuela que baja por allí —repuso Adam.

—Es un camino de tierra y no sabemos adónde lleva.

—A alguna parte llevará.

Giré a la izquierda. Mi teléfono sonó y lo puse en manos libres.

—Christine, soy yo.

—Hola, Oscar.

—Estoy en la parada del autobús.

—Así me gusta. ¿Cómo te encuentras?

—No muy bien. No puedo creer que te hayas tomado dos semanas libres.

—Lo siento, pero siempre puedes encontrarme por teléfono.

—Me encantaría que estuvieras aquí en persona —prosiguió Oscar con voz trémula—. ¿Quizá podrías reunirte conmigo, quizá podrías subir al autobús conmigo?

—Eso no puedo hacerlo, Oscar. Lo siento, pero sabes que no puedo hacerlo.

—Ya lo sé, ya lo sé, siempre dices que es poco profesional —dijo entristecido.

Iba más allá de mi cometido con tal de ayudar a mis clientes, pero había trazado una línea infranqueable en cuanto a lo de subir a autobuses con Oscar. Miré a Adam por el retrovisor para ver si nos había oído y se sonreía con suficiencia ante mis enseñanzas, comparándolas con nuestra situación.

—Puedes hacerlo, Oscar —insistí—. Respira profundamente, deja que tu cuerpo se relaje.

Estaba tan distraída hablando con Oscar que fui conduciendo mecánicamente, adentrándome en el camino rural rodeado de campos verdes. Nunca había pasado por aquel camino. De vez en cuando, al llegar a un cruce, oía a Adam o a Alicia gritar una dirección. Oscar finalmente había conseguido permanecer en el autobús hasta la cuarta parada y estaba alborozado; colgó, y me lo imaginé regresando a su casa bailando por las aceras. El teléfono de Adam, que estaba en la parte delantera del coche al lado del mío, se puso a sonar. Vi en la pantalla que era Maria. Contesté sin que Adam se diera cuenta y esta vez no me molesté en poner el altavoz de manos libres.

—Vaya, hola —dijo Maria al oír mi voz—. Eres tú otra vez.

—Hola —respondí sin decir su nombre para que Adam no me quitara el teléfono.

—¿Eres su servicio de mensajes ahora? —preguntó Maria, intentando hacer un chiste pero incapaz de disimular el tono mordaz de su voz.

Me reí tontamente, fingiendo que no me había percatado.

—Seguro que lo parece. ¿Qué puedo hacer por ti?

—¿Que qué puedes hacer por mí? Bueno, quería hablar con Adam —dijo secamente.

—Lo siento, ahora mismo no puede ponerse —dije derrochando simpatía, sin darle motivo alguno para que me ladrara otra vez—. ¿Quieres darme un mensaje para él?

—Bueno, ¿sabes si recibió mi último mensaje de ayer por la mañana?

—Por supuesto. Se lo pasé enseguida.

—¿Pues por qué no me ha llamado?

Nos acercábamos a un cruce.

—A la izquierda —dijo Adam de repente, interrumpiendo su cháchara con Alicia.

—A la derecha —repuso Alicia.

—¡Ve a la izquierda! —gritó Adam.

Alicia se reía y ambos daban chillidos. Adam intentaba taparle la boca a Alicia y ella gritaba como posesa. De pronto fue él quien gritó porque la chiquilla le había lamido la mano. Armaban un buen jaleo y apenas podía oír a Maria.

—No deberías extrañarte si no te llama después de lo que descubrió.

Lo dije amablemente, sin culparla, sin juzgarla, una simple afirmación que puso a Maria en su sitio.

—Claro. Sí. ¿Es él a quien oigo?

—Sí.

—¡A la izquierda! —gritó Adam, volviendo a tapar la boca de Alicia para que no pudiera gritar otras indicaciones.

Alicia aullaba, se desternillaba.

—No me vuelvas a lamer —le advirtió Adam juguetonamente, y entonces apartó la mano de golpe, como si le doliera—. ¡Huy, me ha mordido!

Alicia gritó y jadeó.

—Le diré que has llamado. Está en medio de un follón, como puedes oír.

—Ya, de acuerdo...

—Por cierto, ¿dónde puede encontrarte hoy? —pregunté—. ¿Estarás en casa o en el trabajo?

—Estaré en el trabajo hasta tarde. Pero no importa, me encontrará en el móvil. ¿Todavía está... ya sabes, enfadado conmigo? Es una pregunta estúpida, claro. Yo lo estaría. No es que él haya... Bueno, ya sabes...

Apenas pude oír el resto de lo que dijo Maria porque los dos lunáticos que llevaba detrás se reían como posesos.

—¿Quién era? —preguntó Adam cuando colgué el teléfono.

—Maria.

—¡¿Maria?! ¿Por qué ha llamado a tu teléfono?

Se sentó en el borde del asiento.

—Era tu teléfono. Nada de secretos, ¿recuerdas?

—¿Por qué demonios no me lo has dicho?

—Porque entonces habrías dejado de reír, y por lo que a ella respecta te lo estabas pasando muy bien.

Adam se quedó pensativo un momento.

—Pero quiero que sepa que la echo de menos.

—Confía en mí, Adam, ella prefiere oírte riendo que llorando. Si sabe que estás abatido pensará que hizo bien saliendo con Sean.

—Vale.

Guardó silencio un buen rato y pensé que lo había perdido. Comprobé que Alicia estuviera bien. Estaba llevando de paseo a sus dedos por la ventanilla.

—Oye, esto ha sido una idea interesante —dijo Adam, cosa que fue lo más próximo a un comentario positivo que le hubiera oído decir hasta entonces.

—Bien —dije contenta, y acto seguido tuve que pisar el freno porque nos acercábamos a unos coches que teníamos delante.

En el camino solo había sitio para que pasara un coche pero allí enfrente dos coches habían logrado ponerse de lado, muy pegados el uno al otro. Uno estaba de cara a nosotros, el otro en dirección contraria. Sus puertas prácticamente se tocaban. Los cristales de las ventanillas estaban tintados. Para cuando me di cuenta de que no debería estar mirándolos, la puerta de uno de los coches se abrió y un tipo de aspecto intimidante con una cazadora negra de cuero se apeó. Era alto y bastante fornido y no parecía nada contento de vernos. Tampoco los otros tres hombres apretujados hombro con hombro en el asiento trasero del coche, que se habían vuelto y nos miraban fijamente. Los hombres de un coche miraron a los del coche que tenían al lado. Los hombres negaron con la cabeza y se encogieron de hombros bastante nerviosos.

—Este... Adam —dije, nerviosa.

Adam no me oyó, estaba enfrascado en una charla sobre popó con Alicia.

—¡Adam! —repetí con más urgencia, y levantó la vista

justo a tiempo para ver que el hombre alto y ancho de espaldas venía hacia nosotros blandiendo un palo de *hurling*.*

—Marcha atrás —dijo Adam con apremio—. Christine, para atrás, enseguida.

—¡No! ¡A la izquierda! —chilló Alicia, riendo tontamente, creyendo que todavía estábamos jugando.

—¡Christine!

—¡Lo intento!

El cambio chirriaba furiosamente, el pánico me impedía encontrar la marcha correcta.

—¡Christine! —gritó Adam.

Aquel hombretón dio otro paso hacia el coche, examinó el parabrisas, se fijó en mi número de móvil escrito en el cartel de SE VENDE pegado en la parte delantera del coche. Luego me miró a los ojos y balanceó su palo hacia atrás. Pisé a fondo el acelerador y salimos disparados hacia atrás tan deprisa que Adam se dio un buen golpe contra el respaldo de mi asiento. Eso no impidió que el grandullón corriera en pos del coche, blandiendo el palo. Me volví para mirar hacia atrás y retrocedí con bastante soltura en línea recta hasta que comenzaron unas curvas muy cerradas en las que no me había fijado mientras hablaba por teléfono.

—¡Mierda, son más! —dijo Adam, y al volverme un momento hacia el parabrisas vi que otros tres hombres se apeaban del coche—. ¡No apartes los ojos del camino! —chilló.

—Oh, mier... —empecé a maldecir, pero me acordé de Alicia—. Popó, popó, popo, popó —repetí una y otra vez.

Alicia aulló de risa y se sumó a mí.

* Deporte de equipo de origen celta que se practica principalmente en Irlanda, habiendo también equipos en Londres, Nueva York y Buenos Aires. Guarda cierto parecido con el jóquey. (*N. del T.*)

—¡Popó! ¡Popó! ¡Popó!

—Corre todo lo que puedas —dijo Adam.

—No puedo ir más deprisa, hay muchas curvas —contesté, golpeando el coche contra otro arbusto.

—No pasa nada. Solo concéntrate y ve más deprisa.

—¿Nos están siguiendo?

No contestó.

—¿Nos están siguiendo?

No aguantaba más, tenía que averiguarlo. Miré hacia el frente y vi que los cristales tintados venían hacia nosotros.

—Oh, Dios mío.

—¿Por qué vamos marcha atrás? —preguntó Alicia, que finalmente dejó de reír al percibir el pánico que se respiraba en el coche. Por fin tuve ocasión de maniobrar en la entrada de una casa, cosa que hice deprisa y con destreza, y arranqué de nuevo, haciendo una serie de giros a izquierda y derecha mientras Alicia me gritaba direcciones, sin darse cuenta de que no le hacía el menor caso. Al llegar a una gran urbanización donde volvía a haber vida en las calles, aminoré pero seguí doblando esquinas al azar.

—Vale, creo que ya puedes parar —dijo Adam mientras daba la vuelta a una rotonda por tercera vez—. No nos persiguen.

—Basta, basta, basta, estoy mareada —canturreaba Alicia.

Puse el intermitente y salí de la rotonda. Acompañé a Alicia de vuelta a su casa, donde hice lo posible por explicar a Brenda por qué Alicia estaba tan excitada y gritaba «¡marcha atrás!», y corría hacia atrás a toda velocidad por la casa, chocando contra todo.

—Dime, Adam, ¿encuentras que los métodos de mi hermana te están ayudando a disfrutar de la vida?

Brenda se sentó a la mesa y apartó una silla para Adam

con su estilo inimitable, que nunca daba a las personas la oportunidad de rehusar.

—Por el momento hemos comido, hemos paseado por un parque y hemos ido de excursión con una chiquilla.

—Ya veo. ¿Qué tal la comida?

—La verdad es que me sentó mal.

—Vaya. ¿Y el paseo por el parque?

—Me arrestaron.

—No te arrestaron, solo te metieron en una celda para que te calmaras —espeté, molesta de que estuvieran poniendo en tela de juicio mis métodos terapéuticos.

—Y la excursión ha terminado cuando habéis interrumpido una venta de drogas —terminó Brenda por nosotros.

Nos quedamos callados. De pronto, Brenda echó la cabeza para atrás y se puso a reír, antes de cambiar de tema.

—Dime, Adam, ¿esa fiesta tuya, será elegante?

—De etiqueta.

—Estupendo. He visto el vestido perfecto en Pace. A lo mejor hasta me compro los zapatos que van a juego. Bien —se levantó—, tengo que preparar la cena de Jayden. Vosotros dos más vale que os larguéis si no queréis que haga papilla con vuestros traseros.

Adam me miró con aquella expresión divertida que le iluminaba los ojos. Esa vez no me importó que fuera a costa de mi familia y de mis desastrosas maneras de disfrutar de la vida, me puso contenta verlo vivo.

Fuimos en coche hasta mi apartamento para recoger la hoja de nenúfar y al volver a salir, tras los escasos momentos que pasamos dentro de la casa, descubrimos el parabrisas del coche roto en mil pedazos.

12

Cómo resolver un problema
como Maria

Maria trabajaba en un moderno rascacielos de Grand Canal Dock, que visto por fuera parecía un tablero cuadriculado. Yo iba a encargarme de entregar la hoja de nenúfar; Adam estaba seguro de que Maria bajaría a recepción para firmar el albarán siempre y cuando le dijeran que el remitente era él. Tenía órdenes estrictas de quedarse en la calle, pero en un sitio desde donde pudiera observar su reacción. Dado que el edificio parecía estar construido enteramente de vidrio y acero, pudo elegir entre varias posiciones estratégicas; la parte peliaguda era asegurarse de que ella no lo viera. Yo quería que el momento en que Maria y Adam se reencontraran llegara cuando él estuviera preparado. Y para eso todavía faltaba mucho.

Se me hacía raro conocer a Maria. Su Maria. La mujer cuya intimidad conocía bastante bien y con quien había hablado por teléfono un par de veces y que era el motivo o uno de los motivos por los que Adam, el guapo Adam, había terminado con su vida pendiente de un hilo. Mientras cruzaba el suelo de mármol taconeando de tal manera que la larga fila de recepcionistas levantó la vista para mirarme, me di cuenta de que Maria me fastidiaba. Y en menudo momento. No pude dejar de culparla por tener tanto poder sobre un hombre a quien supuestamente había amado, mientras aparentemente era ajena al efecto que su rechazo surtía en él. Cuando pensé en lo que ahora estaba pasando Adam para recuperarla sin que ella tuviera la menor idea, me hirvió la sangre. Insisto, realmente no era la mejor ocasión, y resultaba poco apropiado que me pusiera tan protectora cuando mi papel debía ser imparcial, pero me resultaba imposible sentirme ni remotamente objetiva en ese momento.

Racionalmente, sabía que no era culpa de Maria. Si Maria hubiese sido una amiga mía que me hiciera confidencias acerca del comportamiento de Adam, seguramente le habría dado mi apoyo cuando lo abandonara después de que todo lo que había hecho por salvar la relación hubiese fracasado. Pero pese a todo aquella mujer me chinchaba. Sabía que en realidad debería estar diciéndole a Adam que siguiera adelante, no que intentara recuperarla. Ella ya estaba con otro, y encima amigo de él; había seguido adelante. ¿Iba a destrozarlo más un nuevo rechazo? Sí. Lo mataría. Me constaba que sería así. Tenía que conseguir que su relación funcionara para salvar la vida de Adam. Cosa que me llevaba de nuevo a que me fastidiara Maria.

—Traigo un paquete para Maria Harty de Red Lips Productions —dije a la recepcionista.

—¿Quién digo que lo manda?

—Adam Basil.

Veía a Adam fuera, con el gorro de lana calado hasta las orejas y la trenca abrochada hasta el mentón; su rostro apenas era visible y la poca piel expuesta a la intemperie se estaba poniendo roja por el frío. Tendría que asegurarme de situarme de modo que Adam viera la reacción de Maria. Solo esperaba que Maria no tirara la hoja de nenúfar al suelo y la pisoteara. Temía no alcanzar a Adam a tiempo si decidía tirarse al canal.

Las puertas del ascensor se abrieron y salió una muñeca con unos tejanos negros ajustados, botas de motero, una camiseta con una mujer desnuda en una pose provocadora, el pelo negro como el azabache, que era largo y brillante y enmarcaba su barbilla de muñeca, un flequillo recto, grandes ojos azules, una nariz perfecta y labios muy, muy rojos. Jamás hubiese pensado que fuera Maria. Me la había imaginado del tipo corporativo, esperando ver un traje de chaqueta. Pero en cuanto la vi supe que era ella. Los labios rojos la delataron y de repente el nombre de la empresa tuvo todo el sentido del mundo. Sabía que era ella y, sin embargo, no podía llamarla mientras la veía caminar a través del vestíbulo hacia el mostrador de recepción. Me figuré que ella y Adam formaban una pareja muy llamativa, haciendo que la gente volviera la cabeza allí donde fueran, y en ese momento todavía detesté más a Maria. Buenos celos femeninos a la antigua usanza. Me enfadé conmigo misma; nunca había sido presa de ese tipo de pensamientos hasta entonces. No era celosa. Pero, por otra parte, siempre había sido feliz con una vida ordenada, y ahora no, de modo que cualquier cosa, cualquier persona segura de sí misma, derribaba mi ya de por sí bamboleante confianza como si de un bolo se tratara.

La recepcionista me señaló y Maria se fijó en mí. En los tiempos en que aún me hablaban, Peter y Paul me saludaban llamándome «viernes informal» por la mañana porque los vaqueros eran mi atuendo más habitual. Y no solo los vaqueros corrientes. Los tenía de casi todos los colores del arco iris, que también era la gama del resto de mi ropa. Mi armario ropero era un gran caleidoscopio con el propósito de alegrarme la vida incluso cuando todo lo demás fallaba. Había pasado de un apagado guardarropa de negros y beiges a aquel estallido de color a los veintitantos. Siempre llevaba al menos una prenda de color desde que leí un libro, *Cómo alimentar el alma con la ropa que te pones*, que me enseñó que llevar colores oscuros nos restaba fuerzas. Nuestro cuerpo anhelaba el color del mismo modo en que necesitaba el sol, y sin embargo ahí estaba Maria, toda de negro y *ultra-cool*, como si acabara de salir de una tienda All Saints, y ahí estaba yo, como un paquete de Skittles, con mis largos cabellos ondulados color arena dentro de una gorra de lana a rayas que parecía robada del escenario de *Zingzillas*. Mi pelo color arena «de playa» era cuidadosamente mantenido y tratado cada semana, despeinado y cardado para que pareciera que no me importaba, como si no tuviera ningún problema en el mundo, pero la verdad era que sí me interesaba, solo que fingía lo contrario. Mi pelo se reía y flirteaba, ondeaba con la brisa, mientras que el de Maria... Esa elegante melena corta con el flequillo recto se reía del peligro en su cara, exigía rebelión.

En cuanto Maria reparó en la hoja de nenúfar que sostenía en mis brazos, cosa nada difícil de ver, sonrió de oreja a oreja. Me invadió un inmenso alivio y tuve miedo de dar media vuelta para ver la reacción de Adam por si así avisaba a Maria sobre su paradero. Se llevó las manos a la boca y rompió a reír, procurando no llamar demasiado la atención, aunque supuse que en las oficinas de inmediato circularía el rumor de que alguien había mandado a Maria Harty una hoja de nenúfar.

—¡Oh, Dios mío! —Se secó los ojos. Tenía lágrimas por la alegría, pero también por el recuerdo de una persona de otra época. Alargó los brazos para coger la hoja—. Seguramente será la entrega más extraña que usted haya hecho alguna vez. —Me sonrió—. ¡Madre mía! No puedo creer que hiciera esto. Pensaba que lo había olvidado. Fue hace mucho,

mucho tiempo. —Sostuvo la hoja de nenúfar en sus brazos. Súbitamente avergonzada, dijo—: Perdón, solo le falta que la gente le cuente sus historias. Seguro que tiene otras entregas que hacer. ¿Dónde firmo?

—Maria, soy Christine, hemos hablado por teléfono.

—Christine... —Arrugó la frente y de pronto lo entendió—. Oh. Christine. ¿Te llamas así? ¿Eres la que contesta el teléfono de Adam?

—La misma.

—Oh. —Maria me miró de arriba abajo, calándome en cuestión de segundos—. No me imaginaba que fueras tan joven. O sea, por teléfono pareces mucho mayor.

—Vaya.

Me sentí agradecida, encantada con la reacción aun sabiendo que no debería ser así.

Se hizo un silencio violento.

—¿De verdad consiguió esto para mí?

—Y tanto. Se metió en el agua a bajo cero. Salió empapado hasta los huesos. Labios azules y todo —dije, notando todavía el resfriado que estaba incubando.

Maria negó con la cabeza.

—Está loco.

—Por ti.

—¿Eso es lo que intenta decirme? ¿Que todavía me quiere? Asentí.

—Y mucho. —Y por alguna razón se me hizo un nudo en la garganta. El mal momento elegido, tal vez. Carraspeé—. Pensé que debía añadir unas flores, pero insistió en esto. No sé si significa algo para ti.

Maria miró la hoja de nenúfar y solo entonces se fijó en los diminutos labios envueltos en papel de aluminio rojo. Adam los había añadido en el último momento antes de que yo entrara en el edificio y de pronto todo cobró sentido para mí. Los reconocí como los diminutos bombones que había esparcido sobre la cama del Gresham Hotel.

—¡Ay, Dios! —susurró Maria, reparando en ellos por primera vez. Intentó cogerlos, pero no podía sujetar la hoja de nenúfar con una sola mano.

Se la sostuve para que pudiera examinar los diminutos labios.

—Es increíble que todavía le queden. ¿Sabes qué son?

Negué con la cabeza.

—Los hizo para mí el año que nos conocimos. Los labios rojos son, bueno, como mi sello característico. —Comenzó a desenvolver uno y cuando vio el chocolate se rio—. ¡Son de verdad!

—¿Adam sabe hacer chocolate?

Me reí, un tanto dubitativa. Si Maria quería creérselo, yo no tenía por qué sembrar dudas en su mente, pero no pude evitar preguntarlo.

—Bueno, personalmente no, claro, pero la empresa sí —explicó, mientras seguía estudiándolos—. Eran un prototipo, no estaba previsto que llegaran a ver la luz del día. Creía que nos los habíamos comido todos.

—La empresa... —dije, procurando entenderlo todo.

—Los diseñó para mí y luego pidió a la gente de Basil's que los hicieran. Les puso pralinés, avellanas y almendras porque decía que estoy chiflada.* —Se rio, pero se atragantó y los ojos se le arrasaron en lágrimas—. Mierda, perdón.

Dio la espalda a la recepción y se abanicó los ojos para que no le lloraran.

* Juego de palabras. *Nut* significa fruto seco; *nutty* relativo a los frutos secos, pero también «chiflado, chalado». *(N. del T.)*

Para entonces yo estaba ligeramente impresionada pero traté de mantener la calma. Podría haber preguntado sobre Adam a Maria, averiguado más cosas acerca de él, pero por alguna razón no quise que Maria descubriera que apenas sabía nada; mi inseguridad desde que la había visto me impedía hacer mi trabajo como era debido.

—No hay nada que disculpar. No es fácil recordar los buenos tiempos. Pero él te los quería recordar.

Maria asintió.

—Dile que los recuerdo.

—Sigue siendo el mismo, ¿sabes? —dije muy seria—. Tan divertido y espontáneo como lo recuerdas. Quizá no exactamente igual que cuando lo conociste. Tal vez eso sea imposible. Pero me hace reír constantemente.

Maria me miró detenidamente.

—¿En serio?

Noté que me ardían las mejillas. Era por la gorra de lana, sin duda, al haber pasado de un frío extremo a un edificio de oficinas con un ambiente sofocante y por el resfriado que me estaba rondando desde mi incursión en el gélido estanque. Aunque no iba a quitármela, no delante de ella y de su melena de sota de bastos. ¿Quién sabía qué acechaba debajo de mi gorra?

—Estás cuidando de él en serio, ¿verdad?

—Bueno, sí. —No pude seguir sosteniéndole la mirada, de modo que le devolví la hoja de nenúfar—. Ahora debería irme. Tengo cosas que hacer.

—Espero que sepa la suerte que tiene de contar contigo —presionó un poco más Maria.

No pude evitar que me asomaran unas lágrimas a los ojos.

—Solo hago mi trabajo.

Le dediqué una sonrisa resplandeciente y me esforcé en que mi respuesta no sonara como la réplica cursi de un super-héroe.

—¿Y qué trabajo es ese?

—El de amiga —dije, retirándome unos pasos—. Soy una amiga, nada más.

Di media vuelta y me marché sin más dilación, notando que me ardía la cara. Agradecí la brisa helada que me azotó las mejillas en cuanto salí a la calle. Seguí caminando, notando los ojos de Maria clavados en mi espalda. Me alegró doblar la esquina tan pronto como pude para escapar de las superficies transparentes e interponer ladrillo macizo entre las dos. Dejé de caminar de inmediato y apoyé la espalda contra la pared, con los ojos cerrados mientras revivía la conversación en un estado de pánico. ¿Qué me había ocurrido? ¿Por qué había reaccionado de ese modo? Maria actuaba como si supiera algo acerca de mis sentimientos de lo que yo no era consciente, había logrado que me sintiera culpable y patética por sentir momentáneamente algo que no sentía, que no era posible que sintiera. Mi objetivo era unirlos a ellos, no comenzar a tener sentimientos por Adam. Imposible. Ridículo.

—Hola —oí decir a una voz excitada cerca de mi oído y di un salto, asustada.

—¡Jesús, Adam!

—¿Qué pasa? ¿Estás llorando?

—No, no estoy llorando —espeté—. Me parece que estoy resfriada.

Me restregué los ojos.

—Bueno, no me sorprende, nadando en estanques en plena noche. Bien, ¿qué ha dicho?

Tenía la nariz prácticamente pegada a la mía de lo excitado y ansioso que estaba por oír mi respuesta.

—Ya has visto su reacción.

—¡Sí! —Agitó un puño en el aire—. Ha sido perfecto, simplemente perfecto. ¿Se ha echado a llorar? Parecía que estuviera llorando. ¿Sabes qué? Maria nunca llora, esto es realmente algo grande. Habéis estado hablando un siglo. ¿Qué te ha dicho?

No paraba de dar saltitos a mi alrededor, escrutando mi rostro en busca de cada pequeña señal que pudiera decirle cómo había ido nuestra charla.

Corté de cuajo mis sentimientos y le referí el encuentro, aunque sin mencionar mis atormentados pensamientos.

—Ha preguntado si intentabas decirle que todavía la amas. Ha dicho que alguien que salta a un estanque a bajo cero para conseguir una hoja de nenúfar realmente tiene que estar enamorado de alguien. Y le he contestado que sí, que lo estabas.

—Pero yo no hice eso. —Adam me clavó aquellos ojos azules que normalmente me aceleraban el corazón, pero que entonces hicieron que me doliera—. Lo hiciste tú por mí.

Nos sostuvimos la mirada hasta que aparté la vista.

—Esa no es la cuestión. Lo importante es que ella ha captado el mensaje.

Comencé a caminar, tenía que hacerlo, necesitaba escaparme.

—¿Christine? ¿Adónde vas?

—Eh... A cualquier parte. Tengo frío, necesito moverme.

—De acuerdo, buena idea. ¿Le han gustado los bombones?

—Le han encantado los bombones, son lo que la ha hecho llorar. Por cierto, ¿le hiciste bombones? ¿Eres Adam Basil, como en «With Basil, You Dazzle»?

Puso los ojos en blanco, pero saltaba a la vista que estaba extasiado con el resultado obtenido.

—¿Qué ha dicho?

—Por poco les hace el amor, de lo contenta que estaba de volver a verlos. ¿Hiciste bombones para una mujer? Jesús, Adam, eres la pera.

—¿Qué quieres decir?

—Ya sabes qué quiero decir. Estás volviendo a ser el mismo.

—Llevaban praliné, avellanas y almendras porque está chiflada —dijo orgullosamente.

—Ya lo sé, me lo ha contado.

—¿En serio? ¿Qué ha dicho?

Su entusiasmo era irresistible, de modo que repetí la conversación entera, dejando a un lado la parte en que Maria me preguntaba sobre lo que yo representaba en la vida de Adam. Aún no había sacado conclusiones a propósito de esa parte.

—O sea que eres Adam Basil de Basil's Confectionery. —Negué con la cabeza, todavía incrédula—. Tendrías que habérmelo dicho ayer. Lo negaste.

—No lo negué. Según recuerdo, dije: sí, y como la hierba.

—Vaya. Pues cuando todo esto termine tendrás que hacer un bombón para mí, como muestra de agradecimiento.

—Será fácil. Sabor a café solo.

Puse los ojos en blanco.

—No es muy original.

—Con forma de taza de *espresso* —agregó, intentando impresionarme.

—Espero que tengáis un buen equipo creativo en Basil's.

—¿Por qué? De todos modos, tampoco te los comerías —sentenció, riendo.

Caminamos en silencio. Tuve que desconectar mi cerebro, tenía dolor de cabeza y me dolía pensar, de modo que dejé que Adam me guiara. Al acercarnos al puente de Samuel Beckett le di la mano; fue un gesto instintivo, no quería que de repente saltara, aunque sabía que estaba exultante después de la reacción de Maria. No puso reparos. Cruzamos el puente cogidos de la mano y al llegar al otro lado no se soltó.

—¿Dónde creen que estás los de Basil's? —pregunté.

—Visitando a mi padre. Dijeron que me tomara tanto tiempo como fuera preciso. Me pregunto si aceptarán que sea el resto de mi vida.

—Seguro que los alegrará más oír esto que la alternativa.

Se volvió bruscamente para mirarme.

—No pueden saberlo.

—¿El qué, que intentaste suicidarte?

Me soltó la mano.

—Te pedí que no usaras esas palabras.

—Adam, si supieran que estabas tan abatido como para querer acabar con tu vida, seguro que sería una gran manera de dejar ese trabajo.

—Eso no es una opción válida y lo sabes —respondió—. No lo hice por eso.

Dejamos que el silencio se prolongara.

—Tendrías que ir a ver a tu padre.

—Hoy no. Hoy es un buen día —dijo, alborozado otra vez por el resultado de la visita a Maria—. ¿Dónde vamos, ahora?

—Estoy un poco cansada, Adam. Me parece que iré a casa a descansar un rato.

Primero se mostró decepcionado, luego preocupado.

—¿Estás bien?

—Sí. —Asentí. Debía aparentar optimismo—. Solo necesito echarme una siestecita y estaré bien.

—He pedido a Pat que nos recoja.

—¿Quién es Pat?

—El chófer de mi padre.

—¿El chófer de tu padre? —repetí.

—Bueno, él está en el hospital, no va a necesitarlo, y tu coche está fuera de combate. Así que he llamado a Pat. Además, está aburrido de pasarse el día aguardando.

Momentos después Pat apareció con un flamante Rolls-Royce de doscientos cincuenta mil euros. Sabía poco sobre coches, pero si bien Barry no mostraba pasión por nada de esta vida, sabía de coches y señalaba los buenos, que al parecer siempre conducían unos chulos de mierda. En opinión de Barry, el Rolls-Royce era el coche predilecto de los chulos de mierda más redomados. Saludé a Pat y subí al coche. Resultaba deliciosamente acogedor después del frío glacial de la calle. Adam todavía no había cerrado la puerta; me miraba fijamente con una expresión meditabunda.

—¿Qué pasa? —pregunté.

—Pétalos de rosa —dijo simplemente.

—Me encantan los pétalos de rosa.

—Y el bombón tendrá forma de pétalo.

—Eres bueno —reconocí—. Una razón más para mantenerte con vida.

—¿Significa que hay más de una razón? —bromeó, y cerró la puerta.

«Sí», pensé para mis adentros mientras él rodeaba el coche.

13

Cómo reconocer y apreciar a las personas de tu entorno

Me senté en la segunda fila, detrás de Amelia, en el funeral de su madre. Aparte de un tío anciano, hermano de su padre, al que habían dado permiso para salir de su residencia geriátrica, Amelia estaba sola en el primer banco, reservado a la familia. Fred, que días antes le había pedido que se mudara a Berlín con él, no se había molestado en pedírselo una segunda vez. De hecho, había detectado cierto pánico en él cuando hablamos. Al fin y al cabo, al hacer su propuesta contaba con la certeza de que Amelia diría que no a causa de su madre; ahora que Magda había fallecido y nada ataba a Amelia a la librería ni a Dublín, su terror era patente. Estaba segura de que Amelia llevaba razón al decir que había otra mujer aguardándolo en Berlín. Lo busqué unas filas más atrás y le lancé la mirada más asesina que pude en nombre de mi amiga. Fred bajó los ojos y cuando me di por satisfecha de verlo apurado me volví de nuevo hacia delante, sintiéndome como una sucia hipócrita y lamentándolo al instante. A mí no me había estado aguardando un hombre, eso era evidente, pero había abandonado a Barry, terminando nuestra relación sin causa alguna; bueno, sin un motivo aparente para los demás. Era casi como si mi infelicidad no bastara. Si no me engañaba con otra, si no me pegaba ni se portaba mal conmigo, nadie parecía entender que el hecho de no amarlo y sentirme desdichada fuese motivo suficiente. Yo no era perfecta, pero hacía lo posible, como casi toda la gente, por no cometer errores. Que un matrimonio entero fuese una equivocación era una de las cosas más dolorosas, por no decir lamentables, que podría haber ocurrido en mi vida. La idea de que Barry pudiera estar presente en la iglesia hizo que dejara de pasear la vista.

Aunque Fred hubiese hecho daño a Amelia, ¿cómo me atrevía a culparlo por haber hecho precisamente lo que Barry y yo habíamos predicho en nuestras conversaciones íntimas? Amelia estaba presa en la rutina de cuidar de su madre y dedicarse al negocio que su padre tanto había amado, un empeño encomiable, sin duda, pero impuesto por voluntad propia. A Amelia no le quedaba otra cosa que ofrecer a Fred o a cualquier otra persona de su entorno.

Amelia tenía la cabeza inclinada, sus rizos pelirrojos le ocultaban el rostro. Cuando volvió hacia mí sus cansados ojos verdes los tenía enrojecidos, la punta de la nariz también por el roce de los pañuelos de papel, y su semblante reflejaba su sufrimiento. Le respondí con una sonrisa de apoyo y entonces percibí el silencio que reinaba en la iglesia y vi que el sacerdote me estaba mirando.

—Oh.

Caí en la cuenta de que me esperaban a mí. Me levanté y me dirigí hacia el altar.

Tanto si a Adam le gustó como si no, había insistido en que viniera al funeral y se sentara conmigo y mi familia. Pese a su buen humor después de mi encuentro con Maria, no podía arriesgarme a dejarlo solo. Estábamos haciendo grandes progresos, en parte con Maria, en parte con él mismo, pero por cada paso adelante daba dos pasos atrás. Le había prohibido leer los periódicos y ver los telediarios. Tenía que centrarse en lo positivo; las noticias no lo hacían. Había maneras de mantener el contacto con la realidad sin permitir que te bombardearan con la información que otros consideraban oportuna. La víspera habíamos pasado buena parte del día haciendo un rompecabezas mientras hurgaba en su mente de la forma menos invasiva posible que pude, y luego jugamos una partida de Monopoly, cosa que significó que tuve que dejar de hacer preguntas y concentrarme para impedir que Adam me diera una paliza. De nada sirvió y me fui a la cama malhumorada. Me constaba que estas actividades no iban a salvarlo pero a mí me ayudaban a conocerlo mejor puesto que propiciaban que me hablara. Creo que también le proporcionaban un momento para pensar en sus problemas, digerirlos mientras se concentraba en otra cosa al mismo tiempo, en lugar de mantenerlos siempre en primer plano. Aquella mañana había oído sus sollozos apagados mientras se duchaba e hice planes sobre cómo resolver el resto de sus problemas. Yo creía que casi todo era posible si te lo proponías, pero también era realista; «casi» implicaba no todo. No podía permitirme explorar las probabilidades en aquel caso; solo había un resultado posible.

Una vez en el presbiterio puse mi lectura en el atril. Amelia me había pedido que leyera, dejando que yo misma escogiera el texto que me pareciera apropiado. Iba a ser un verdadero acto de voluntad pronunciar aquellas palabras; tenían un significado muy especial para mí y nunca las había leído en voz alta, solo para mis adentros y rara vez sin que se me saltaran las lágrimas, pero no se me ocurrió que hubiera un momento más indicado para leerlas. Sonreí a Amelia, luego miré más allá, primero a mi familia y luego a Adam. Tomé aire entrecortadamente y le dirigí mis palabras a él.

—¿Dónde estaríamos si no hubiera un mañ͟
dríamos el día de hoy. Y si tal fuera el caso c͟
ría que el día de hoy fuese el más largo. Llenaría ͟
contigo, haciendo todo lo que siempre me ha gustado.
ría, conversaría, escucharía y aprendería, amaría, amaría,
amaría. Haría que todos los días fuesen el día de hoy y no me
preocuparía por el mañana, cuando no estaré contigo. Y cuando ese espantoso mañana nos llegue, te pido que sepas que no
quise abandonarte ni que me dejaras atrás, que cada instante que pasé contigo fue parte de la mejor época de mi vida.

—¿Eso lo escribiste tú? —preguntó Adam cuando estábamos sentados en la recepción posterior al funeral con una
taza de té con leche y un plato de bocadillos de jamón intac-
tos delante de nosotros.

—No.

Dejamos que el silencio se prolongara. Supuse que me pre-
guntaría quién lo había escrito y estaba pensando qué le diría,
pero me sorprendió no preguntándolo.

—Me parece que debería ir a ver a mi padre —dijo Adam
inopinadamente.

Con eso me bastó.

El padre de Adam estaba en el hospital privado St Vincent's.
Había ingresado para un breve tratamiento de su hígado enfermo un mes antes y todavía no había salido de allí. El señor
Basil resultó ser el hombre más grosero que alguien pudiera llegar a conocer y aunque sin él la vida en la planta hubiera
sido mucho más fácil para todos los implicados, seguían em-
pleando lo mejor de la medicina moderna para intentar man-

⠀erlo vivo. Su habitación no era una en la que alguien eligiera entrar debido al miedo a sus abusos, verbales para todo el mundo, y físicos para las enfermeras jóvenes o como él las llamaba, «maduras». Para las menos maduras recurría a otros tipos de maltrato físico, habiendo incluso arrojado su orina a una enfermera que había interrumpido una conversación telefónica. Solo permitía que un puñado de miembros del personal femenino de enfermería lo atendiera, y le habían dejado creer que realmente tenía posibilidad de elegir en esa cuestión. Quería estar rodeado de mujeres porque pensaba que hacían mejor el trabajo habida cuenta de su capacidad para las multitareas, sus innatas frialdad, firmeza y eficiencia, y, sobre todo porque, siendo consideradas el sexo débil, sentían la necesidad de demostrar que valían más que los hombres. Los ojos de los hombres se despistaban; él necesitaba personas capaces de concentrarse en una cosa cada vez, y esa cosa era él. Deseaba y necesitaba ponerse mejor. Tenía un negocio internacional multimillonario que dirigir y hasta que lo curaran lo dirigiría desde la espartana habitación que se había convertido en el centro neurálgico de Basil's Confectionery.

Como seguíamos a la camarera que abrió la puerta para entrar, pude ver brevemente al anciano y vi una cabeza cubierta de rizos grises que raleaba y una larga barba también de rizos grises que le nacía en el mentón, no en las mejillas, y terminaba en una punta afilada como si fuese una flecha que señalara hacia las profundidades del infierno. Nada era reconfortante en aquella habitación a la que lo habían enviado para curarlo. Había tres ordenadores personales, un fax, un iPad, BlackBerries e iPhones de sobras para la figura que se desintegraba en la cama y las dos mujeres con traje chaqueta acurrucadas a su lado. No era una habitación que insinuara la posibilidad de un adiós al mundo; era una habitación viva, ajetreada, lista para crear; una habitación que pataleaba y gritaba enfurecida contra la luz agonizante. El ocupante de aquella habitación no había terminado con el mundo y si era preciso lo abandonaría peleando.

—Me he enterado de que reparten tarrinas de Bartholomew en los aviones —le espetó a la mujer de más edad—. Una tarrina de helado para cada pasajero, incluso en turista.

—Sí, han firmado un acuerdo con Aer Lingus. Por un año, tengo entendido.

—¿Por qué no tienen Basil's en los aviones? Es absurdo que Bartholomew consiguiera el acuerdo y nosotros no. ¿Quién es responsable de esta cagada? ¿Lo es usted, Mary? Francamente, ¿cuántas veces tengo que decirle que esté ojo avizor? Está tan distraída con esos malditos caballos que empieza a preocuparme que haya perdido facultades.

—Por supuesto que hablé con Aer Lingus, señor Basil, en muchas ocasiones, y llevo años haciéndolo, pero a su entender Bartholomew es una marca más lujosa mientras que nosotros somos una marca familiar. Nuestros productos están...

—Nuestros no, míos —interrumpió él.

Mary prosiguió con toda calma, como si no hubiese dicho nada.

—... a la venta en la tienda de abordo, y puedo decirle los ingresos exactos que generan en...

Hojeó unos papeles.

—¡Fuera! —gritó el viejo a pleno pulmón, y todos nos sobresaltamos excepto la impertérrita Mary, que una vez más se condujo como si no lo hubiese oído—. Estamos reunidos, tendrías que haber llamado antes.

No alcancé a comprender cómo había podido vernos entrar, dado que estábamos detrás de un carrito altísimo y yo apenas podía verlo a él.

—Vámonos —dijo Adam, dando media vuelta.

—Espera. —Lo agarré del brazo, bloqueé la puerta y quedó atrapado en la habitación—. Esto vamos a hacerlo hoy —susurré.

La camarera dejó una bandeja en la mesa, delante del señor Basil.

—¿Qué es esto? Parece mierda.

La mujer con la redecilla lo miró, aburrida, al parecer acostumbrada a los insultos.

—Es empanada de pastor, señor Basil —contestó con un marcado acento dublinés, y acto seguido adoptó un tono más sarcástico y de superioridad—. Acompañado de una ensalada de lechuga y tomates mini, acompañada de una rebanada de pan con mantequilla. De postre tiene jalea y helado, seguidos de su enema; así que, por favor, avise a la enfermera Sue para esto último.

Sonrió con dulzura un nanosegundo y volvió a poner su habitual cara de pocos amigos.

—Mierda de pastor, más bien, y esta ensalada parece forraje. ¿Le parezco un caballo, Mags?

La camarera no llevaba tarjeta de identificación. Pese a los insultos, quizá se sintiera ligeramente halagada porque el señor Basil supiera cómo se llamaba. A no ser que se llamara Jennifer.

—No, señor Basil, por supuesto que no parece un caballo. Parece un anciano flacucho que necesita cenar. Cómaselo todo.

—La cena de ayer parecía comida y sabía a mierda, a lo mejor esta mierda tendrá gusto a comida.

—Y con un poco de suerte el enema de hoy le ayudará a cagar —dijo Mags, retirando la bandeja de antes y llevándosela de la habitación con la cabeza bien alta.

Me pareció ver que el señor Basil sonreía, pero el atisbo de tal posibilidad desapareció tan deprisa como llegó. Su voz era grave, débil pero autoritaria. Si era así de duro en su lecho de muerte, no quería ni pensar cómo había sido en la oficina. Y como padre. Miré a Adam; su expresión era indescifrable. Aquella visita era importante, era el momento en que yo tendría que apelar al instinto paternal del señor Basil para que viera que obligar a Adam a asumir la dirección de la empresa era perjudicial para la salud de su hijo. Era la canasta en la que había puesto todos los huevos, y ya me preocupaba que hubieran decidido aplastarse nada más entrar en la habitación.

—Qué demonios, para adentro —gritó el anciano.

Mags se detuvo.

—Usted no, esos dos.

Mags me dio unas palmaditas en la mano con ademán compasivo al pasar junto a mí y me dijo:

—Es un auténtico cabrón.

Adam y yo nos acercamos a la cama. Padre e hijo no intercambiaron palabras afectuosas, ni siquiera un saludo.

—¿Qué tenéis que hacer hoy? —espetó el señor Basil.

Adam se quedó confundido.

—Os he oído susurrar «esto vamos a hacerlo hoy» —dijo, imitando burlonamente mi susurro de antes—. No pongas cara de pasmo, no me pasa nada en los oídos. Es el hígado lo que me tiene aquí, y ni siquiera es lo que me está matando. Es el cáncer, ¡y creo que esta bazofia me matará antes que él! —Apartó el plato—. No entiendo por qué no dejan que me vaya a morir a otra parte. Tengo cosas que hacer —agregó, levantando la voz mientras una doctora entraba para estudiar la gráfica de sus constantes. La acompañaban dos médicos estudiantes.

—Parece que se está pasando de la raya —dijo la doctora—. El número autorizado de visitantes por habitación es de dos. —Nos fulminó con la mirada como si fuéramos los responsables de provocar que el cáncer creciera tan deprisa—. Creía haberle dicho que descansara, señor Basil.

—Y yo creía haberle dicho que se fuera a la mierda —replicó él.

Se produjo un largo e incómodo silencio y de repente me vinieron ganas de reír.

—Aguardas todo el día a que venga un puto médico y luego vienen tres a la vez —dijo el anciano—. ¿A qué debo el placer de su visita? ¿A los miles que le pago cada día para que me ignore?

—Señor Basil, permítame recordarle que debe moderar su lenguaje. Si se siente más irritable que de costumbre, tal vez convenga que echemos un vistazo a su medicación.

El señor Basil hizo un ademán desdeñoso con su enjuta y pálida mano, casi como si se rindiera.

—Unos minutos más y luego debo insistir en que todos ustedes dejen solo al señor Basil —dijo la doctora con firmeza—. Luego podremos hablar.

Dio media vuelta y se marchó con sus alegres escuderos escabulléndose detrás de ella.

—Quizá la vea otra vez la semana que viene, cuando visitará mi cama y volverá a contarme patrañas insignificantes. ¿Quién es usted? —inquirió, fulminándome con la mirada.

Todos volvieron la cabeza hacia mí.

—Soy Christine Rose.

Le tendí la mano.

El señor Basil la miró, levantó su mano, de la que salía un tubo, y se dirigió a Adam mientras estrechaba mi mano sin fuerza.

—¿Está enterada Maria? Nunca pensé que fueras infiel, siempre me has parecido un cobardica. Un calzonazos. Rose, ¿qué clase de nombre es ese?

Se volvió de nuevo hacia mí.

—Creemos que originalmente era Rosenburg.

Me miró con recelo, como intentando calarme, y sus ojos apuntaron otra vez a Adam.

—Me gusta Maria. No me gusta mucha gente, pero ella me gusta. Y Mags, la camarera. Maria es lista. Cuando se organice, llegará lejos. No le veo futuro a ese negocio de mierda, Red Lips. Suena a porno.

No pude evitarlo: me reí a carcajadas.

El señor Basil pareció sorprenderse y prosiguió, sin quitarme los ojos de encima.

—Cuando entre en razón y deje de hacer caricaturas...

—Animación —interrumpí, sintiendo que se lo debía a Maria tras haber disfrutado un poco más de la cuenta con su aniquilación.

—Me importa un rábano lo que sea; lo hará bien. Te ayudará cuando lleves las riendas, porque sabe Dios que no tienes ni pajolera idea de cómo organizar algo.

—Entonces ¿por qué quiere que dirija la empresa? —pregunté, y todas las cabezas se volvieron hacia mí.

Todos, particularmente el señor Basil, parecieron sorprendidos; al fin y al cabo, él no había soñado siquiera en soltar prenda. Su autoridad jamás debía ponerse en entredicho, nadie más estaba autorizado a llevar la iniciativa.

—¿Acaso era un secreto? —murmuré a Adam.

Negó con la cabeza, mirándome con ojos precavidos.

—¿Pues entonces? —pregunté. Miré en derredor, sin saber qué había hecho. La mujer que se llamaba Mary se retiró un paso de la cama y la otra, más joven, hizo lo propio.

—Esto no es asunto nuestro. Estaremos fuera, si nos necesita.

Él no le hizo el menor caso. Mary vacilaba entre irse y quedarse.

—Dígame, ¿de qué conoce a mi hijo?

—Somos amigos —terció Adam.

—¡Ah, no ha perdido el habla! —dijo su padre—. Dime una cosa, Adam, en la oficina no te han visto desde el domingo. Según parece estabas en Dublín para visitarme, pero me habría dado cuenta si hubieses venido, y no lo has hecho. Si vas a perder el tiempo yendo de putas por ahí, hazlo en...

—No estaba yendo de putas...

—... tu tiempo libre. No me gusta que me interrumpan, gracias, señorita Rose.

—Hay un asunto que me gustaría hablar en privado con usted —dije—. Adam, tú también puedes irte, si quieres.

El señor Basil miró a las dos mujeres que seguían de pie al lado de su cama. Parecían ansiosas por salir de la habitación y, aunque solo fuera por eso, iba a obligarlas a quedarse en la habitación.

—Confío en Mary más que en mí mismo. Está con nosotros desde el día que asumí la dirección hace cuarenta años, y ha conocido a mi hijo desde que llevaba pañales, fase que duró mucho más de lo que todos esperábamos. Cualquier cosa que tenga que decir puede ser dicha delante de Mary. De la otra chica no estoy tan seguro, pero Mary tiene muy buena opinión de ella, de modo que le estoy dando una oportunidad. Ahora corte el rollo y dígame a qué ha venido.

La mujer más joven que estaba al lado de Mary bajó la cabeza, avergonzada. Acerqué una silla y me senté. *Cómo dar noticias delicadas a un anciano agonizante.* Aquel hombre en concreto no parecía merecer la menor delicadeza, dado que no tenía ninguna con los demás. Bien, si Adam no iba a hablarle directamente, lo haría yo. Resolvería aquello de una vez por todas. Yo procedía de un mundo donde imperaban la sinceridad y la franqueza, no era histriónica y desde luego no señalaba los problemas que tenía con otras personas salvo si era vital y excepto si iba a servir para mejorar la relación, y la situación de Adam la había clasificado como vital. Si la conducta de una persona tiene un efecto negativo sobre tu vida, tienes que comunicarte con ella, compartir el problema, hablarlo, llegar a una conclusión. La comunicación es clave en estas situaciones, y obviamente era inexistente entre aquel padre y su hijo. Mi impresión era que Adam tenía demasiado miedo para hacer frente a su imponente padre y por tanto tendría que hacerlo yo por él.

Hablé con firmeza y miré al anciano directamente a los ojos.

—Soy consciente de que va a morir muy pronto y de que quiere que Adam asuma la dirección de la empresa para que el control no revierta a su sobrino. Estamos aquí para hablar sobre eso.

Adam suspiró y cerró los ojos.

—Cállate —le espetó el señor Basil, pese que no había hablado—. Mary, Patricia; fuera, por favor.

Ni siquiera miró cómo salían; mantuvo los ojos clavados en mí.

Dediqué una sonrisa tranquilizadora a Adam pero su expresión, con la mandíbula apretada, era indescifrable.

El señor Basil me miró como si fuese la última persona con quien quisiera hablar.

—Señorita Rose, está mal informada. Yo no quiero que Adam tome el mando de la empresa. Lavinia es la siguiente en la línea de sucesión y siempre tuvo intención de heredar. Es mucho más capaz para el trabajo que él, créame, pero ella está en Boston.

—Sí, me consta que robó millones a sus amigos y familiares —dije, poniéndolo en su sitio—. Este es el caso: Adam no quiere ese trabajo.

Dejé que el silencio se prolongara. Él aguardaba a que dijera algo más, pero no dije palabra. Eso era lo que había, no tenía más que añadir. El señor Basil no merecía mimos ni educadas explicaciones.

—¿Acaso cree que no lo sé? —Desvió la mirada hacia Adam—. ¿Se supone que esto es una elaborada revelación?

Fruncí el ceño. Aquello no estaba saliendo como yo había planeado.

El señor Basil se echó a reír, pero incluso su risa era triste.

—Su falta de interés por todo lo que hago lo ha hecho evidente, ha estado loco por los helicópteros desde que aprendió a hablar y ha pasado los últimos diez años haciendo el indio con la Guardia Costera. Me trae sin cuidado que no quiera el empleo, me importa un rábano que lo haga profundamente desdichado. Eso no cambia que las cosas sean como deben ser. Esta empresa tiene que dirigirla un Basil. El director siempre ha sido y siempre será un Basil. Y no puede ser Nigel Basil; no debe serlo. Por encima de mi cadáver. —Pareció no darse cuenta de la ironía—. Mi abuelo, mi padre y yo hemos luchado duro para mantener esta empresa en nuestras manos en tiempos buenos y malos desde que se fundó, y ninguna bruja marimandona sin dos dedos de luces va a cambiar eso.

Me quedé literalmente boquiabierta. Oí que otro de mis huevos se resquebrajaba por la presión.

—Padre, ya basta —dijo Adam con firmeza—. No le hables así. No intenta cambiar nada, solo te está diciendo lo que cree que tú no sabes, quiere ayudar.

—¿Y por qué me transmite este mensaje en nombre de mi hijo? —Miró a Adam—. Hijo, ya va siendo hora de que tengas más huevos. No dejes que otros te saquen las castañas del fuego.

Y entonces su tono se volvió cruel. No humorísticamente cruel como antes, sino amargamente cruel, puro vitriolo emanando de sus ojos y su boca, torcida con desdén.

—¿Le ha contado que no recibe un penique, ninguna clase de herencia, hasta que haya cumplido diez años en la empresa? Tanto si estoy vivo como muerto, no se lleva nada. Me parece que eso podría convencerlo.

Adam miraba a la pared, impávido.

—No, no me lo ha contado —dije, sumamente irritada con aquel malvado anciano—. Pero en realidad no creo que sea una cuestión de dinero para Adam. Señor Basil, si su empresa le importa más que el bienestar de su hijo, ¿no debería al menos plantearse qué es mejor para la empresa? Soy consciente de que es una empresa familiar y de que lleva funcionando varias generaciones; usted le ha dedicado su vida entera, sangre sudor y lágrimas; ahora necesita encontrar a alguien que siga haciéndolo en su ausencia. La empresa no florecerá en manos de Adam porque a él no le motiva el mismo deseo que a usted. Si realmente le importa su legado, busque a alguien que la ame y la cuide como lo ha hecho usted.

Me miró con aire desdeñoso, la mirada fría, y luego se volvió hacia Adam. Esperé oír resentimiento, pero me sorprendió su tono sereno.

—Maria te ayudará, Adam. Cuando haya decisiones que no sepas cómo tomar, tantéalas con ella. Cuando yo empecé,

¿crees que pasaba un día sin que le preguntara su opinión a tu madre? Y tendrás a Mary; es mi mano derecha. ¿Crees que tendrás que hacerlo solo? Pues te equivocas. —Se calló, repentinamente cansado—. No puedes dejar que Nigel intervenga, sabes que no puedes.

—A lo mejor Maria está demasiado ocupada acostándose con Sean para ayudarlo, ¿no?

Sobresaltados, todos nos volvimos hacia la puerta. Un joven apuesto nos miraba, el parecido familiar era evidente en su mandíbula poderosa y sus ojos azules. Pero su pelo era negro en lugar de rubio, lo mismo que su alma. Tuve la sensación de que emitía malas vibraciones.

Divertido, enarcó una ceja, se metió las manos en los bolsillos y entró desenfadadamente.

—Nigel —dijo Adam de manera cortante.

—Hola, Adam. Hola, tío Dick.

Ojalá hubiese podido compadecer al señor Basil entonces. ¿Qué podía ser peor que ver a alguien que desprecias cuando estás enfermo en la cama, con un pijama estampado de cachemir, incapaz de defenderte? Y se llamaba Dick. Pero resultaba imposible sentir piedad por él.

—¿Qué demonios haces aquí? —preguntó Adam, sin molestarse en ser educado y dando la impresión de tener ganas de pegarle.

—Visitar a mi tío, y me parece que lo he hecho en el mejor momento posible: tú y yo nos quedamos sin terminar nuestra reunión de la semana pasada. Te largaste con mucha prisa.

—¿Vosotros dos, reunidos? —preguntó el señor Basil, como si lo hubiesen apuñalado en el corazón.

—Adam fue a verme a propósito de mi futuro en Basil's. Le gustó bastante la idea de juntar los nombres Bartholomew y Basil; el mayor homenaje a nuestro abuelo, ¿no te parece? —sonrió con suficiencia.

—¡Mentiroso! —La furia de Adam era evidente. Tropezó con mis pies al abalanzarse sobre su primo, a quien agarró por el pescuezo y empujó a través de la habitación hasta estamparlo contra la pared. Envolvió el cuello de Nigel con la mano y lo sujetó allí mientras su primo forcejeaba.

—Adam —le advertí, procurando controlar mi pánico.

—Eres un maldito mentiroso —dijo Adam con los dientes apretados.

Las venas de Nigel sobresalían en su frente mientras intentaba apartar las manos de Adam de su cuello, pero Adam era más fuerte. Luego Nigel dirigió sus esfuerzos a meter los dedos en la nariz de Adam, obligándolo a echar la cabeza para atrás.

—¡Adam!

Me puse de pie de un salto. Quería separarlos, pero me daba miedo acercarme demasiado mientras peleaban. Me volví hacia el señor Basil. Estaba echando chispas, pero en última instancia era un viejo impotente en su lecho de enfermo, y lo sabía. Comenzó a respirar trabajosamente.

—Señor Basil, ¿se encuentra bien? —pregunté. Corrí a su lado y pulsé el botón para avisar a la enfermera.

Se le saltaron las lágrimas.

—No lo haría —dijo con firmeza—. Adam no haría eso.

Escrutó mi rostro en busca de señales de que lo habían inducido a error.

—Por supuesto que no —dije, comenzando a ser presa del pánico y apretando el botón sin parar. Para cuando los agentes de seguridad irrumpieron en la habitación, Adam y Nigel estaban peleando en el suelo. Enseguida quitaron a Adam de encima de Nigel y mientras lo sujetaban por los hombros, con los brazos en la espalda, Nigel propinó dos soberanos puñetazos a Adam, primero en la mandíbula, luego en el vientre.

Adam se dobló.

—Me parece que tu etapa de modelo ha terminado —bromeé mientras daba unos toques de antiséptico al labio partido de Adam cuando hubimos regresado al apartamento.

Sonrió y la sangre volvió a manar del corte.

—Ay, no sonrías —dije, volviendo a darle toquecitos.

—No te preocupes —suspiró. De pronto se levantó, apartándome, su cuerpo de nuevo en actitud agresiva—. Voy a darme una ducha.

Abrí la boca para disculparme. Había intentado hacer las cosas bien y todo había salido espantosamente mal. Nuestro almuerzo en el restaurante le había provocado retortijones, el paseo por el parque lo había llevado a terminar encerrado en una celda de la *Garda*, el paseo al azar se convirtió en una persecución y mi empeño en decirle la verdad a su padre había conducido a que le dieran un puñetazo en la cara.

Perdón.

Pero no dije nada. No importaba. Lo había dicho en el coche de regreso a casa hasta terminar fuera de mí; había intentado convertir todo aquel episodio en una experiencia positiva, relacionada con enfrentarse a la verdad y asumir las consecuencias, pero sabía que era como vender hielo en el polo. Había juzgado mal la situación. Había pensado que tenía miedo de decírselo a su padre, pero el miedo era porque su padre sabía que no quería el empleo sin que eso le hiciera cambiar de actitud. Había sido una ingenua al creer que podría dar con una salida obvia a una situación de la que Adam llevaba años intentando escapar. Solo después de explorar todas las demás vías de escape había tomado la desesperada decisión del Ha'penny Bridge. Tendría que haberme dado cuenta, y el hecho de que no se me hubiese ocurrido pensarlo me hacía sentir torpe y avergonzada. Adam ya no quería oír mis palabras. Mis palabras no arreglaban nada. Que yo lo lamentara no cambiaría nada.

A las cuatro de la madrugada aparté el edredón con los pies en un arrebato de frustración y renuncié oficialmente a intentar dormir.

—¿Estás despierto? —grité a la oscuridad.

—No —contestó Adam.

Sonreí.

—Te he dejado una hoja de papel en la mesa de café. Cógela.

Le oí moverse por la habitación para coger la página que había dejado allí antes de acostarme.

—¿Qué demonios es esto?

—Lee una.

—«Las cosas mejores y más bonitas del mundo no pueden verse ni tocarse; tienen que sentirse con el corazón.» Helen Keller.

Guardó silencio. Luego resopló.

—«En nuestros momentos más oscuros es cuando debemos centrarnos en ver la luz.» Aristóteles Onassis —grité de memoria, tendida de nuevo en la cama.

Adam hizo una pausa y me pregunté si iba a romper el trozo de papel o si me seguiría la corriente en mi intento por levantarle el ánimo.

—«Si crees que puedes, ya estás a medio camino de conseguirlo.» Theodore Roosevelt —grité otra vez, alentándolo a leer otra cita.

—No mees de cara al viento —dijo Adam.

Fruncí el ceño.

—Eso no está en la hoja.

—No compres un telescopio, acércate a lo que quieres ver.

Sonreí.

—Nunca comas nieve amarilla. No fumes. Ponte sujetador. Nunca mires a los ojos mientras lames un cucurucho de helado.

Me reía tontamente en la cama. Finalmente se calló.

—Vale, mensaje recibido: piensas que son basura. Pero ¿te sientes mejor?

—¿Y tú?

Me reí.

—La verdad es que sí.

—Yo también —contestó al cabo, en voz baja y grave.

Imaginé que estaba sonriendo, al menos esperé que lo estuviera haciendo; lo notaba en su voz.

—Buenas noches, Adam.

—Buenas noches, Christine.

Dormí un poco aquella noche, pero mayormente no pude dejar de pensar: quedan ocho días.

14

Cómo estar en misa
y repicando

El detective Maguire estaba sentado a la mesa delante de mí en un cuarto de interrogatorios de la comisaría de la *Garda* de Pearse Street. Tenía los ojos inyectados de sangre, con bolsas arrugadas debajo como si la noche antes se hubiese corrido una buena juerga. Aunque me constaba que no era así. Había accedido a recibirme a regañadientes, advirtiéndome que por el momento se limitaría a escucharme antes de decidir si remitirme a sus colegas. Entendí que eso significaba que actuaría a modo de filtro; si mi denuncia no merecía la pena, no quería desperdiciar tiempo de la *Garda*. Noté que la frente se me perlaba de sudor. La habitación era sofocante, sin ventanas ni ventilación. De haber sido una sospechosa habría admitido cualquier cosa con tal de salir de allí. Afortunadamente, había insistido en dejar la puerta abierta para no perder de vista a Adam.

—¿Tiene por costumbre recoger a víctimas de suicidio? —había preguntado Maguire al verme llegar con Adam.

—En realidad le estoy ayudando a encontrar trabajo —contesté. No era del todo mentira.

Comprobé la puerta otra vez para asegurarme de que Adam todavía estuviera allí. Se lo veía aburrido y cansado pero al menos estaba presente.

—¿Siempre se lleva trabajo a casa? —preguntó Maguire.

—¿Y usted alguna vez va a su casa? —repliqué.

Me di cuenta demasiado tarde de que, por una vez, Maguire había estado a punto de abrirse. Mi réplica había hecho que se retirara a su cáscara; volvió a levantarse el campo de fuerza y se removió incómodo en la silla, a todas luces reprendiéndose por la debilidad que había mostrado al quitarse la máscara.

Mi reacción hizo que me sintiera culpable; me di cuenta de que prefería tratar con Maguire el duro. No quería relajarme y ponerme a compartir secretos de trabajo con aquel hombre.

—Cuéntemelo otra vez, piensa que un hombre con una cazadora negra de cuero y un jersey de cuello vuelto, posiblemente del este de Europa, le rompió el parabrisas con un palo de *hurling* porque usted posiblemente presenció una venta de droga entre ese hombre y un coche negro con los cristales tintados, del que no recuerda más detalles, en un camino campestre al que no sabe indicarnos cómo llegar ni localizarlo porque estaba jugando a perderse. ¿Lo he entendido bien?

Su tono era cansino.

—El parabrisas es de mi amiga Julie, no mío, pero sí, el resto es correcto.

Había tardado tres días en presentar una denuncia por lo del parabrisas, en parte porque estaba ayudando a Amelia con los preparativos del funeral de su madre, en parte debido a mi agenda con Adam y sobre todo porque había querido evitar pasar siquiera un segundo en compañía del detective Maguire, aunque sabía que al fin y al cabo era el único que podía ayudarme.

—¿Por qué dice que posiblemente era del este de Europa?

—Tenía esa pinta —dije en voz baja, deseando no haber mencionado aquel detalle—. Era enorme, mandíbula fuerte, espaldas anchas. Pero llevaba un palo de *hurling*, cosa que le daba un aspecto más irlandés...

No supe cómo seguir y me puse roja al ver la expresión divertida de Maguire.

—¿O sea que si hubiese dado una voltereta habría sido ruso y si hubiese llevado una gorra de béisbol habría sido americano? ¿Y si la hubiese atacado con un palillo? ¿Japonés o chino? ¿Qué cree?

Sonrió, disfrutando de su propio chiste.

No le hice caso.

—¿Alguien más puede corroborar su historia?

—Sí, Adam.

—El suicida.

—La víctima de intento de suicidio, sí.

—¿Algún otro testigo que no intentara matarse hace cinco minutos?

—Intentó suicidarse hace cinco días, y sí, mi sobrina lo vio todo.

—Necesito sus datos.

Me quedé un momento pensando.

—Claro. ¿Tiene boli?

Sacó su bolígrafo de mala gana y abrió su bloc de notas, que estaba en blanco pese a que hubiera pasado los últimos diez minutos contándole lo sucedido.

—Dispare.

—Se llama Alicia Rose Talbot y la encontrará en el Cheeky Monkey Montessori de la avenida Vernon, en Clontarf —dije lentamente.

—¿Trabaja allí?

—No, asiste. Tiene tres años.

—¿Me está tomando el pelo?

Dio un palmetazo sobre la mesa.

Adam se asomó a la habitación con ademán protector.

—No, pero creo que usted me lo toma a mí. No se está tomando esto en serio —dije.

—Mire, me pongo en marcha en el momento en que la respuesta más evidente es la verdad. Su historia sobre un traficante de drogas ruso con un palo de *hurling* en un camino campestre tiene tantos imponderables que dudo de que se sostenga.

—Pero ocurrió.

—Es posible.

—Ocurrió.

Guardó silencio.

—¿Y cuál es la respuesta más obvia, entonces? —pregunté.

—Me he enterado de que abandonó a su marido.

Tragué saliva, sorprendida de que la conversación tomara aquellos derroteros.

—La noche del disparo —agregó.

—¿Qué importa el momento en que lo dejé?

Se frotó la barba incipiente de la mandíbula, enrojecida de afeitarse demasiado e hidratarse poco. Luego se recostó, estudiándome, y me sentí como si me estuviera interrogando.

—¿Tuvo algo que ver con el disparo?

—No... sí... quizá... —balbucí, tras haberme dado cuenta de que no quería que lo supiera—. ¿Por qué quiere saberlo?

—Porque sí. —Cambió de postura y se puso a garabatear en el bloc—. Llevo mucho tiempo en este trabajo y, se lo dice alguien que tiene experiencia en estas cosas, usted no debería dejar que lo que ocurre en el trabajo afecte a lo que pase en su vida privada.

Me quedé perpleja. Iba a replicar pero en cambio me mordí la lengua. Seguro que le había costado mucho decir lo que me había dicho.

—No fue por lo que ocurrió con Simon. Pero gracias. Por el consejo.

Me estudió un rato más en silencio y luego aparcó la cuestión.

—¿Cree que su ex marido tiene algo que ver con los destrozos que ha sufrido su coche?

—Ni hablar.

—¿Cómo lo sabe?

—Porque no es ese tipo de persona. No se apasiona de esa manera. Ni siquiera es de un equipo de fútbol porque es incapaz de creer tanto en algo. Una vez, por su cumpleaños, sus amigos le regalaron un trozo de valla para que se sentara encima; para que vea hasta qué punto carece de opinión. La verdad, si lo conociera no estaríamos hablando de él. Pasemos a otra cosa.

—¿Cómo ha encajado que lo abandonara?

—¡Por Dios, Maguire, eso no es asunto suyo! —grité, levantándome.

—Podría tener relación con lo del parabrisas —dijo con calma, permaneciendo sentado—. Un marido recientemente abandonado por su esposa, humillado, con el corazón partido y enojado, me figuro. Quizás haya sido su perita en dulce mientras estuvieron casados, pero nunca se sabe cuánto puede cambiar una persona. Basta con apretar un botón. ¿Ha mostrado algún comportamiento amenazador durante las últimas semanas?

Mi no respuesta fue suficiente respuesta para él.

—Pero si ni siquiera es mi coche —protesté—. Él lo sabe. Romper el cristal afecta a otra persona, no a mí.

—Es el coche de su amiga Julie, ya me lo ha dicho. Pero lo

conduce usted. Y él no está pensando racionalmente ahora mismo. ¿Qué siente su marido acerca de su amiga Julie? ¿Algo que decir a propósito de ella recientemente?

Suspiré, recordando el mensaje de voz de unos días antes y miré a Adam, que para entonces estaba escuchando sin disimulo. Asintió para que se lo dijera a Maguire.

—Mierda. —Me froté la cara, cansada—. Pues no voy a poner la denuncia. Pagaré los daños yo misma.

Me levanté y me puse a caminar de un lado a otro de la habitación.

—Tanto da, me gustaría hacerle una visita.

—¡No lo haga! —Me detuve—. En serio, se pondrá como un energúmeno si se entera de que se lo he contado.

—Me parece que ya lo ha hecho. Me gustaría asegurarme de que no lo vuelve a hacer.

—Por favor, no se ponga en contacto con él.

Suspiró y se puso de pie.

—¿Qué fue primero? ¿Las llamadas telefónicas? ¿Fueron tristes al principio? ¿Luego ofensivas? Luego destroza su coche.

—El coche de Julie.

—Me importa un bledo de quién sea el coche. Lo siguiente en su lista no será sentarse a tomar leche y galletas con usted.

—Pero ese tipo ruso...

—Me trae sin cuidado el tipo ruso. ¿Tiene a alguien en casa con usted?

No me gustó que me hiciera una pregunta tan personal y tampoco supe demasiado bien cómo contestarle. Me sonrojé, pues me daba vergüenza decirle que Adam estaba durmiendo en casa. Al final no tuve que decir nada; intercepté la mirada que cruzaron Adam y el detective Maguire.

—Muy bien. —Al parecer Maguire se daba por satisfecho en cuanto a mi seguridad—. Piénselo y hágame saber si necesita que haga una visita a su marido.

—Siento haberle hecho perder el tiempo —dije, mortificada, mientras él salía de la habitación.

—A estas alturas ya estoy a acostumbrado, Rose —respondió desde el pasillo.

—Mierda —dije, finalizando la llamada por el móvil—. Justo ahora alguien quiere ver el coche. ¿Cuánto se tarda en arreglar un parabrisas?

Desenterré la cabeza y me puse a registrar los armarios vacíos en busca de un listín telefónico.

—Poco. No te preocupes —dijo Adam, sentado en el mostrador de la cocina, observándome mientras balanceaba las piernas—. Conozco a un tío que puede hacerlo, le daré un toque.

—Eso sería increíble. Gracias. ¿Cuánto costará?

Me mordisqueé las uñas y aguardé su respuesta.

—No mucho. Seguro que tu amiga tiene seguro, además. Yo no me preocuparía tanto.

—Por nada en el mundo voy a decírselo a Julie. Tengo que resolver esto sin que ella se entere. ¿Cuánto costará? —repetí.

—Christine, cálmate. Es un parabrisas, se rompen cada dos por tres. Basta con que una piedra salga despedida del suelo para que se rompa.

—Mi marido lo rompió en mil pedazos —dije—. No es exactamente lo mismo.

—Sin embargo, lleva el mismo tiempo arreglarlo. ¿Crees que lo hizo él?

—No lo sé. El detective Maguire parece bastante convencido, pero la verdad es que no me imagino a Barry haciéndolo.

Se quedó cavilando un momento, miró por las ventanas como si comprobara que yo estuviera a salvo. Me gustaba esa faceta protectora de Adam.

—Pagaré el parabrisas —dijo de repente.

—Ni hablar, de ninguna de las maneras. No digas tonterías, Adam —repuse enojada—. No es eso lo que quiero, no es lo que intentaba insinuar. No acepto limosna —dije con firmeza.

Puso los ojos en blanco.

—Esto no es una limosna. Te lo debo por tus servicios, además.

—Adam, no tengo intención de cobrarte. No hago esto por dinero. Intento salvarte la vida. Que vivas será suficiente pago para mí.

Los ojos se me arrasaron en lágrimas y tuve que mirar hacia otro lado. Seguí buscando el listín en armarios donde ya había buscado, olvidando que había dicho que llamaría a un amigo. Estaba perdiendo el norte.

—Pero has cancelado tus citas durante dos semanas. Te cuesto dinero.

—Yo no lo veo así.

—Ya lo sé. Porque eres buena persona. Ahora deja que alguien sea bueno contigo, porque creo que estás pasando por un momento especialmente malo y no he visto que alguien te haya echado una mano una sola vez. No veo que alguien intente arreglar a la señorita Arreglalotodo —dijo, observándome.

Sus comentarios me pillaron por sorpresa y por un momento me olvidé del dinero. Mi familia quizá fuese rara, pero tenía claro que siempre me apoyaba; Amelia estaba bastante distraída, pero era comprensible; Julie estaba en Toronto, y los demás... Bueno, había creído que se mantenían a distancia respetuosamente pero ahora, obligada a pensarlo, me daba cuenta de que tal vez habían tomado partido. Aparté esa idea de mi cabeza y volví a las tribulaciones económicas. Al final tendría que hablar con Barry para que me devolviera el dinero que había depositado en nuestra cuenta conjunta. La habíamos abierto como nuestra cuenta de ahorro para la boda y la luna de miel y después la habíamos mantenido abierta para pagar la hipoteca, siendo yo quien más dinero ingresaba para no gastármelo. El mensaje que había recibido de Barry aquella mañana decía que se había quedado con mi dinero, mi parte de los pagos de la hipoteca y cualquier extra que hubiese depositado. Había comprobado el saldo para ver si decía la verdad y el dinero había desaparecido. No había sido una idea muy inteligente pedir tarjetas de esa cuenta para operar desde el cajero. Lo había retirado todo.

—Bien, en cualquier caso, esto quizá te haga sentir mejor: necesito que me ayudes en otro asunto —dijo Adam, cambiando de tema—. Tienes que ayudarme a conseguir un regalo para Maria.

—Claro —respondí, sintiéndome incómoda por la manera en que me cayó el alma a los pies tan solo de pensar en ella—. ¿Qué tal un pintalabios rosa?

Entrecerró los ojos, tratando de averiguar si lo había dicho con tanta malicia como parecía.

—No... —dijo lentamente—. Eso no es lo que tenía en mente. Verás, es su cumpleaños...

—¡¿Qué?! —pregunté bruscamente—. ¿Cuándo es su cumpleaños?

—Hoy. ¿Por qué estás tan enojada?

—¿Y no me lo dices hasta ahora? Adam, es una oportunidad increíble para recuperarla. Podríamos haber pasado días planeándolo.

—He intentado pensar en un regalo por mi cuenta, pero nada me parece bastante bueno. Están las cosas usuales, joyas, diamantes, vacaciones, pero eso ya está hecho. No acaba de parecerme suficiente en esta ocasión. Además, creía que no me dejarías verla otra vez.

Tenía razón, pero aun así me molestó que no me lo hubiese dicho hasta entonces.

—¿Qué le regalaste el año pasado?

—Fuimos a París. —Me miró y mi rencor por Maria se disparó—. Pero le puse poco entusiasmo. No me sentía demasiado bien.

—¿Por qué, qué ocurrió?

—En realidad, nada. Fue en la época en que mi hermana se mudó. Tenía muchas cosas en la cabeza. Maria creía que era porque iba a proponerle matrimonio; obviamente no fue así y... En fin, el viaje fue más bien un desastre.

Su hermana se fue. Interpretaba el que la gente se fuera como un abandono, tendría que poner mucho cuidado cuando nuestros caminos se separaran. La perspectiva me entristeció.

—¿Estás bien? —preguntó.

—Sí, estoy pensando.

Fui a mi dormitorio y cogí el libro para inspirarme. El capítulo siguiente iba sobre los beneficios de aprender a cocinar. Tiré el libro a la otra punta de la habitación, no exactamente contenta con la solución que ofrecía a nuestro dilema. De hecho, hasta la fecha ninguna de sus soluciones me había impresionado. ¿Cocinar como terapia? ¿Cocinar como método para reconquistar a Maria? Salvo si él cocinara la cena de Maria... Pero ¿cómo hacerlo posible?

—Adam, ¿todavía tienes las llaves de tu apartamento? —pregunté, levantando la voz.

—Sí, ¿por qué?

Apareció en la puerta del dormitorio. Siempre se paraba justo ahí, sin cruzar el umbral de mi espacio privado. Apreciaba ese gesto suyo, siempre respetuoso con las fronteras invisibles, respetuoso con mi espacio.

Estaba pensando que quizá podríamos llevar la cena de cumpleaños de Maria al apartamento a hurtadillas, pero si resultaba que Sean estaba allí sería un desastre y Adam perdería la poca ventaja que había ganado tras varios días de duro trabajo.

—Me encantaría saber dónde pasará su cumpleaños. ¿Tienes manera de averiguarlo? ¿Hablando con amigos? ¿Familia? Sin darle más importancia de la cuenta, por supuesto.

—Nuestros cumpleaños caen en la misma semana, así que normalmente los celebramos juntos —dijo, fastidiado. Respiró profundamente para refrenar el enojo—. Sus amigas la llevan a la Brasserie Ely, en Grand Canal Dock.

—¿Cómo lo sabes?

Me miró avergonzado.

—Lo sé y ya está.

—Adam —le advertí—, te dije muy claramente que no hablaras con ella.

—Y no lo he hecho. Resulta que por casualidad oí un mensaje del buzón de voz de Sean.

—¿Cómo pudiste oírlo por casualidad?

—Porque Sean es un idiota que nunca se acuerda de cambiar el código pin de su buzón de voz. He estado escuchando sus mensajes desde el lunes.

Di un grito ahogado.

—No sabía que eso pudiera hacerse.

—Ajá, seguro que no has cambiado tu código.

Tomé nota mental de hacerlo inmediatamente.

—No importa, tú escuchas mis mensajes de voz igualmente. —Pensé en el mensaje que había escuchado y borrado. Me moría por saber qué había dicho Barry, pero no podía preguntárselo a Adam más veces de las que ya lo había hecho y en el fondo no quería oír la respuesta. Pasé a otro asunto—. ¿Y qué decían esos mensajes?

—Está preocupado porque Maria lleva unos días distante, desde el domingo que descubrí lo suyo pero todavía más estos últimos días. O se han dado un respiro o ella ha pedido espacio para pensar.

—En ti —susurré.

Adam se encogió de hombros, pero había luz en sus ojos.

—¡Que sí, Adam!

Levanté las dos manos.

Chocamos las palmas y acto seguido me abrazó.

—Gracias —me dijo al oído, estrechándome con ambos brazos por la cintura.

Su aliento me puso todo el cuerpo con piel de gallina.

—No hay de qué —dije, deseando quedarme allí. Me obligué a apartarme—. Venga, manos a la obra.

—¿Qué vamos a hacer?

—Quizá le regalaste París el año pasado pero este año, querido, vas a prepararle una tarta de cumpleaños.

Kitchen in the Castle era un curso de cocina único que se daba en una cocina de Howth Castle, que se remontaba a 1777. El local era popular para citas nocturnas y salidas de grupos de chicas, y aquel viernes no era la excepción. La clase la componían mayormente parejas de todas las edades, una de ellas a todas luces en su primera cita. También había un grupo de tres chicas de veintitantos que al parecer tuvieron un ataque de risa floja en cuanto Adam entró.

—¡Christine! ¡Yu-ju!

Oí que una mujer me llamaba por mi nombre. Era grandota y redonda, con una sonrisa radiante en una linda carita de niña. No tenía ni idea de quién era.

—¡Soy yo! ¡Elaine!

Me quedé mirándola fijamente hasta que por fin caí en la cuenta de quién era. La última vez que la había visto iba disfrazada de Drácula y leía un libro ante un público de niños aterrorizados. Los últimos dos días, desde que la madre de Amelia falleciera, había estado ayudando en la librería.

—He venido con un chico —susurró para que su acompañante no la oyera. Fracasó estrepitosamente.

Alargué el brazo para estrecharle la mano y al instante supe que aquel hombre era gay.

—Lo conocí en mi clase de «Cómo enamorarse».

—¿Tu clase de qué?

—¿No has oído hablar de esos cursos? Dios mío, todas las chicas están acudiendo, y muchos hombres también. Por eso voy yo. —Seguía hablando *sottovoce*—. Así es como conocí a Marvin.

Rio tontamente y lo señaló con orgullo, para luego volver a reír. Esta vez resopló, abrió los ojos impresionada y se llevó la mano a la nariz para impedir que volviera a ocurrir. Las veinteañeras se rieron a la vez por lo que me pareció que era un chiste verde o un comentario sugerente, o al menos eso fue lo que imaginé al ver cómo miraban a Adam. Una de ellas se estaba acercando a él. Adam le sonrió.

—Y este es Adam —dije en voz bien alta, agarrándolo del brazo y tirando de él hacia mí—. Adam, te presento a Elaine. Me estaba hablando de las clases de «Cómo enamorarse» a las que asiste.

—¡Oh, es fantástico! El curso lo da Irma Livingstone, ya

sabéis, la mujer que escribe... —bajó la voz—... libros sobre sexo. Lo organiza en la parroquia del barrio...

—Muy apropiado —interrumpió Adam.

—Sí —prosiguió Elaine, sin darse cuenta de lo que él había dicho—. Y cada semana aprendemos consejos sobre cómo conocer a tu media naranja y enamorarte, y luego nos animan a poner en práctica lo que hemos aprendido con otros miembros de la clase.

—Así pues, ¿estáis haciendo deberes? —preguntó Adam.

—No, esto es una cita —respondió Elaine claramente a la defensiva.

Marvin se mostró un poco apenado.

—Deberías venir —sugirió Elaine. Me dio un codazo, pero parecía inconsciente de su propia fuerza y me empujó tan fuerte que choqué contra Adam, que me sostuvo para que recobrara el equilibrio.

—Sí, tú también deberías ir —dijo Adam, dedicándome una sonrisa pícara.

—Si voy, vendrás conmigo —repuse, y su sonrisa desapareció.

—Me he enterado de lo ocurrido con tu marido —dijo Elaine, otra vez en voz baja. Me miró compasivamente—. Conocí a tu marido, a tu ex marido, hace unos días, cuando iba a trabajar. Me contó lo ocurrido... y que te iba a devolver tu palo de golf. Me alegra que haya sido tan amigable. No fue así entre mí y Eamon, mi ex marido —agregó, y el recuerdo ensombreció su habitual disposición jovial.

—¿Mi palo de golf? —pregunté, confundida—. Pero si no juego al golf.

—Sí que juegas —terció Adam—. Lo dejó en el parabrisas de tu coche, ¿recuerdas?

—Este... Oh. Sí, claro.

De modo que había sido él.

La profesora de cocina nos dio la bienvenida a la clase y nos reunimos en torno al banco de trabajo principal, con nuestros nombres en etiquetas pegadas en el pecho, para ver la demostración. Las parejas más serias tomaban notas mientras que Adam y yo apenas escuchábamos, y luego nos llegó el turno de hacer nuestro pastel. Adam se cruzó de brazos y me miró. Con eso me estaba diciendo que estaba allí porque tenía que estar, no porque le apeteciera. Cogí el pincel de la mantequilla y comencé a untar el molde.

—¿Y qué habéis aprendido hoy? —preguntó Adam a Elaine.

—El tema de hoy era enamorarse por buenos motivos —contestó ella muy seria—. Y cómo identificar cuáles son esos motivos.

—Caray. ¿Cuánto cuesta ese curso? —preguntó Adam con sarcasmo.

Elaine no era tonta. Lo miró con recelo, un poco ofendida.

—Ciento cincuenta euros por diez semanas. Pero Irma recomienda dos cursos.

—No me sorprende. —Adam asintió con seriedad—. Christine, ¿estás segura de que está bien?

—He terminado pagando todo lo que tenía por amor, mejor que no pidas mi opinión —dije mientras trataba de espolvorear harina uniformemente sobre el molde untado de mantequilla.

—No, me refería al pastel —dijo, sonriéndome.

—Oh. Ha dicho que había que untar mantequilla para que el pastel no se pegue, y la harina es para que no quede grasiento —dije, frustrándome porque la harina se pegaba de manera irregular al molde, formando grumos. En realidad no lo estaba pasando bien. No me gustaba cocinar, menos aún hornear, y en lugar de que Adam experimentara otra «alegría» de la vida, lo estaba haciendo yo. Estaba bastante triste, la verdad.

—Muy bien, ahora te toca a ti: haz la masa —dije, buscando un trapo para limpiarme la mantequilla de las manos.

Adam me miraba con una expresión divertida.

—¿Qué pasa? —le espeté.

—Nada. Solo observaba cómo disfrutas de la vida, nada más. —Devolvió su atención a Elaine—. ¿Y qué tipo de cosas aprendisteis cuando os enseñaba cómo enamorarse por un buen motivo?

Dando la espalda a su acompañante, Elaine nos puso al corriente sobre lo que hacían en su clase.

—Irma dice que pensamos que enamorarse es algo mágico y misterioso que nos sucede y que no tenemos ningún control sobre ello, de ahí que se diga «caer» enamorado. Pero enamorarse sucede cuando una serie de circunstancias convergen en una persona.

Tenía a Adam embelesado.

—Y, como todo en la vida, si quieres que ocurra tienes que hacer que ocurra. No puedes quedarte tumbado en el sofá de casa y esperar a enamorarte. Tienes que participar activamente. Irma nos enseña los pasos a dar para ser activos en la búsqueda del enamoramiento.

—Por ejemplo...

—Por ejemplo, restringir lo que deseas, ser tú mismo, ampliar tu círculo social, ser realista ante los contratiempos, reír mucho, escuchar, ser ingenioso, contar algún secreto, mantener la diversión. Nos lo explica en clase y luego hacemos trabajos prácticos, ejercicios fuera de clase.

—¿Qué tipo de ejercicios?

—La semana pasada teníamos que citarnos con alguien y practicar la técnica de escuchar, que consiste en hablar el veinte por ciento del tiempo y escuchar el ochenta por ciento.

—¿Ahora es una técnica escuchar? —preguntó Adam, divertido.

—Te asombraría saber cuánta gente no lo hace —contestó Elaine—. En fin, salí con un tipo de la clase y no salió bien. Ambos intentábamos escuchar y ninguno de los dos habló.

Adam se rio.

—¡Chef! ¿Estamos concentrados? —lo amonestó de buen talante la profesora. Unas cuantas cabezas se volvieron y Adam fingió estar atareado.

—La próxima lección será «secretos» —susurró Elaine excitada—. Jugaremos a «Yo nunca jamás». Y luego haremos preguntas como cuál ha sido el momento en que has pasado más vergüenza, tu recuerdo favorito de la infancia, tu peor miedo, cualquier talento oculto, qué cosas solo haces a solas, cómo sería tu día perfecto. Ese tipo de cosas.

—¿O sea que esa será tu próxima clase? —preguntó Adam, mirando a su acompañante, que por el momento estaba haciendo todo el trabajo, igual que yo por él.

Elaine asintió con entusiasmo.

Adam pareció ir a soltar un comentario sarcástico pero se contuvo.

—Pues que tengas buena suerte, Elaine.

—Gracias. Lo mismo digo —contestó ella, sonriendo.

Adam me miró, yo estaba roja como un tomate de bregar con la masa, y sonrió.

—Va a descubrir uno o dos secretos sobre Marvin, tenlo por seguro —susurré. Adam se rio.

—Creía que no estabas escuchando —dijo.

—Veinte por ciento de escuchar. Ochenta por ciento de intentar preparar masa.

—Te ayudo.

Alcanzó un huevo.

—Asegúrate de no lanzarlo contra la pared —murmuré.

Adam sonrió y cascó el huevo.

—Eres muy aguda.

Entonces me miró pensativo un momento.

—¿Qué pasa? ¿Tengo harina en la cara?

—No.

—Tienes que separarlos —dije, al tiempo que le acercaba un cuenco.

—No sé cómo se hace. Tú estás separada, seguro que sabes hacerlo.

—Ja, ja —añadí, nada impresionada—. Cada vez eres más divertido.

—Es por esta vida tan alegre que me haces llevar.

Elaine nos observaba, divertida.

—Tú cascas tres y yo otros tres —dije, y quedamos de acuerdo.

Adam cascó el huevo y gimió por la sensación de la clara en sus dedos. Puso la yema rota en un cuenco, la clara y las cáscaras de huevo en el otro. Con el segundo le fue aún peor, mejor con el tercero. Intenté sacar los trozos de cáscara del cuenco de las claras. En lugar de añadir el azúcar a las yemas, lo vertí en las claras. Cuando me di cuenta de lo que acababa de hacer comencé a quitarlo con una cuchara, pasándolo al otro cuenco, esperando que la profesora no me viera. Adam se rio por lo bajo. Agregué vainilla y extracto de limón. Luego comencé a montar las claras a punto de nieve mientras Adam soñaba despierto, seguramente pensando en su adorada Maria. No pude evitarlo, hundí la barbilla en las claras montadas, haciéndome una barba larga y delgada, y me volví hacia Adam. Imité la voz de su padre, grave y ronca.

—Hijo mío, tienes que dirigir la empresa. ¡Eres un Basil, *Dazzle*!

Me miró sorprendido, echó la cabeza para atrás y se rio con ganas, más fuerte de lo que le había oído reír hasta entonces, un sonido sumamente alegre y libre. La profesora dejó de hablar, la clase entera se volvió para mirarnos. Adam se disculpó ante todos, pero no podía controlarse.

—Perdona, enseguida vuelvo —dijo, y cruzó la silenciosa cocina riendo para sus adentros, incapaz de parar, agarrándose la barriga como si le doliera de tanto reír.

Todo el mundo me miró. La clara de huevo me cayó de la barbilla y les sonreí.

—Tu pastel está en el horno; tardará veinte minutos. Toma —dije, reuniéndome con Adam fuera. Le pasé su abrigo y luego una copa de champán—. Diez minutos de pausa y pasamos al glaseado.

Bebí un sorbo de champán.

Adam me miraba con los ojos chispeantes y entonces se rio otra vez, presa de otro ataque. Fue una risa contagiosa y no tardé en sumarme a él, aunque yo me reía de que él se riera de... No sabía exactamente de qué. Al cabo de un rato se le pasó, volvió a reír un poco y finalmente paró.

—Hacía mucho que no me reía tanto —dijo, y su aliento viajó en el aire frío.

—Pero si no ha sido tan divertido.

Soltó otra carcajada.

—Sí que lo ha sido —consiguió chillar.

—Si hubiese sabido que ponerme clara de huevo en la barbilla te curaría, lo habría hecho hace días —sonreí.

—Eres tú. —Me miró, la expresión animada, los ojos brillantes—. Eres un tónico. Deberían recetarte para la depresión en lugar de recetar pastillas.

Me halagó mucho el cumplido. Era lo más bonito que había dicho sobre mí y lo más cerca que había estado de sentir que no era un estorbo en su vida. En lugar de decir algo agradable, pasé al modo terapeuta.

—¿Alguna vez te han recetado antidepresivos?

Se tomó un momento para pensarlo, adoptando de nuevo su rol de cliente interrogado.

—Una vez. Fui al médico de cabecera, le expliqué cómo me sentía y me los recetó. Pero no me ayudaron como esperaba. Dejé de tomarlos al cabo de uno o dos meses.

—Porque no arreglaban la raíz del problema —dije.

Me miró y tuve claro que le había molestado mi comentario. Entendió que iba a insistir en que visitara a un terapeuta y me guardé mucho de hacerlo.

—Y hacer pasteles es la manera perfecta de llegar a la raíz —agregué, sonriente.

—Por supuesto, porque sabes exactamente lo que estás haciendo —respondió amablemente.

—En efecto.

Estuvimos un rato callados y me pregunté si aquel era el momento de reconocer lo que sentía en el fondo, o si el hecho de que él lo insinuara era suficiente reconocimiento. Como si se percatara de lo que se avecinaba, salió de su trance y rompió el silencio.

—Venga, vamos con el glaseado.

Antes de decorar los pasteles, tuvimos que sacarlos del horno. El nuestro fue el único de toda la clase que se hundió por el medio. Casi mágicamente, el centro se hundió ante nuestros ojos haciendo «puf».

Acto seguido, nos sumimos en tal ataque de risa histérica que por poco me hago pis encima, y nos pidieron educadamente pero con prontitud que nos marcháramos.

15

Cómo cosechar lo que sembraste

Camino de la cena de celebración del cumpleaños de Maria en el centro de Dublín nos detuvimos en un Spar para decorar el pastel. Todavía estábamos atolondrados, casi en un estado de embriaguez, riéndonos por cualquier tontería... Ambos llevábamos demasiado tiempo privados de tales emociones. Adam llevaba el esponjoso pastel con forma de corazón con el centro hundido y mal cocido y con el borde quemado.

—Es el pastel más feo que he visto en mi vida —dijo Adam, riendo.

—Solo necesita un poco de *lifting* —respondí, merodeando por los pasillos—. ¡Ajá!

Cogí un bote de nata en espray y lo agité.

—¡Eh! —gritó enojado el tendero. Adam le mostró enseguida un fajo de billetes y el tendero dejó de protestar.

Adam sostuvo el pastel mientras yo lo cubría de nata. La primera aplicación fue un desastre; no había agitado bastante el bote y la nata explotó con una decepcionante ráfaga de aire que salpicó el pastel y la cara y el pelo de Adam.

—Diría que hay un veinte por ciento en el pastel y un ochenta por ciento en mi cara.

El comentario hizo que me desternillara de risa y tardé un rato en calmarme antes de intentarlo de nuevo. Tuve más éxito en el segundo intento y cubrí todo el pastel con nata del espray.

Cuando hube terminado, Adam lo miró pensativo. Entonces llevó el pastel hasta el mostrador de caramelos variados, cogió un buen puñado de Milk Teeth* y con no demasiada seguridad lo esparció por la superficie.

—¿Qué le parece?

Se lo mostró al tendero, un hippy de pelo largo que no parecía impresionado.

—Le falta algo —dijo.

Me reí. Le faltaban muchos algos.

—Yo añadiría aros fritos de patata —dijo finalmente el tendero hippy.

—¡Aros fritos! —Adam levantó un dedo—. Qué buena idea.

Me indicó que abriera una bolsa de Hula Hoops que esparcí por encima del pastel, y luego me aparté un poco para ver el resultado de mi trabajo.

—Perfecto —dijo Adam, estudiándolo desde todos los ángulos.

—Es el peor pastel que he visto en mi vida —dije.

—Exacto. Es perfecto. Así sabrá que lo he hecho yo.

Antes de marcharnos, Adam clavó una vela con forma de balón de fútbol en medio, diciendo alegremente:

—Detesta el fútbol.

Y regresamos al coche con chófer.

---

* Milk Teeth es una marca de caramelos típicamente irlandesa fabricada por la empresa Barratts. Literalmente significa «dientes de leche» y tienen aspecto de dentaduras postizas. *(N. del T.)*

Nos plantamos delante de la Brasserie Ely y observamos a Maria y sus amigas a través de la ventana tan discretamente como pudimos sin ser vistos por ellas ni que el personal nos pidiera que nos marcháramos. Hacía un frío intenso en la calle, comenzaban a caer pequeños copos de nieve. Tenía los pies entumecidos, apenas podía mover los labios, la nariz hacía rato que se me había caído de la cara o, al menos, esa era la sensación que tenía.

—Hace un frío que pela —dije, y me gané una sonrisa de Adam. Nuestra histeria de antes se había retirado en busca de calor—. ¿Conoces a esas chicas? —pregunté, apenas capaz de mover los labios para pronunciar las palabras.

Adam asintió.

—Son sus amigas íntimas.

Todas eran mujeres guapas y modernas y llamaban la atención de los hombres, aunque no parecían darse cuenta porque estaban enfrascadas en su conversación, apiñadas en un rincón del restaurante mientras se ponían al día sobre sus vidas, sus amores y el universo en general. No podía apartar los ojos de Maria. Una vez más el sello característico de los labios rojos y la melena negra corta, lacia y brillante, y esta vez iba a la moda con un elegante vestido de cuero negro. Estaba perfecta. Charlaba con todas y cada una de sus amigas, mostrándose divertida, interesada y empática con quienquiera que hablara. La única vez que aparté los ojos de ella fue para mirar a Adam mirándola, y me quedó claro que ella estaba ejerciendo el mismo efecto sobre él. Era hipnótica, el tipo de mujer que atraía la mayoría de las miradas. Y era buena persona. Eso era lo peor. La detesté más que nunca, pero era la chica perfecta para un hombre como Adam. Formaban una pareja llamativa, su respectiva belleza igual y sin embargo distinta, cada uno de ellos extravagante y único. Adam no podía arrancar los ojos de ella pero parecía triste, como si perderla le hubiese arrebatado el alma, su más íntimo ser.

Me aparté unos pasos y miré en derredor, pateando el suelo para entrar en calor, cualquier cosa con tal de sacudirme de encima la sensación de ser una impostora o una carabina. ¿Qué había ido tan mal en mi vida para no tener más remedio que estar delante de un restaurante, observando a una mujer guapa cuya vida envidiaba, y no solo por el calor? Era ridículo y me sentía como una idiota, una fracasada del más alto nivel. De repente se me quitaron las ganas de seguir allí.

—¡Por fin! —dijo Adam cuando comenzaron a despejar la mesa para los postres.

Yo había entregado el pastel en el restaurante. No había sido una tarea difícil explicar al personal, mientras procuraba que no me vieran, que era una sorpresa para la chica que celebraba su cumpleaños en la mesa del rincón. La camarera había echado una mirada al pastel y se había reído. Ahora Adam y yo observábamos mientras cuatro camareros iniciaban la procesión hacia la mesa de Maria. Adam cruzó la calle y se acercó a la ventana para ver mejor. Maria levantó la vista con sorpresa, y luego regocijo cuando los clientes de las mesas cercanas se unieron a la canción de cumpleaños. Me fijé en que sus amigas cruzaban miradas entre sí, tratando de averiguar quién había organizado la sorpresa. Y entonces dejaron el pastel delante de Maria, que miró confundida todo aquel estropicio en la fuente con nata, los Milk Teeth y los Hula Hoops que la nata había reblandecido. Por un momento lució una expresión neutral, como si educadamente mantuviera un aire de agradecimiento para no ofender a quien lo hubiera preparado, luego pidió un deseo y sopló la vela. Miró a las chicas para ver quién había organizado semejante cosa. Hubo más risas y hombros encogidos, luego interrogó a los camareros para asegurarse de que no se hubieran equivocado de mesa. Adam los observaba, inquieto, y esperé que Maria entendiera que había sido obra de él, de modo que no tuviera que impedirle entrar corriendo en el restaurante para explicárselo.

—Mira, Maria, mira los Milk Teeth y los Hula Hoops —la instó Adam, en voz tan baja que solo yo lo pude oír.

—¿Tienen un significado? —pregunté sorprendida. Creía que había esparcido aquellas cosas al azar, en ningún momento percibí que las eligiera por un motivo concreto.

Sus ojos no se apartaban de la ventana, pero me había oído y me contestó en un tono distraído que me hizo sentir entrometida, como si hubiese preferido no tener que molestarse en contestar a mi pregunta.

—Una de las primeras veces que salimos juntos fue a verme jugar al fútbol. Ella estaba en la zona que rodea el campo de juego y el balón le dio en la cara, rompiéndole un trocito de diente. Le compré Milk Teeth para que pudiera ponérselos camino de casa y lamí sus Hula Hoops hasta reblandecerlos porque el diente le dolía demasiado para morder.

Como si reviviera la historia que Adam me estaba contando, Maria levantó la vista del pastel, cayendo en la cuenta, y se echó a reír. Al cabo se serenó y se lo contó a sus amigas. Aunque no podía oírla, Adam se rio con ella. Para entonces yo ya había perdido el sentido del humor. Quería irme a casa.

Maria dejó de reír e hizo algo increíble: rompió a llorar. De inmediato las seis chicas se apiñaron en torno a ella y Maria se perdió en un frenesí de abrazos y palabras de consuelo.

Miré a Adam. Sus ojos también estaban arrasados en lágrimas.

Di media vuelta para irme. En ese momento lo cierto es que no me importaba que él se quedara. Creí que ni se daría cuenta.

—Eh, señorita Arreglalotodo —dijo en voz baja, haciéndome parar en seco. Levantó sus dos manos enguantadas. Chocamos las palmas y sus dedos se curvaron para agarrar los míos. Bajó los ojos hacia mí y tragué saliva, el corazón me palpitaba al verme atrapada bajo su mirada.

—Eres un genio, ¿lo sabías? —dijo en voz baja.

—Bueno —miré hacia otro lado—, todavía no es nuestra.

Adam volvió a mirar hacia el restaurante. Maria se estaba enjugando las lágrimas con una servilleta, volvió a mirar el pastel, negó ligeramente con la cabeza y se rio.

Todavía no. Pero casi.

Tuve una extraña sensación de alivio teñida de tristeza. No tuve tiempo de pensar demasiado en mis sentimientos porque Maria se había puesto el abrigo y estaba saliendo del restaurante.

—Mierda, ¿te ha visto? —pregunté, separando mis dedos de los suyos.

—Es imposible —contestó Adam, con un asomo de pánico en la voz.

Nos alejamos enseguida, dirigiéndonos tan lejos del restaurante como era posible. Cuando estuvimos a una distancia segura me volví y vi que Maria estaba quieta delante del restaurante.

—Está fumando un cigarrillo —dije aliviada.

—No fuma.

La observé. Su teléfono se iluminó en su mano. El teléfono de Adam comenzó a sonar. Enseguida lo silenció, pero se quedó mirando la pantalla ávidamente.

—No contestes.

—¿Por qué no?

—La ausencia hace que el corazón se encariñe más. Necesitas que ella te extrañe de verdad y te desee. Además, todavía estás enfadado, lo noto. Dirás algo fuera de lugar y la espantarás.

—¿Igual que Barry?

Le di la espalda.

—¿Querías que intentara reconquistarte? —preguntó al cabo de un rato.

Sonreí apenada. No habíamos hablado mucho sobre Barry, al menos no en serio.

—Ni siquiera lo intentó. No habría vuelto con él, pero hubiese estado bien que lo intentara. Nunca ha querido nada suficientemente. Ni siquiera a mí. Sé que suena ridículo, visto que soy yo quien lo abandonó a él.

—A lo mejor lo está intentando. Los mensajes de voz. Las llamadas...

—Esta mañana le ha dicho a una amiga común con quien pasamos la noche de Año Nuevo que me horroriza ir a sus fiestas porque detesto su manera de cocinar y escuchar cómo cantan sus insufribles hijos cuando es obvio que no tienen talento, y que aguardo con ansia la cuenta atrás del Fin de Año para poder irme de su casa. Ella me ha mandado un mensaje de texto, todavía muy ofendida y enojada. No creo que vuelva a invitarme a sus fiestas en el futuro inmediato.

—De acuerdo, pues no está intentando recuperarte.

—No. Está amargado. Bastante perverso ahora mismo. Dudo mucho que aspire a una reconciliación.

—Dile a tu amiga que no es verdad.

Lo miré.

—Oh. Es verdad. ¿Y también meas en la ducha? —bromeó.

Di gracias a la oscuridad por ocultar mi rostro colorado.

—Bueno, a lo mejor no todo es verdad —dije.

—¡Es verdad! —exclamó, riendo para sus adentros.

—Tenía una picadura de mosquito, y se puso muy fea. Vino hacia mí intentando... Bueno, ya te lo puedes imaginar.

—¿Measte en la picadura de mosquito? —Se echó a reír.

—¡Calla! —Le di un puñetazo en el brazo—. Además, no dio resultado —agregué, y ambos reímos.

Su teléfono anunció un mensaje de voz.

—Ha sido largo —dije—. Deja que lo oiga.

—Adam, soy yo. —Su voz era suave, amable, estaba claro cómo se sentía, no necesitaba oír más pero igualmente escuché—. He recibido tu pastel —se rio—. Es el pastel más feo, repugnante y detallista que me hayan regalado alguna vez. Nunca olvidaré aquel día. Fue el día que nos besamos por primera vez, con aquellos dientes en nuestras bocas —se rio—. Gracias. Estás loco. —Se rio otra vez—. Echaba de menos esta parte de ti, pero... algo me dice que has vuelto. Perdóname si te he hecho daño. Me sentía muy... perdida, estaba preocupada. No sabía qué hacer. Sean estaba ahí... y se preocupó y... realmente le importas mucho, ¿sabes? No lo odies. En fin, gracias. Te he llamado para darte las gracias. Necesito verte, llámame, ¿de acuerdo?

Adam sonreía de oreja a oreja.

Me cogió en brazos y me hizo girar por el aire y me reí tan fuerte en la calle fría y desierta que mis carcajadas llegaron a oídos de Maria, frente al restaurante. Pero no tendríamos que habernos preocupado; lo único que vería sería a una pareja en la penumbra, divirtiéndose de lo lindo, escondidos en las sombras, muy posiblemente enamorados.

16

Cómo organizar y simplificar tu vida

Cuando regresamos al apartamento, cargados de bolsas de comida para llevar, vimos que todavía había luz en la librería de Amelia. Eran las diez de la noche.

—Qué raro —dije—. Toma, ve pasando. —Le di las llaves del apartamento—. Mantente lejos del cristal y los aparatos eléctricos. Voy a ver si está bien.

Puso los ojos en blanco.

—Voy contigo.

Amelia abrió la puerta en cuanto nos acercamos, como si hubiese estado aguardándonos de pie. Tenía los ojos muy abiertos, con una expresión apremiante. Miré en derredor. Habían puesto una mesa con vino, queso y galletas saladas, había cinco botellas de vino vacías encima de la mesa. Habían retirado las estanterías de la parte central de la tienda y en su lugar había sillas, cuatro filas de cuatro, con un puñado de personas sentadas ante un podio donde una mujer leía un libro en voz alta. Tenía una hermosa cabellera larga y ondulada de un gris luminoso, y llevaba un vestido negro ceñido con un escote bajo que revelaba una piel morena y lustrosa.

Elaine se volvió y nos saludó excitada con la mano para

acto seguido dedicar de nuevo toda su atención a la lectora.

—¿Quién es? —susurré.

—Irma Livingstone —contestó Amelia, poniendo los ojos en blanco—. Maldigo el día en que dije que sí a Elaine. Irma es su profesora en el curso sobre «Cómo enamorarse», y Elaine pensó que sería una idea maravillosa traerla aquí y pedirle que leyera fragmentos de su libro. Lleva una hora leyendo.

Amelia me pasó el libro. *Cómo ser dueña de tus zonas erógenas*.

—¿Cómo? ¿De quién son las mías ahora mismo? —pregunté, echándole un vistazo por encima antes de que Adam me lo arrebatara.

Un hombre mayor de la primera fila se había dormido y roncaba ruidosamente, una joven que era el típico ratón de biblioteca garabateaba abundantes notas, y un hombre parecía estar disimulando una tremenda erección, sin el conocimiento de Elaine, que le hacía ojitos con la esperanza de que la invitara a salir.

Irma reparó en la presencia de Adam.

—Iba a terminar aquí, pero veo que tenemos compañía. A continuación leeré el capítulo cuatro: el placer de darte placer con tu pareja. Debo advertir que es un pasaje bastante erótico, si me permiten el juego de palabras.

Sonrió a Adam.

—Estupendo. —Adam me sonrió—. Me encantan los pasajes eróticos. Chicas, vosotras id a hablar de vuestras cosas. ¡Hasta luego!

No pude contener la risa cando la voz melosa de Irma comenzó a leer lenta y sensualmente su pasaje erótico.

Una vez que estuvimos en la silenciosa casa de Amelia encima de la tienda pudimos hablar.

—¿Cómo estás?

—Estoy bien. —Amelia se sentó, parecía cansada—. La casa está muy tranquila sin ella. Solitaria.

—Siento no haber estado más por ti.

—Lo has estado. Además, bastante tienes con Simon, Adam y Barry —agregó, esbozando una sonrisa.

—Déjalo —dije, negando con la cabeza, incapaz de abordar esos asuntos.

—Barry me envió un texto muy bonito por lo de mamá.

—Vaya, me alegra oírlo, para variar.

—¿Qué tal van las cosas con Adam?

—Bien. Muy bien. Está saliendo del hoyo, ya sabes. Pronto estará bien por su cuenta. Ya no me necesitará más o sea que... No podría ser mejor.

Oí el temblor de mi voz y lo falsa y ridícula que sonaba.

—Claro. —Amelia sonrió—. Estás siendo muy buena ayudándolo.

—Sí, bueno, está pasando una mala racha.

—Ajá. —Amelia se estaba mordiendo el labio para dejar de sonreír.

—Basta. —Le di un empujoncito—. Intento hablar en serio.

—Ya lo sé, me doy perfecta cuenta.

Amelia se rio pero no tardó en torcer el gesto otra vez.

—¿Qué pasa?

—He estado revisando sus cosas. —Se levantó y sacó unos papeles de un cajón de la cocina—. Y he encontrado esto.

Me pasó el montón de papeles. Había demasiado que asimilar, de modo que la miré.

—Dime qué estoy mirando.

—Un trastero. A nombre de mamá. Nunca me comentó nada al respecto, cosa rara puesto que yo me encargaba de todos sus asuntos. Se pagaba mediante domiciliación a una cuenta bancaria que no reconozco.

Me mostró el número. Naturalmente, no esperaba reconocerlo, pero lo hice. Era la cuenta en la que ingresaba mi alquiler cada mes. La empresa de papá. Amelia no reparó en mi reacción, de modo que tragué saliva, aguardando a ver dónde nos estaba llevando aquello.

—No me habría enterado de nada si no hubiese encontrado este sobre con una llave dentro y el contrato del trastero. Es de hace diez años. Mira la dirección que figura en el sobre.

La dirección postal era la de Rose e Hijas, Abogados.

—¿Tú sabías algo de esto? —preguntó Amelia.

—No, en absoluto —contesté. La mirada de Amelia me dijo que no me creía—. Vale, no hasta hace dos segundos, cuando he visto el número de cuenta. Amelia, te prometo que nunca me han dicho nada. Se encargan del testamento de tu madre, ¿verdad?

Amelia asintió.

—¿Se hace alguna mención al contenido del trastero en el testamento?

—No lo sé, todavía no he ido a ver a tu padre, pero... La verdad es que creía saber lo que decía el testamento de mamá. Lo habíamos hablado.

—Preguntemos a mi padre. —Saqué mi teléfono—. Es sencillo, vamos a resolver esto ahora mismo.

—No. —Amelia me quitó el teléfono de la mano—. No. Nada de arreglos rápidos ahora mismo. —Viendo mi expresión ofendida, se explicó—: ¿Y si tu padre me dice que no puedo entrar?

—¿Cómo va a decirte eso? Lo que era de tu madre, ahora es tuyo.

—¿Y si se supone que no debo enterarme? En cuanto le pregunte, mi suerte estará echada. Quiero ir y averiguar por mi cuenta qué hay en ese trastero. —Vi que se le nublaba la vista al tiempo que se perdía en mil pensamientos—. ¿Por qué se tomaría tantas molestias a fin de que no viera lo que hay ahí dentro?

Al día siguiente Amelia, Adam y yo caminábamos por el pasillo de Store-Age, una empresa de alquiler de trasteros situada en un gran parque comercial de Dublín. Las puertas de los trasteros eran de un rosa brillante, igual que el logotipo, para que resultara bien visible al tráfico que circulaba por la autopista vecina. Era suficiente para dar dolor de cabeza, sobre todo después de una noche en vela tratando de determinar el futuro de Adam, pero me obligué a recordar que estaba allí para apoyar a una amiga. A decir verdad, me alegraba la distracción que proporcionaban los giros inesperados que estaba dando la vida de Amelia. Adam volvía a tener los ánimos por los suelos y sus pensamientos abundaban en un futuro de servidumbre en la empresa familiar, y mi idea de aquella mañana, hacerle entrega de un diario de gratitud en el que iba a escribir cada día una lista de cinco cosas que agradecía, de modo que al final de la semana tuviera treinta y cinco cosas, cayó como una piedra en un pozo. Habíamos recurrido a su plan de crisis y había optado por limpiar mi frigorífico en lugar de reconocer las cosas que apreciaba de su vida. Opción harto elocuente. A todas luces, si no lograba resolver la cuestión de Basil Confectionery, el éxito con Maria sería en vano.

Mientras meditaba en todo esto, procuré alegrar el ambiente para Amelia.

—A lo mejor tu madre era una agente secreta y dentro del trastero hay una colección de identidades falsas, pelucas y pasaportes, maletines con compartimentos ocultos —dije, continuando el juego al que habíamos jugado durante el trayecto en coche.

Miré a Adam para pasarle el turno.

—Tu padre tenía una gigantesca colección de porno y no quería que lo supieras.

Amelia torció el gesto.

—A tus padres les iba el sadomasoquismo, y esto era su guarida secreta —propuse.

—Muy buena —me felicitó Adam.

—Gracias.

—Tus padres hicieron un desfalco millonario y guardaron aquí el dinero —dijo Adam.

—Ojalá —murmuró Amelia.

—Tu madre secuestró a *Shergar** —dije, y Adam soltó una carcajada.

Amelia se paró en seco delante de una puerta rosa brillante y nos pusimos detrás de ella. Se serenó, me miró un momento y metió la llave en la cerradura, la giró lentamente y abrió la puerta, permaneciendo tan lejos del umbral como pudo por si algo le saltaba encima. Nos recibió una mohosa oscuridad.

Adam palpó la pared y encendió la luz.

—Caramba.

Entramos y miramos en derredor.

—Tu madre era Imelda Marcos.

Las paredes del cuarto de tres por tres metros estaban forradas de estanterías atestadas de cajas de zapatos. Cada caja de zapatos llevaba una etiqueta con un año, comenzando

---

* Nombre de un caballo de carreras irlandés, mítico porque en 1981 ganó el Derby de Epsom por diez largos, el mayor margen de victoria en los 202 años de dicha competición. En 1983 fue secuestrado y nunca hallado. (*N. del T.*)

por 1954 en la parte de abajo del rincón izquierdo y terminando en la pared de enfrente con una caja fechada diez años atrás.

—Es el año en que se casaron —dijo Amelia, acercándose a la caja y abriéndola. Dentro había una fotografía de sus padres el día de su boda, junto con una flor seca del ramo de novia; también una invitación a la boda, un libro de oraciones de la ceremonia, fotos de su luna de miel, un billete de tren, un pasaje de barco, una entrada de cine de su primera cita, la cuenta de un restaurante, un cordón de zapato, un crucigrama del *Irish Times* terminado... todo cuidadosamente archivado. ¡Nada de un baúl de recuerdos, aquello era un cuarto entero de recuerdos!

»¡Dios mío, lo guardaron todo! —Amelia acarició con las puntas de los dedos las hileras de cajas, deteniéndose en la del último año—. El año en que murió papá. Todo esto debió de hacerlo él.

Tragó saliva, sonrió ante la idea de su padre conservando su colección y luego frunció el ceño, dolida por el hecho de que se lo hubieran ocultado.

Cogió otra caja al azar y la registró, luego sacó otra y otra más. Una por una fue registrando todas las cajas, exclamando con deleite al encontrar uno tras otro los objetos que representaban recuerdos de la vida de sus padres, recuerdos de su propia vida. Antiguos informes escolares, la cinta que se puso el primer día de colegio, su primer diente, un mechón de pelo de su primera visita a la peluquería, una carta que había escrito a su padre cuando tenía ocho años, disculpándose después de haberse peleado. Comencé a preguntarme si deberíamos dejarla a solas en el cuarto, seguro que querría pasar interminables horas abriendo todas las cajas, reviviendo cada año de la vida matrimonial de sus padres y de la suya propia.

Pero necesitaba a alguien con quien compartir sus recuerdos y Adam tuvo la paciencia de quedarse conmigo de modo que pudiéramos hacer eso por ella. Incluso él parecía conmovido por lo que veía y esperé que fuese una buena terapia presenciar todo aquel amor encerrado en una habitación.

Amelia levantó una foto de sus padres en las montañas de Austria.

—Este era el chalet de vacaciones de mi tío —dijo, sonriendo al estudiar la foto, acariciando sus rostros con las yemas de los dedos—. Solían ir cada verano, antes de que yo naciera. Veía las fotos y les suplicaba que me llevaran, pero mi madre no podía ir.

—¿Estuvo enferma desde que eras niña? —preguntó Adam.

—Al principio no. Tuvo su primer ataque de apoplejía cuando yo tenía doce años, pero antes ya tenía mucho miedo. La ponía muy nerviosa viajar después de tenerme. Supongo que es instinto maternal.

Nos miró para que lo confirmáramos, pero ninguno de nosotros pudo contestar dado que nos habíamos criado sin madre.

—No tenía ni idea de que conservaran todo esto.

—Me extraña que te lo ocultaran —dijo Adam, más para sí que para Amelia, demasiado enfrascado en mirar las cajas para ser consciente de lo que estaba diciendo.

Era el famoso elefante presente en la habitación y lo había señalado gritando. Se dio cuenta en cuanto lo hubo dicho y enseguida quiso borrar el rastro.

—Es asombroso que guardaran todo esto.

Demasiado tarde. Amelia adoptó una expresión de extrañeza. Adam le había recordado que aquel trastero era un secreto que sus padres no habían querido compartir con ella. ¿Por qué?

—¿Amelia? —pregunté, preocupada—. ¿Estás bien? ¿Qué te pasa?

Como si saliera de un trance, Amelia se puso manos a la obra y comenzó a recorrer las estanterías con la vista como si supiera lo que buscaba y no tuviera un instante que perder. Fue resiguiendo con el dedo las fechas de las cajas.

—¿Qué estás buscando? —pregunté—. ¿Podemos ayudarte?

—El año que nací —dijo, poniéndose de puntillas para leer las fechas de los estantes de arriba.

—El setenta y ocho —le recalqué a Adam. Con un metro noventa, llegaría más fácilmente que nosotras.

—La tengo —contestó, sacando una caja polvorienta.

La estaba bajando al nivel de Amelia justo cuando ella levantó el brazo y sin querer golpeó la caja, que salió volando por el trastero. La tapa se abrió y el contenido cayó por los aires y se esparció en el suelo. Adam y yo nos pusimos a gatas para recuperar todo lo que pudiéramos. Nos dimos un coscorrón al chocar nuestras cabezas.

—Au —me reí, y Adam me frotó la frente.

—Perdón —dijo, haciendo una mueca como si notara mi dolor. Me miró con aquellos ojazos azules glaciales y me derretí. Con gusto me habría quedado en aquel cuartito de amor con él para siempre. La idea me excitó, me puso radiante; era estupendo volver a estar chiflada por alguien. Hacía mucho desde la última vez, y después de Barry había comenzado a preocuparme no volver a sentirme así con nadie más, pero ahí estaba, vivo dentro de mí, aquel nudo de nervios y ansias y excitación cada vez que Adam me miraba. Pero en cuanto apareció, la realidad de mi situación me asaltó y se deslizó a un rincón.

»¿Estás bien? —preguntó amablemente.

Asentí.

—Bien —dijo, esbozando una sonrisa, y me sentí como si estuviera bullendo de la cabeza a los pies, soltando chispas.

Entonces me puse paranoica al darme cuenta de que Amelia, que estaba de pie a mi lado, se había quedado muy callada. Suponiendo que estaba presenciando aquel instante de magia entre Adam y yo, levanté la vista y vi lágrimas resbalándole por las mejillas mientras leía una hoja de papel que tenía en la mano. Me puse de pie de un salto.

—¿Qué pasa, Amelia?

—Mi madre —me pasó la hoja manuscrita— no es mi madre.

Mi querida Amelia:

Lamento no ser capaz de cuidar de ti como debería. Cuando seas mayor espero que entiendas que esta decisión se tomó puramente por amor. Estoy convencida de que estarás a salvo en los cariñosos brazos de Magda y Len. Siempre pensaré en ti.

Con amor,

TU MAMÁ

De vuelta en la cocina de Amelia me puse a leer la nota en voz alta a Amelia y Elaine. Amelia iba de acá para allá, habiendo pasado del *shock* al pesar y ahora a un incómodo enojo que hacía que Elaine y yo pusiéramos mucho cuidado en lo que decíamos. Elaine iba toqueteando los objetos de la caja de zapatos: botines de bebé, una chaqueta de punto, un gorrito, un vestido y un sonajero, entre otras cosas.

—Todo esto está hecho a mano —dijo Elaine, interrumpiendo el enfurruñamiento de Amelia.

—¿Y qué? —le espetó Amelia—. Esa no es la cuestión.

—Bueno, es encaje de Kenmare.

—¿A quién le importa qué tipo de encaje sea? —espetó Amelia otra vez.

—Es solo que no lo hace mucha gente, ni siquiera ahora, y en los setenta solo había un sitio donde lo hicieran.

Amelia dejó de caminar y miró a Elaine, dando muestras de empezar a comprender.

—Un momento, un momento —dije. Tenía que poner fin a aquella tontería—. No nos precipitemos. Seguro que esto pudieron hacerlo en cualquier lugar del mundo, Elaine. No debemos alentar las esperanzas de Amelia de encontrar a sus verdaderos padres.

—Solo digo que esto es encaje de Kenmare, hecho con amor y esmero. Lo sé porque me apunté un curso de encaje para conocer hombres. Cada uno de los artículos de esta caja señala a Kenmare. El encaje es encaje de Kenmare y los jerséis son de Quills, que está en Kenmare.

—Es imposible que puedas reconocer que el punto es de Quills —dije, con prisa por desenredar aquel ridículo hilo de pensamiento.

—Llevan etiqueta —replicó Elaine, mostrándomela. Levantó la vista hacia Amelia—. Amelia, creo que tu madre biológica está en Kenmare.

—¡Jesús —exclamé. Me restregué los ojos, cansada. Nos aguardaba una noche muy larga.

Adam había regresado a mi apartamento con instrucciones estrictas de completar el puzle de mil quinientas piezas que le había comprado. No lo había impresionado ni motivado el puzle de un mar tempestuoso pintado al óleo que había estado haciendo con él una hora cada día, de modo que decidí adquirir on-line otro de una nena haciendo *topless* en una playa, que había llegado la mañana anterior. Supuse que en esta ocasión no comenzaría por el contorno.

Llegué a primera hora de la mañana, agotada de dar vueltas en círculos con Amelia. Si Elaine no hubiese estado presente me habría resultado mucho más fácil hacerla entrar en razón pero, pese a mi insistencia, Amelia estaba decidida a ir a Kenmare.

—¿Cómo está? —preguntó Adam, inclinado sobre la mesa de café con una pieza en la mano. Tenía la frente arrugada, los labios en un mohín de concentración. Era una imagen tan tierna que sonreí.

»¿Qué pasa?

Levantó la vista y me sorprendió observándolo.

—Nada. Acabas de contestar a mi pregunta de si eras un hombre de culos o de tetas.

—Un hombre de tetas, sin duda. —Había completado una teta. Tal como había predicho, no había juntado ni una pieza del contorno—. Este puzle es mucho mejor que el anterior, gracias.

—Mi objetivo es complacer.

Me arrodillé y me sumé a su búsqueda. Noté que me miraba. Me observó un momento y al ver que no reaccionaba, prosiguió:

—Estoy buscando un pezón derecho.

Inspeccionamos la mesa de cristal, con las cabezas muy juntas.

—Toma.

Le pasé una pieza.

—Eso no es un pezón.

—Sí que lo es; es un trozo del pezón y un trozo de la axila y un trozo del mar. Mira la caja: tiene el pezón erecto y está a punto de derribar de la tabla al surfista que aparece al fondo. Mira, ahí está la tabla —agregué, señalando la pieza.

—Oh, sí —se rio—. ¿Sabes qué?, hablando así me pones tan cachondo como Irma.

—Irma —gruñí—. No puedo creer que te pidiera el número de teléfono.

—Y yo no puedo creer que le diera el tuyo.

—¿Cómo dices?

Le di un empujón. Me empujó a su vez. Aquello era un flirteo pueril y deliciosamente divertido al mismo tiempo.

—¿Y qué va a hacer Amelia?

—Está un poco fuera de sí. La impresión ha sido tremenda, obviamente. Aunque yo no me sorprendería tanto si me dijeran que soy adoptada. Puede que incluso me alegrara un poco.

—¡Bien dicho! —coincidió.

—Esto es de la chancleta.

Le pasé la pieza. Permanecimos un rato sumidos en un agradable silencio.

—Amelia no parecía tan impresionada, si te pones a pensarlo —dijo de repente—. ¿Te fijaste en cómo corrió a buscar la caja del año en que nació? Se puso frenética.

—Dijo que no tenía ni idea —protesté, aunque en el fondo estaba de acuerdo con el instinto de Adam.

—Y yo digo que lo sabía. A veces puedes saber algo incluso cuando no lo sabes —dijo, mirándome.

Y ahí la tenía otra vez. Esa frase. Me quedé mirándolo sorprendida.

—¿Qué pasa?

—Nada. —Tragué saliva—. Solo... —Cambié de tema—. Elaine está intentando convencer a Amelia de que tiene que ir a Kenmare a buscar a sus padres biológicos.

—Elaine necesita que le examinen la cabeza.

Permanecí callada.

Levantó la vista hacia mí.

—Tienes claro que es una idea absurda, ¿verdad? —dijo Adam.

—Sí. Pero Amelia quiere hacerlo.

—Claro que quiere hacerlo. En cuestión de una semana todo su mundo se ha puesto patas arriba. No piensa con claridad. Estaría de acuerdo en ir a la luna si alguien se lo propusiera.

Lo que dijo dio en el blanco. No sobre Amelia sino sobre él mismo. Su mundo había estado a punto de acabarse el domingo por la noche, no estaba pensando con claridad; haría cualquier cosa con tal de ponerle remedio. Y esa cualquier cosa resultaba que era yo. Tragué saliva, sabiendo que aquella experiencia era para él, no para mí. Tenía que zafarme de la situación, tenía que dejar de sentir algo por él. Tenía que sacarlo fuera de Dublín, fuera de mi vida, y tenía que empezar a arreglar su vida, alisar el terreno para que fuera suficientemente cómodo adentrarse en él, y luego arropar a Adam y decirle buenas noches y adiós.

—Que yo sepa, Amelia nunca ha querido ir a parte alguna en todo el tiempo que llevamos siendo amigas. No se iba de fin de semana, o si lo hacía era quejándose. Nunca podía ir a parte alguna, no ha salido del país ni una sola vez. Que quiera hacer este viaje es un asunto importante, tanto si encuentra a sus padres biológicos como si no. Le he dicho que mañana la llevaría a un detective privado para ver si la puede ayudar. —Suspiré. Iba a tener que dejar a Amelia a un lado—. Adam, tenemos que ir a Tipperary. Tenemos cosas que arreglar allí. Con Maria hemos hecho lo que hemos podido, por ahora, y ha llegado el momento de irse unos días de Dublín. Te traeré de vuelta a tiempo para tu cumpleaños, con todo dispuesto para anunciar que no vas a hacerte cargo de Basil's. Recuperarás a tu Maria, tu trabajo de guardacostas, Basil's será rescatada y te librarás de mí para siempre.

Sonreí forzadamente.

Adam no pareció alegrarse demasiado con la idea.

—¡Alegra esa cara! Mañana tenemos que hacer una cosa más antes de dejar tranquila a Maria durante unos días.

Recogí la caja que había junto a la puerta; otra entrega de la mañana anterior. El insomnio era bueno para algunas cosas, como las compras on-line.

—¿Qué hay en esa caja? —preguntó Adam, mirándola con recelo.

—Maria dijo que quería verte. Bien, pues mañana te verá. Y mucho. —Abrí la caja y revelé su contenido—. ¡Tachán!

Su hermoso rostro se iluminó al mirarme asombrado.

—Christine, me encantaría que el mundo estuviera lleno de personas como tú, ¿sabes? —dijo, y se rio.

«¡Pues llena tu mundo conmigo!», le grité mentalmente.

17

Cómo sobresalir entre la multitud

A la mañana siguiente el puzle había sido abandonado. Ansioso por emprender su nuevo proyecto, Adam estaba en el centro de Dublín con un gorro de lana a rayas rojas y blancas y un pompón rojo, una peluca negra que le asomaba por debajo, gafas redondas de montura negra, un jersey a rayas rojas y blancas, sus propios tejanos y un bastón. Le había echado un vistazo disfrazado de *Dónde está Wally* y me había dado tal ataque de risa que todavía no había podido parar. Estaba guapo incluso vestido como Wally.

Maria subía por una escalera mecánica de Marks and Spencer's cuando vio, justo a su lado pero bajando, a un hombre que se parecía de manera notable a Adam, disfrazado de *Dónde está Wally*. Él no miró hacia ella ni una sola vez, mantuvo la cabeza alta y los ojos al frente. La expresión de su rostro no se alteró, haciendo que Maria se cuestionara si era un número realizado para ella o una mera coincidencia. Luego estaba metiendo brócoli en su cesta y *Dónde está Wally* la adelantó, empujando un carrito de compra vacío, para desaparecer en una esquina en cuanto ella intentó seguirlo por el pasillo, y fue entonces cuando comenzó a sospechar que el número bien podría ser para ella. Mientras estaba sentada en la cuarta planta de los grandes almacenes Brown Thomas haciéndose la manicura vio pasar al mismo hombre, zigzagueando entre los colgadores de ropa hasta que desapareció, y entonces estuvo segura de que era él. Verlo con el rabillo del ojo mientras compraba flores en Grafton Street se lo confirmó, y cuando estaba comprando café en Butler's y él pasó por delante del escaparate antes de perderse de vista, Maria ya se reía a carcajadas. Cruzó el puente de Stephen's Green escudriñando el parque por si lo veía. Un destello rojo le llamó la atención y lo vio en el sendero de debajo del puente. Observó que entraba por un lado y corrió al otro extremo del puente para interceptarlo en la salida. A partir de ese momento, cada vez que veía algo rojo se detenía y miraba atentamente, con un nudo en el estómago por si lo veía reaparecer.

—¡Adam! —gritó desde el puente, pero él no levantó la vista hacia ella. Ignorándola, no salió del personaje de Wally y continuó su jovial paseo, tontorrón y pazguato con sus divertidos andares, blandiendo su bastón alegremente, y con su desproporcionada mochila a la espalda.

Maria se desternillaba de risa. Los transeúntes la miraban extrañados, pero a ella le daba igual. Si hubiese podido aguzar la vista hasta ver más allá de los árboles tras los que había desaparecido, habría dejado de reír. Habría visto a la pareja que estuviera en la calle oscura cerca del restaurante la noche anterior, de nuevo partiéndose de risa cuando él consideró que ya era seguro dejar de interpretar a Wally. Maria veía a aquel hombre por doquier, no veía a la mujer que estaba detrás de él, con él, al lado de él, apremiándolo, apoyándolo. De haber sido así, quizá se hubiese preguntado para quién era la actuación en realidad.

—Venga, locuelo. —Le quité la gorra de Wally y se la tiré a la cara—. Vayámonos de aquí, tengo hambre.

—¿Hambre? —preguntó con fingida sorpresa—. No me lo puedo creer, estamos curados.

Nos sentamos juntos, yo con una ensalada, aunque un poco más elaborada de lo habitual, con nueces y demás, y él con un guiso caliente de pollo. En un abrir y cerrar de ojos dimos cuenta de los platos.

Eructé para mis adentros y Adam se rio.

—Mira qué lejos hemos llegado —dijo.

Me dedicó una mirada que me encogió el estómago. Acto seguido, saber cómo iba a terminar aquello hizo que volviera a perder el apetito por completo. Por suerte me distrajo una llamada de Oscar, que necesitaba hablar conmigo mientras viajaba en autobús. Después, habiendo recordado mi papel en el momento más oportuno, volví al asunto que nos ocupaba.

—Hoy me siento...

Lo miré para que terminara la frase.

—Hoy me siento... ¿lleno?

—No es un concurso, ¿sabes?, no hay respuestas erróneas.

Lo meditó un instante.

—Hoy me siento... feliz. Restablecido. No, restablecido no, renovado. O sea que soy yo, pero en una versión mejor de mí mismo. —Me miró de hito en hito—. ¿Tiene sentido?

No pude evitarlo, tuve que apartar la vista porque de lo contrario mis ojos le revelarían demasiadas cosas sobre mí. En lugar de sostenerle la mirada me concentré en el salero y el pimentero que estaba toqueteando sin parar.

—Bien. Deduzco que se debe a que crees que has recuperado a Maria, ¿no?

La pregunta lo confundió.

—Lo que te estoy preguntando es si estás preparado para seguir adelante y enfrentarte al resto del asunto.

Inspiró profundamente.

—En el hospital no nos fue muy bien.

Para eso no tenía respuesta. Me puse a picotear ensalada otra vez.

—¿Por qué te reuniste con tu primo Nigel? Sostuvo que habíais hablado sobre una fusión.

—Tenía ganas de verlo. No habíamos coincidido desde que teníamos doce años, ¿puedes creerlo? La hostilidad entre Basil's y Bartholomew's era un problema de nuestros padres, en lo que a mí atañía. El testamento de mi abuelo estipula explícitamente que si yo no asumo la dirección de la empresa, le toca a Nigel hacerlo. Quería saber qué intenciones tenía, qué haría por la empresa.

—Querías una tregua.

—Ni se me ocurrió que necesitáramos una tregua. Como he dicho, en lo que a mí respecta, el enfrentamiento era entre nuestros padres, no entre nosotros. Buscaba una salida, Christine. Quería oírle decir que dirigiría la empresa exactamente como debería dirigirse. En cambio, se puso a hablar sobre una fusión, como si estuviéramos cerrando el trato en aquel momento.

—¿Y le dijiste que no?

—Lo escuché. O sea, ¿tan malo sería que Bartholomew y Basil se unieran? Mi abuelo se llamaba así, de modo que resultaría adecuado, incluso digno, y podríamos dejar atrás las malditas hostilidades, pasar página. Fusionar las empresas sería positivo para ambas marcas. De no ser por la escisión, mi padre estaría de acuerdo en el acto. Pero Nigel está tan resentido con la familia como mi tío Liam. Quiere fusionar las dos empresas y luego venderlas. Dijo que así ambos podríamos salir del negocio y pasar el resto de nuestra vida tomando el sol en una playa tropical.

Adam daba la impresión de tener ganas de dar un puñetazo a la pared, estaba volviendo a acumular agresividad. Apoyé una mano en su brazo.

—Pero se diría que vender resolvería tu problema.

—No quiero dirigir el negocio, pero por nada del mundo quiero ser el responsable de haberlo hundido. Mucha gente confía en mí. Me gustaría ver que Basil's termina en buenas manos, de modo que siga siendo una empresa solvente. Es lo menos que puedo hacer por mi padre y mi abuelo. Se lo debo.

Se pasó los dedos por el pelo, agotado por todo aquel asunto.

—¿Crees que tu hermana vendería la empresa?

—Lavinia aguantaría diez años para tener derecho a heredar y luego se la vendería al mejor postor, fuera quien fuese. Pero para hacer eso tendría que regresar al país, con lo cual acabaría encerrada, por mí mismo, si no lo hiciera otro, después de lo que hizo.

—Adam —dije con delicadeza—. Si hubieses saltado, si finalmente saltas, ¿en qué situación quedará el negocio?

—Si saltara, Christine, ya no tendría que preocuparme por este lamentable embrollo nunca más, esa es la puta cuestión.

Soltó unos billetes en la mesa, se levantó y salió del restaurante.

Estaba delante de mi padre, sentada a su escritorio. Él me miraba fijamente, con cara de no comprender.

—¿Puedes repetirlo? —dijo.

—¿Qué parte?

—Todo.

—¡Papá, he estado hablando diez minutos! —chillé.

—Ese es precisamente el motivo. Tu explicación ha sido demasiado larga, demasiado aburrida, he perdido el hilo. Y, por cierto, ¿puedes explicarme por qué hay huevos estrellados por todo nuestro jardín desde el martes?

Respiré profundamente, cerré los ojos y me pincé el puente de la nariz para serenarme.

—Es parte de su terapia.

—Pero tú no eres terapeuta.

—Ya lo sé —solté a la defensiva.

—¿Por qué no está yendo a ver a un terapeuta?

—Le he pedido que lo hiciera, pero se niega en redondo.

Papá se quedó callado, dejando las bromas a un lado, por una vez.

—Has asumido una responsabilidad muy grande, Christine.

—Ya lo sé. Pero, con el debido respeto, no he venido aquí a escuchar un sermón sobre lo que decido hacer o no hacer por alguien que necesita ayuda. Bien, ¿podemos retomar el tema que nos ocupa, por favor?

—Sí, aunque todavía me pregunto cuál es.

—Papá, deja de tomarle el pelo —advirtió Brenda desde el fondo del despacho.

Me di la vuelta y vi que mis dos hermanas se habían colado inadvertidamente.

—¿No hay nada privado en esta familia?

—Por supuesto que no —dijo Adrienne, adentrándose en la habitación para sentarse al escritorio con nosotros. Brenda enseguida hizo lo propio.

—Christine, querida corderita mía —comenzó papá, alargando los brazos para tomar mis manos entre las suyas—. Sabes bien que, cuando deje la empresa y este universo, no espero que tú de repente cojas el timón. De la empresa, quiero decir, no del universo. —Escudriñó mi mirada—. Estoy preocupado por ti. Siempre has sido la que pensaba mientras tus hermanas y yo hacíamos, pero estas últimas semanas has estado absorta haciendo un montón de cosas y pensando mucho menos.

Suspiré.

—No me has entendido —dije—. No estoy hablando de mí. Ya sé que no tengo que hacerme cargo de tu empresa.

—Se refiere al suicida —añadió Brenda, atareada en vaciar una bolsa de patatas fritas.

—Se llama Adam —le espeté—. Un poco de respeto.

—Ooooh —dijeron los tres al unísono.

—¿Ya os habéis besado? —preguntó papá.

—No —fruncí el ceño—. Le he ayudado a recuperar a su novia. Y ahora me propongo resolverle el trabajo. Necesito ayuda. ¿Cómo lo veis? ¿Podéis ayudarme? No entiendo de asuntos legales.

Los tres se encogieron de hombros.

—¡Sois unos inútiles! —dije, poniéndome de pie—. Conozco personas que recurren a su familia en busca de consejo y las ayudan de verdad.

—Eso pasa en las películas de Hollywood —dijo desdeñosamente papá—. Tienes que hablar con un abogado sobre este problema.

—Tú eres abogado.

—No, un abogado diferente.

—¿Uno que se preocupe? —le preguntó Adrienne, enarcando una ceja.

—Yo me preocupo —se rio—, pero necesitas uno que no esté tan atareado como yo. —Se levantó de su escritorio y sacó una carpeta de su inmaculado archivador. Regresó con unos papeles en la mano—. Bien, estaba en la situación que se llama permiso por causas de fuerza mayor. La Parental Leave Act 1998 según las enmiendas de la Parental Leave (Amendment) Act 2006 concede al empleado el derecho a disponer de un tiempo limitado para ausentarse del trabajo en caso de crisis familiar. Se plantea cuando, por razones familiares urgentes, la inmediata presencia del empleado es indispensable, debido a una herida o enfermedad de un familiar cercano. La duración máxima del permiso es de tres días en cualquier período de doce meses o de cinco días en un período de treinta y seis meses, y tienes derecho a percibir la parte correspondiente del salario.

El alma se me cayó a los pies. Adam ya llevaba dos meses sin ir a trabajar. Carecía de fundamentos legales para recuperar su empleo.

—Si hay una disputa entre tu amigo y su patrón por un permiso por causa de fuerza mayor, el asunto puede abordarse mediante un formulario de denuncia como el que he incluido en esta carpeta. —Dejó la carpeta sobre el escritorio, delante de mí—. No digas que nunca te doy nada. En cuanto al testamento de su abuelo, no puedo ofrecerte consejo legal porque no lo he visto. Hazte con una copia y haré lo posible para ayudarlo a encontrar una salida. Si es que es lo correcto.

—¿Qué quieres decir con eso de «si es lo correcto»? Claro que lo es —dije, confundida.

—Lo que Christine necesita es encontrar un terapeuta —dijo papá a mis hermanas.

—Siempre puede hablar con nosotras —dijo Brenda—. No lo olvides, Christine.

—No es para mí; se refiere a un terapeuta para Adam.

—¿Qué me dices de ir a ver a aquel tío tan mono que era

cliente tuyo? El adicto al sexo, Leo como se llame —dijo Adrienne.

—Leo Arnold, y no es adicto al sexo —contesté, esbozando una sonrisa como respuesta al intento de Adrienne de levantarme el ánimo.

—Qué lástima.

—Estaba intentando dejar de fumar y le di algún consejo, eso es todo. Y es un cliente para quien encontré un empleo, de modo que recurrir a él sería poco profesional.

—¿Y vivir con un cliente durante una semana es profesional? —preguntó papá.

—Eso es diferente.

Admitir que Adam no era técnicamente mi cliente sería como abrir otra lata llena de gusanos.

—No sería poco profesional que mandaras a Adam a ver a ese tipo —dijo papá.

—Adam no irá a ver a un terapeuta —repetí, frustrada.

—No se ayudará a sí mismo y de ahí que te haga hacerlo todo por él —señaló papá—. Bueno, voy a decirte una cosa, puedes darle toda la ayuda del mundo, pero si no aprende a arreglárselas solo, será un inútil.

Nos quedamos todos callados. Era sorprendente que papá tuviera tanta razón.

—Cambiando de tercio, Barry cree que te estás acostando con Leo y que por eso lo abandonaste. Anoche me llamó para contármelo —dijo Adrienne.

Monté en cólera.

—También dijo que el motivo por el que Brenda no puede perder peso después del parto es porque no está gorda por eso sino porque es una bruja zampabollos —prosiguió Adrienne, mirando de reojo a Brenda mientras se lamía la sal de las patatas que se le había pegado en los dedos.

—Nunca he dicho algo semejante —protesté.

—No, y no te culparía si lo hubieses hecho.

—Ahí le ha dado —agregó papá, mirando a Brenda.

Brenda levantó un dedo amenazador contra nosotros tres y siguió comiendo.

—¿Ya has comprado un vestido para la fiesta? ¿Qué vas a ponerte? —preguntó Adrienne.

—Estoy más bien concentrada en mantener con vida al homenajeado —contesté, distraída por la noticia de que Barry estaba obsesionado con Leo Arnold. Intentaba figurarme cómo había sacado la impresión, por otra parte correcta, de que el tipo me gustaba. Nunca había hablado de mis clientes con él.

—De nada servirá que esté vivo si vas hecha un adefesio —dijo Brenda, y los tres se echaron a reír.

—Brenda se ha comprado unos zapatos nuevos estupendos —dijo papá—. Son de punta abierta, negros y con unas perlitas preciosas.

Papá tenía una verdadera obsesión por los zapatos de mujer. Cuando éramos jóvenes nos llevaba de compras y no era raro que nos sorprendiera regalándonos zapatos para ocasiones especiales. Tenía buen gusto, además. En cierto modo, era un hombre afeminado atrapado en el cuerpo de un hombre heterosexual; adoraba a las mujeres, le encantaba su manera de pensar, pasaba todos los días laborables con ellas, había pasado su vida entera compartiendo una casa donde lo superaban en número las mujeres, incluidas sus tías, de modo que sentía un gran respeto por ellas. Apreciaba sus conductas y tendencias, sus matices, su necesidad de chocolate en el momento del mes que se sabía de memoria (un prerrequisito para criar a tres chicas adolescentes sin madre) y hacía lo posible por entender las fluctuantes hormonas y la necesidad de comentar y analizar sentimientos y sucesos.

—¿Qué os hace pensar que vais a ir a la fiesta? —pregunté, sorprendida de que se estuvieran preparando.

—Nos invitó cuando estuvo aquí, ¿no te acuerdas? —dijo papá—. No pensarás que vamos a perdernos semejante festejo.

—No puede decirse que sea el festejo del año. Solo tiene treinta y cinco.

—No, pero es la velada en que se anunciará que releva a su padre al frente de Basil's, cosa bien importante si tenemos en cuenta que Dick Basil ha llevado el timón durante más de cuarenta años. Su padre se la legó para que la dirigiera cuando solo tenía veintiún años. ¡Imagina toda esa responsabilidad a esa edad! No sé si sabes que Basil's exporta sus productos a cuarenta países de todo el mundo, un total de ciento diez millones de euros de comercio irlandés, y cada año exporta chocolate producido en Irlanda por valor de más de doscientos cincuenta millones. Más vale que creas que es un asunto trascendente. Todos los ingredientes que utilizan son nacionales, cosa que ahora es más importante que nunca. Seguro que el *Taoiseach** asistirá. Él y Dick Basil son buenos amigos. Si no está en la ciudad, casi seguro que asistirá el ministro de Asuntos Exteriores y Comercio, y posiblemente el ministro de Trabajo, Empresa e Innovación. —Papá dio una palmada—. Será una auténtica locura, y me muero de ganas de ir.

Tragué saliva.

—¿Cómo te has enterado de todo eso?

—Leyendo *The Times*. Página de negocios. —Lo levantó

---

* El *Taoiseach* es el jefe de gobierno de la República de Irlanda, cargo equivalente al de primer ministro o presidente del gobierno en otros países. (*N. del T.*)

para mostrármelo y volvió a tirarlo encima de la mesa—. A tu chico van a pasarle una dinastía.

—No la quiere —dije en voz baja, comenzando a sentir un nudo de pánico por Adam en el estómago—. Por eso estoy cuidando de él. Si tiene que asumir el mando de la empresa, se suicidará. Y lo hará esa noche.

Todos me miraron en silencio.

—Muy bien, pues tienes seis días para trabajar en eso —dijo papá, con una sonrisa de apoyo—. Mi querida hija pequeña, voy a darte el mejor consejo que creo haberte dado alguna vez en tu corta vida.

Me preparé.

—Sugiero que vayas a buscar a ese adicto al sexo.

Tras dejar a Adam con su ordenador personal en la oficina de papá, con estrictas instrucciones de no hacer comentarios inoportunos, me fui a la sala de espera de Leo Arnold, el cliente con quien había fantaseado la mayoría de noches que me llevaron a abandonar a Barry. Nunca, ni por un instante, quise que tales fantasías se hicieran realidad, solo eran eso: fantasías, algo para mantener la mente ocupada cuando la realidad me resultaba demasiado sombría. Estaba segura de que ni siquiera era mi tipo; no había una verdadera atracción entre nosotros, había creado a un Leo Arnold completamente distinto en mi cabeza, uno que daba citas para sesiones de terapia bien entrada la noche y que, incapaz de refrenarse un momento más, se me echaba encima cuando estaba sola en la consulta, a veces aunque hubiera un cliente aguardando fuera. Noté que me sonrojaba al pensar en lo ridículo que era todo aquello ahora que estaba sentada en su sala de espera, ahora que se trataba de la vida real.

—Christine.

Leo apareció súbitamente en la puerta. Su secretaria sin duda le había dicho que estaba aguardando, pero aun así no logró disimular su sorpresa.

—Leo. Perdona que no haya pedido hora —dije en voz muy baja para no enojar a los demás clientes que aguardaban en la sala de espera.

—No pasa nada —contestó con simpatía, conduciéndome a su consulta—. Dispongo de unos minutos entre citas. Siento no poder dedicarte más tiempo, pero tengo entendido que se trata de algo urgente.

Me senté ante su escritorio, procurando no mirar demasiado a mi alrededor aunque después de haber imaginado las cosas que habíamos hecho allí era difícil no querer saber cómo era la realidad. Eché un vistazo al archivador y pensé en esposas. Empecé a acalorarme y supe que me estaba poniendo roja como un tomate.

—Supongo que estás aquí por lo de tu marido. —Carraspeó—. Barry.

Lo miré sorprendida.

—En realidad, no.

—¿Has venido para una sesión? —preguntó, sorprendido a su vez.

—¿Por qué?, ¿a qué has pensado a que he venido?

—Bueno, creía que podía guardar relación con... la llamada que recibí.

—¿De quién?

—De Barry. ¿No es tu marido? Dijo que era tu marido. ¿Tal vez me equivoqué?

—¡Oh! —dije, cayendo en la cuenta mientras mi rostro pasaba del rojo al granate—. ¿Te llamó? —susurré, temerosa de preguntarlo en voz alta. La idea era demasiado para soportarla. ¿De dónde había sacado Barry su número? Recordé el ordenador que había dejado en el apartamento. Seguro que había echado mano a mi lista de contactos. Mi vergüenza era inconmensurable.

Ahora le tocó a Leo ponerse colorado.

—Pues... sí, supuse que lo sabías. No lo habría comentado si hubiese sido consciente de que no lo sabías... Perdón.

—¿Qué te dijo? —pregunté apenas susurrando.

—Creía que, bueno, que nosotros, tú y yo... Bueno, me parece que la forma más educada de decirlo es que creía que estamos teniendo una aventura.

Di un grito ahogado.

—Oh, Dios... Leo... Lo siento mucho... No sé de dónde demonios... —me esforcé en balde en encontrar las palabras adecuadas.

—En fin, esto ha sido más cortés de cómo lo expresó él.

—Lo siento mucho —dije con firmeza, recobrando mi voz, procurando mantener un tono profesional—. No tengo la menor idea de cómo ni por qué llegó a esa conclusión. Está pasando un mal... Es decir, estamos pasando un mal trago —concluí.

—Dijo algo a propósito de haber encontrado mi nombre dentro de un corazón... —prosiguió Leo, su rostro tan encarnado como el mío.

—¿Que dijo qué? —Abrí mucho los ojos—. Qué demonios... No entiendo...

Recordé el bloc de notas que tenía al lado del ordenador, en el que garabateaba cuando trabajaba, pensé en los corazones que siempre dibujaba, a veces estrellas, a veces espirales, y luego recordé la vez en cuestión, el ridículo momento en que puse el nombre de Leo dentro de un corazón y me pareció divertido, como si volviera a ser una colegiala, como si pudiera elegir quién me gustaba, como si fuera algo despreocupado y placentero en lugar de una traición. Atrapada, atrapada. Me sentía atrapada y un nombre en un corazón me había liberado momentáneamente, y ahora había regresado para atosigarme. Me avergoncé, me sentí un poco mareada, ardía en deseos de salir de aquel despacho.

—Se lo dijo a mi esposa, en realidad —prosiguió Leo, un poco más serio, ya no colorado, dejando traslucir su enojo—. Me enteré por ella. Está embarazada. De seis meses. Un momento en absoluto apropiado para oír ese tipo de cosas.

—¿Cómo dices? Oh, Dios mío, qué sinvergüenza. Leo, vuelvo a pedir perdón, yo no... —Me quedé meneando la cabeza, mirando en derredor, deseando que el suelo me tragara—. Espero que entienda que no es verdad. Es decir, la llamaré para explicárselo, si crees que eso podría...

—No. Dudo que sea de ayuda —dijo secamente, interrumpiéndome.

—De acuerdo. —Asentí—. Lo entiendo, créeme, lo entiendo perfectamente,

Miré en derredor. Quería marcharme, pero estaba como paralizada.

—¿Por qué has venido a verme, si no era por esto?

—Oh, no importa.

Me levanté y me tapé la cara con las manos. Estaba muerta de vergüenza.

—Christine, por favor, parecía importante. Y este encuentro has dicho que era urgente.

De verdad que quería irme. Nada deseaba más que salir de aquel despacho, no volver a ver su rostro, buscar la manera de borrar de mi memoria toda la conversación que habíamos mantenido, pero no podía. Le debía a Adam ayudarlo de la mejor manera que pudiera, y eso significaba tragarme el orgullo y pedir ayuda.

En cuanto dejé de debatirme, sentí una súbita libertad.

—No se trata de mí, en realidad. Estoy aquí en nombre de un amigo.

—Por supuesto —dijo, dando la impresión de no creerme.

—No, en serio, se trata de un amigo, pero ese amigo se niega a ver a un terapeuta y por eso estoy aquí en su nombre.

—Por supuesto —dijo exactamente en el mismo tono, cosa que resultó increíblemente frustrante. Si le hubiese dicho que se trataba del burro que tenía por mascota probablemente habría contestado de la misma manera.

De modo que le conté la historia de Adam y mía, en el poco tiempo de que disponíamos, resumiendo el intento de Adam de poner fin a su vida, mi promesa de ayudarlo, nuestro viaje juntos y los pasos que había dado en un esfuerzo por ayudarle a disfrutar de la vida.

—Christine. —Leo se incorporó en su sillón de cuero, mostrándose inquieto—. Esto es bastante preocupante.

—Lo sé. Ahora entiendes por qué estoy aquí, ¿no?

—Ciertamente que la situación de tu amigo es para preocuparse, pero se trata más bien de que lo que has estado haciendo con él, desde un punto de vista terapéutico, es tremendamente perjudicial para él.

Me quedé paralizada.

—¿Perdón?

—¿Por dónde empiezo? —Negó con la cabeza como para aclarar sus ideas—. ¿Dónde aprendiste esos «consejos» sobre cómo disfrutar de la vida?

—En un libro —contesté, con el corazón palpitando.

Hubo un destello de enojo en su mirada y luego dijo muy serio:

—Esta psicología popular es una amenaza. Christine, le has arrebatado el poder.

Viendo mi mirada de confusión, prosiguió:

—Tú no eres mejor que él. No puedes ayudarlo quitándole su integridad. Al intentar «arreglar» su vida, le estás restando autoridad, porque intrínsecamente nada habrá cambiado, simplemente habrás hecho que dependa de ti. Tu aplicación de esos métodos de arreglo rápido que leíste en un libro...

—He intentado ayudarlo —dije enojada.

—Por supuesto, eso lo entiendo —dijo con más amabilidad—, y como amigo entiendo lo que has pretendido hacer. Pero como terapeuta, cosa que debo señalar que tú no eres, debo decir que no has abordado esto de la manera correcta.

—¿O sea, que tendría que haberle dado un empujón en el puente? —dije, poniéndome de pie.

—Claro que no. Lo que estoy diciendo es que debes darle el poder. Debes dejar que tenga su propia vida en sus propias manos.

—¡Intentó quitarse la vida!

—Estás molesta. Entiendo que estabas intentando hacer lo mejor por él, y que estás pasando un momento especialmente estresante...

—No se trata de mí, Leo. Se trata de Adam. Lo único que quiero saber es qué debo hacer para que esté mejor. ¡Dime cómo puedo arreglarlo!

Se hizo un prolongado silencio mientras él me miraba, luego sonrió con gentileza y dijo:

—¿Has oído lo que acabas de decir, Christine?

Lo había oído y estaba temblando.

—No puedes hacer nada. Tiene que ayudarse a sí mismo. Sugiero que te limites a estar con él, a escucharlo, a brindarle tu apoyo. Pero hagas lo que hagas, deja de intentar arreglarlo antes de que te pases de la raya.

Lo miré entristecida.

—Espero que esto te sirva de ayuda. Lamento que hoy no dispusiéramos de más tiempo, pero si tu amigo quisiera pedir una cita conmigo estaré más que dispuesto a atenderlo. Y si consideras que a ti también te haría bien hablar con alguien, estaré encantado de remitirte a otro terapeuta a quien valoro mucho. —Percibiendo mi confusión, agregó—: Mi esposa encontraría poco apropiado que te tratara yo...

—Por supuesto —susurré, avergonzándome todavía más—. Muchas gracias por tu tiempo. Y, una vez más, lo siento mucho.

—Si me permites decir algo personal... —añadió, mirándome como pidiendo permiso para hablar con franqueza.

Asentí.

—Eres maravillosa en lo que haces. He recomendado tu agencia de empleo a muchos clientes que han pasado malas rachas; pienso que encontrarán tu manera de hacer las cosas esclarecedora, alentadora. Te preocupas por el empleo que proporcionas a la gente. Y fuiste más allá de lo que exigía el deber cuando intentaste ayudarme con mi tabaquismo. Tengo un montón de libros que todavía están por leer —dijo, sonriendo. Olí el humo de su chaqueta, pero aun así aprecié su gratitud—. Se te da bien arreglar las cosas, Christine, pero si realmente quieres ayudar a alguien, ser su amiga, a veces tienes que escuchar y dejar que él haga el trabajo. Ofrécele tu apoyo. Nada más.

18

Cómo hacerlo absolutamente todo
bien otra vez

Después de mi sesión con Leo tendría que haber aprendido a dejar de entrometerme. De hecho, su mensaje me había llegado alto y claro, pero había organizado aquella reunión para resolver el apuro de Amelia antes de ver a Leo. Subí el primer tramo de la escalera del portal contiguo a un colmado afro-caribeño de Camden Street hasta la oficina de mi primo y detective privado Bobby O'Brien. Tenía treinta y dos años y era oriundo de County Donegal; tras alistarse en la *Garda* y ser destinado a un suburbio elegante de Dublín demasiado tranquilo, decidió dejarlo. Entonces, siguiendo mi consejo —después de regresar continuamente a Rose Recruitment por haber sido despedido o haber abandonado los empleos en los que lo había colocado—, optó por establecerse como el llanero solitario e investigar asuntos más jugosos por su cuenta.

Puesto que no podía ir con Amelia a perder el tiempo buscando a sus padres, esperaba que Bobby le indicara el camino a seguir. Mi plan era presentarlos y marcharme; dejaría el poder en manos de Amelia, no se lo arrebataría. «Otorgar a los demás el poder sobre su propia vida, otorgar a los demás el poder sobre su propia vida.» Mi nuevo mantra.

Al verse frente a la puerta de la oficina de Bobby, Amelia se paralizó en lo alto de la escalera.

—No puedo hacerlo.

—Está bien —dije, dando media vuelta y comenzando a bajar la escalera otra vez—. Nadie te lo echará en cara.

—Eh —dijo Amelia, deteniéndome—. ¿No vas a intentar que cambie de parecer?

—No. No quiero obligarte a hacer algo que no quieras hacer, Amelia —anuncié, esperando que Adam también recibiera el mensaje—. Estás pasando un mal momento y soy consciente de ello. Se trata de tu vida y tú tienes el control absoluto sobre ella. Deberías tomar tus propias decisiones, no quiero influenciarte en modo alguno ni proyectar mis problemas en ti, porque pensar que puedo arreglar los tuyos no arreglará los míos.

Tanto Adam como Amelia me miraron recelosos, entornando los ojos.

—¿Qué le ha pasado? —preguntó Amelia a Adam.

—Me parece que se ha dado un golpe en la cabeza —contestó Adam con cara de póquer—. Vamos —dijo, indicando la puerta a Amelia—. Ya estamos aquí, hagámoslo.

—Pero solo si ella quiere —insistí.

Adam puso los ojos en blanco. Amelia me miraba fijamente, con ojos como platos.

—Quieres encontrar a tus padres biológicos, ¿no? —preguntó Adam.

Amelia asintió.

—Pues prueba esto —dijo Adam, tomando las riendas de la situación dado que en buena medida yo había renunciado a hacerlo—. Y si esto no da resultado, intenta otro camino. Deja todas las puertas abiertas. Prepárate para... Ya sabes... —Miró el mugriento rellano, los grafitis de las paredes y procuró no respirar el apestoso hedor a pescado, humedad y alcantarilla que invadía el viejo edificio—, cualquier cosa.

Llamó a la puerta de Bobby.

—¿Quién es? —preguntó Bobby, con cierto apremio en su voz.

—Soy Christine —contesté.

—¿Christine? —La sorpresa fue más que evidente—. ¿Tenemos una cita?

—Pues no. Esperaba que pudieras ayudarme. He venido con unos amigos.

A pesar de los progresos de Adam, su voluble mente y frágil estado todavía me dejaban con miedo a dejarlo solo. Aquella misma mañana un coche me había cortado desde el carril equivocado para girar en una rotonda, y en cuanto nos detuvimos a su lado en el semáforo Adam había saltado del coche y gritado a la aterrada mujer que iba al volante, que llevaba a tres niños en el asiento trasero. Había ignorado mis súplicas para que regresara al coche y había sido preciso que el semáforo se pusiera en verde y la mujer arrancara a toda pastilla, al borde del llanto, para que montara de nuevo en el coche, donde se quedó callado, haciendo crujir los nudillos una y otra vez. Después tardó más de una hora en dirigirme la palabra. Se había comportado como si acompañarme en aquella visita fuese un castigo, cosa que no era, y me daba miedo, en todo momento tenía pánico de dejarlo solo por si algo le provocaba una crisis.

—¿Qué amigos? —preguntó Bobby. Ahí estaba de nuevo, el ligero temor, la desconfianza, como si estuviera haciendo una travesura o la hubiese hecho y no quisiera que lo pillaran—. Oye, si es por lo de tu marido, siento haberle hablado como lo hice, ¿vale? Nunca nos llevamos bien, eso no es nuevo, pero se pasó de la raya llamándome de esa manera.

Cerré los ojos y conté hasta tres ante tal revelación.

—¿Puedes abrir la puerta, por favor? —pregunté impaciente.

Se oyó ruido de cerrojos y pestillos y luego la puerta se abrió lo mínimo posible, solo una rendija que permitía ver la cadena. Un ojo azul nos escudriñó. Miró a izquierda y derecha, escrutó a Adam y Amelia y luego el rellano detrás de nosotros. Al parecer, satisfecho, empujó la puerta, quitó la cadena y la abrió para hacernos pasar.

—Perdonadme por todo esto —dijo—. Gajes del oficio, ya sabéis. Debo tener cuidado.

Cerró la puerta a nuestras espaldas, corrió los cerrojos y metió la llave en la cerradura.

—Bobby O'Brien —sonrió, de modo encantador, y tendió la mano primero a Adam y luego a Amelia.

—A Amelia ya la conoces —dije—. Somos amigas del colegio. Está en todas las fiestas familiares.

—¿En serio? —La observó detenidamente—. Estoy convencido de que habría recordado a una mujer tan guapa como tú.

Amelia se ruborizó.

Puse los ojos en blanco ante su intento por halagarla.

—Le robaste el helado en mi octavo cumpleaños y lo tiraste por encima de la tapia de los vecinos.

Bobby se quedó pensando.

—¿Esa eras tú?

Amelia se rio.

—Tengo un aspecto distinto cuando no estoy gimoteando que odio a los chicos.

—No ha cambiado tanto —farfulló Adam de modo que solo yo lo oyera, y le lancé una mirada asesina.

—¿Cómo te va, Christine?

Bobby me dio un afectuoso abrazo. Cuando me soltó se dirigió a la ventana de detrás de su escritorio. Las persianas verticales estaban cerradas. Separó un poco dos tiras y se asomó a la calle antes de volver a mirarnos.

—¿En qué puedo ayudaros?

Llevaba una camiseta verde que decía Beer Heaven y vaqueros gastados. Tenía el pelo negro y rizado, le caía sobre los ojos, estaba pálido e iba sin afeitar. Siempre daba la impresión de estar haciendo diabluras, probablemente porque siempre lo estaba; nunca tanto como ahora. Me fijé en que Amelia lo estaba tanteando. Aquello me gustó, y refrené las ganas de inmiscuirme. «Que tomen ellos el control de la situación», me dije.

—Bobby, Amelia es la razón de que estemos aquí. Hace poco ha descubierto que sus padres no eran sus padres biológicos. Amelia, ¿querrías proseguir desde aquí? ¿Mostrarle lo que has encontrado?

Mientras Amelia hablaba sobre el contenido de la caja de zapatos miré por la ventana para ver qué había puesto tan inquieto a Bobby. Allí fuera no había nadie. Enseguida cerré las persianas y me aparté. Bobby se fijó en mí y esbozó una sonrisa nerviosa. Preferí no saber qué había hecho.

—¿O sea que, básicamente, estás diciendo que todo lo que había en esa caja, esa colección de objetos que se quedaron contigo cuando te dejaron con tu madre adoptiva, apunta a Kenmare? —resumió Bobby.

—Yo no diría eso —interrumpió Adam—. La persona a quien se le ocurrió eso está muy desequilibrada.

—¡Eso lo dirás tú! —le espetó Amelia, poniéndolo en su sitio.

—Pues vayamos a Kenmare —dijo Bobby enseguida, dando una palmada.

Lo miré recelosamente, entornando los ojos.

—¿Crees que es buena idea? —preguntó Amelia, sorprendida—. ¿Crees que mi amiga tiene razón?

—Creo que tu amiga es un genio —dijo Bobby—. O sea, yo habría reconocido el encaje en algún momento, pero ella lo vio enseguida. Me encantaría ir a Killarney...

—Kenmare —interrumpí.

—Kenmare, perdón. —Dedicó una sonrisa encantadora a Amelia—. Me encantaría ir a Kenmare, hacer unas cuantas preguntas. Encontraremos a tus padres en un santiamén.

Enarqué las cejas.

—He llevado un montón de casos de adopción —dijo, percibiendo las malas vibraciones que Adam y yo emitíamos y vendiéndose con más ahínco—. Normalmente acudimos al Servicio Nacional de Adopción y asisto a las personas a lo largo de ese proceso. Puede ser un asunto estresante; no es fácil pensar, asimilarlo todo —dijo Bobby, sincero esta vez—. Así también podemos obtener resultados, pero siempre es bueno seguir cualquier pista que hayas encontrado por tu cuenta.

—Ya me he puesto en contacto con el Servicio de Adopción —respondió Amelia—. He descargado documentos de su web pero —bajó la voz pese a que no había nadie cerca que pudiera oírla— no estoy del todo segura de que esta adopción se realizara oficialmente. No he encontrado ninguna referencia a mi caso.

—Ya... —Bobby toqueteó la hoja y adoptó un aire meditabundo—. De acuerdo. Bien, así pues, ¿qué me dices?

Le tendió la mano a Amelia, ansioso por cerrar el trato para poder huir de su nido.

—¿Cuánto cobras? —interrumpió el cínico Adam.

—Ciento cincuenta euros si los encuentro, más mi alojamiento. Los demás gastos corren de mi cuenta. ¿Trato hecho?

Bajó la vista a su mano, que seguía tendida.

Amelia parecía insegura.

Bobby dejó caer la mano.

—No puedo prometer milagros —dijo amablemente—, pero he encontrado padres y reunido familias otras veces. Esto no es una gran organización, pero soy bueno. No cobro hasta que resuelvo el enigma y pago el alquiler cada mes. O casi.

Le dedicó una sonrisa pícara.

—No es por ti, Bobby —dijo Amelia—. Es... la situación. Si sigo adelante con esto, bueno, será real.

Me miró pidiendo ayuda.

¿Qué se consideraba inmiscuirse?

—Deberías hacer lo que sientas que es correcto —dije al cabo, y luego agregué—: ¿Qué tienes que perder? No has hecho vacaciones en mucho tiempo. Como mínimo verás otra parte del país.

Amelia sonrió tímidamente.

—De acuerdo —dijo. Y estrechó la mano de Bobby.

Adam negó con la cabeza.

—Sé que es una locura —dijo Amelia, sin levantar la voz mientras íbamos de vuelta al coche—. Pero tengo que salir de Dublín, tengo que salir de la tienda. Alejarme de todo. Poner en orden mis ideas. Mi vida está patas arriba, apenas puedo pensar con claridad.

—¿Y crees que este viaje te ayudará?

—No. —Se rio—. Pero al menos voy a divertirme estando absolutamente confusa con todo. Y Bobby —sonrió— es un tipo interesante.

La escuchaba a medias, puesto que al mismo tiempo quería oír lo que decían los dos hombres que llevábamos detrás de nosotras.

—¿Cómo conociste a Christine? —preguntó Bobby.

—En un puente.

—¿Qué puente?

—El Ha'penny.

—Qué romántico —dijo Bobby, dando una palmada a Adam en la espalda como si fueran amigos. Adam hundió más las manos en los bolsillos y aguardó a que yo dejara de charlar para que pudiéramos irnos de una vez.

Volví a prestar atención a Amelia.

—Gracias por seguirme la corriente —dijo.

—Para eso estamos las amigas, pero ¿puedo hacerte una pregunta? Cuando estábamos en el trastero fuiste directa a la caja con el año de tu nacimiento. Sospechabas algo, ¿verdad?

—Siempre me lo pregunté. A veces hacía preguntas a papá y mamá sobre el embarazo, sobre dónde había nacido, y las respuestas que me daban eran demasiado vagas. Además nunca parecían tener ganas de hablar de eso. No quería incomodarlos ni hacerles daño, de modo que dejé de preguntar y renuncié a saber las respuestas. No tenía ni idea de qué era lo que me ocultaban. Pero sé que mamá estuvo embarazada cuatro veces y que perdió a los cuatro bebés. Decía que tenerme había sido una bendición de Dios. De modo que pensé que tenía miedo de perderme tal como había perdido a los demás y que por eso me quería tanto.

—Tus padres te querían mucho.

—Me sentí querida. —Sonrió—. O sea que todo está bien. No es tanto que quiera reunirme con mis padres biológicos, es solo que... quiero saber. Y luego creo que podría dejarlos en paz. No me importará que no quieran tener relación conmigo. Tampoco estoy segura de que yo quiera tener algo que ver con ellos. Lo único que quiero es conocer la historia. Pienso que merezco conocerla.

—Lo mereces. —Pensé en ello—. Tienes razón, ¿sabes?, si estuviera en tu lugar y supiera que mi madre está en alguna parte y tuviera la posibilidad de encontrarla, haría lo que fuera preciso. Haría cualquier cosa con tal de recuperarla.

—Me consta que lo harías —dijo Amelia, lanzando una mirada de preocupación a Adam antes de disimular su inquietud con una sonrisa que fue demasiado radiante y rápida.

Tragué saliva.

—Esto es ridículo —dijo Adam desde la puerta, mirando cómo preparaba mi bolsa de viaje.

Todo le había parecido ridículo a lo largo del día entero. Sin sentido, una pérdida de tiempo, absurdo.

—¿Qué es ridículo? —pregunté, procurando no parecer tan agotada como estaba.

—Ir a Tipperary.

—¿Cómo vas a no asumir la dirección de la empresa si no vamos a la empresa a resolverlo?

—No podemos solucionarlo, está en el testamento de mi abuelo. No es posible cambiarlo. Este viaje será una pérdida de tiempo absoluta —concluyó con aspereza.

No sabía exactamente cómo íbamos a resolver aquello, pero donde hay un testamento, hay una posibilidad, y tarde o temprano Adam tendría que enfrentarse a sus responsabilidades. La perspectiva lo ponía irritable, inquieto. Volvía a estar malhumorado.

Salió de la habitación.

—¿Así esta es la última vez que estaré aquí? —dijo desde la sala de estar.

Entonces lo entendí. Para él era un problema que las personas lo abandonaran, y también lo era cuando las abandonaba él. Me apresuré en seguir su voz.

—Estás avanzando, Adam. Eso es bueno.

Asintió sin creerse una sola palabra.

—Ahora mismo, me siento... —le apunté.

Suspiró.

—Ahora mismo me siento... sentimental.

Yo también me sentía así. Entonces sonó su teléfono.

—Es Maria.

Me lo pasó. Lo miré, deseando colgar sin más, pero recordé el consejo de Leo.

—Contesta. —Tragué saliva—. Invítala a tu fiesta. Si te apetece.

—¿Estás segura? —preguntó inseguro.

—Por supuesto. —Su reacción me confundió—. ¿No quieres que vaya a la fiesta?

El teléfono seguía sonando.

—Sí, pero, ya sabes...

Nos miramos a los ojos.

No sabía con certeza qué estaba pensando él, pero sabía muy bien lo que pensaba yo. «No contestes, no te enamores de ella, desenamórate de ella. Ámame.»

El teléfono dejó de sonar, dejando la habitación en silencio. Adam ni siquiera miró el teléfono que tenía en la mano. Tragó saliva. Dio un paso hacia mí.

El teléfono volvió a sonar y se paralizó.

Entonces contestó y salió de la habitación.

Mientras Adam aguardaba en el coche con Pat, me dirigí cautelosamente hacia la sala de Simon Conway. Andaba a la caza de su esposa, sus hijas o cualquier miembro de su familia que sintiera que arrearme un golpe aliviaría su dolor o traería a Simon de vuelta. El único rostro conocido que vi, y me alejé de ella en cuanto la vi, fue el de Angela, la enfermera que me había llevado a la habitación de Simon la semana anterior, la noche en que conocí a Adam. Me quedé petrificada al verla, pero Angela me sonrió afectuosamente.

—No voy a morderla —sonrió—. Solo se admiten familiares, pero venga conmigo. —Me acompañó a la habitación—. Me he enterado de lo que ocurrió la última vez que estuvo aquí. Lástima que no estuviera de servicio. No quiero que se preocupe lo más mínimo al respecto. La señora Conway estaba alterada y necesitaba culpar a alguien. Usted no es responsable.

—Estaba allí. Fui quien...

—No es responsable —repitió con firmeza—. Las niñas dijeron que su madre se sintió fatal por lo que había hecho cuando usted se fue. Estaba tan abrumada por la emoción que tuvieron que llevarse a las pequeñas y calmarla.

No describió una escena muy bonita, pero sirvió para aliviar un poco mi estrés.

—¿Ya ha hablado con alguien? —preguntó Angela, y supe que se refería a alguien profesional.

No había olvidado el consejo que Leo me había dado a propósito de Adam, pero aquel era un problema completamente distinto. De todos modos, lo había estado pensando y finalmente había resuelto con quién necesitaba hablar exactamente.

Me quedé a solas con Simon. Los pitidos y los zumbidos eran los únicos sonidos que rompían el silencio. Me senté a su lado.

—Hola —susurré—. Soy yo, Christine. Christine Rose,

la mujer que no logró salvarte de ti mismo. Me pregunto si alguien tendría que haberte salvado de mí —dije, con mis ojos arrasándose en lágrimas mientras las emociones que había hecho lo posible por reprimir me sobrevinieron todas de golpe—. He repasado aquella noche una y otra vez, tratando de entender qué sucedió. Debí decir algo fuera de lugar. No lo recuerdo. Me alivió tanto que soltaras la pistola... Perdóname si algo de lo que dije te hizo sentir que no eras suficientemente importante, que tu vida no merecía la pena ser vivida. Porque lo eres y lo es. Y si puedes oírme, Simon, lucha, lucha por tu vida; si no por ti, hazlo por tus hijas, porque te necesitan. En su vida habrá muchos momentos en los que te necesitarán. Me crie sin madre, de manera que sé cómo es vivir con un fantasma permanentemente, en todos los momentos de tu vida. Siempre te preguntas qué pensaría, qué haría si estuviera aquí, si se sentiría orgulloso...

Dejé que el silencio se prolongara mientras lloraba a moco tendido. Al cabo, recobré la compostura.

—En fin, debido a esta culpa que siento por lo que te hice, me he metido en un montón de problemas. Conocí a un hombre en un puente y tengo que enseñarle a apreciar la belleza de la vida, convencerlo de que la vida merece ser vivida, o de lo contrario lo perderé. —Me enjugué las lágrimas—. Una de las cosas que tengo que hacer es ayudarlo a recuperar a su novia. Y si no consigo que vuelva con su novia se matará. Estas son las reglas. Solo ha pasado una semana pero a veces lo sabes, ¿sabes? Y esta semana he aprendido unas cuantas cosas.

Bajé la vista a las manos, comprendiéndolo de verdad, completamente, al cien por cien.

Había esperado sentirme aliviada. En cambio tenía un dolor de cabeza tremendo, un peso en el corazón, el zumbido del respirador y el pitido del monitor cardíaco eran mi única respuesta. Quería un gesto de asentimiento alentador, quería oír que se me comprendía, que no pasaba nada, que no era culpa mía, que sería capaz de resolverlo todo. Necesitaba que me dieran herramientas. ¿Dónde estaban mis herramientas? Necesitaba un buen libro que lo arreglara todo, *Cómo hacer que todo vuelva a estar bien*, una guía simple, paso a paso, para curar corazones, limpiar conciencias y hacer que todo el mundo olvidara.

Tal vez no bastara con comprender, quizás admitirlo en silencio no fuera suficiente, tenía que decirlo en voz alta. Levanté la vista, clavé la mirada en Simon como si mis palabras de sentida sinceridad fuesen lo bastante poderosas para hacerle abrir los ojos.

—Estoy enamorada de Adam.

19

Cómo levantarte y sacudirte el polvo

—¿Todo bien? —me preguntó el hombre más guapo del mundo cuando monté en el coche con chófer de Dick Basil.

Asentí con la cabeza.

Frunció el ceño al reparar en mis ojos llorosos. Tuve que mirar hacia otro lado.

—Has estado llorando.

Me sorbí la nariz y miré por la ventanilla.

—¿Qué tal está? —preguntó amablemente.

Solo pude negar con la cabeza, no me fiaba de mi voz.

—¿Ha vuelto a decirte algo su esposa? Christine, sabes que no lo merecías. Fue injusto.

—Maria podría tratarme exactamente igual la semana que viene —dije de súbito, sin saber que iba a salir de mi boca, sin saber que lo tenía en la mente.

Pat conectó la radio.

—¿Disculpa?

—Ya me has oído. Maria y toda tu familia me echarán la culpa. Dirán que me pasé dos semanas pavoneándome por ahí contigo en lugar de proporcionarte ayuda de verdad. ¿Alguna vez piensas en lo que me ocurrirá si sigues adelante con tu plan?

—No te culparán. No lo permitiré —dijo, molestándose por la manera en que aquello me estaba afectando.

—No estarás aquí para protegerme, Adam, no podrás defenderme. Todo se reducirá a mi palabra contra la suya. No sabes el lío que dejarás atrás —dije enojada, apenas capaz de pronunciar las palabras. Y con eso no me refería solo a la situación, me refería a mí misma.

El teléfono de Adam sonó y al ver la expresión de su rostro cuando contestó, lo supe de inmediato. Su padre había fallecido.

Adam no quiso ver el cadáver de su padre en el hospital, tampoco quiso alterar el plan de ir a Tipperary que, por descontado, era adonde teníamos que ir igualmente para organizar los preparativos del funeral. De modo que permanecimos en el coche como si nada hubiese ocurrido cuando, obviamente, había ocurrido todo: había perdido a su padre y oficialmente ya era el nuevo director general de Basil's.

—¿Has tenido noticias de tu hermana? —pregunté. Su teléfono no había salido del bolsillo donde lo había metido después de recibir la llamada. No se había puesto en contacto con nadie. Me pregunté si estaba en estado de *shock*.

—No.

—No has comprobado tu teléfono. ¿No deberías llamarla?

—Seguro que la han informado.

—¿Vendrá al funeral?

—Eso espero.

Me alivió su respuesta positiva.

—Y espero que los guardias la estén aguardando en la pista. De hecho, quizá los avisaré yo mismo.

Eso ya no me alegró tanto.

—Quizás esto signifique que la fiesta no se celebrará —dije en voz baja, sintiéndome mal por intentar encontrar un rayo de luz en la muerte de un ser amado, pero era obvio que Adam necesitaba uno.

—¿Bromeas? Es imposible que cancelen la fiesta ahora, es su gran oportunidad para demostrar que somos tan fuertes y aguerridos como siempre.

—Oh. ¿Hay algo que quieras que haga?

—No, gracias.

Guardó silencio y miró por la ventanilla, aferrándose a cada escena que veía, procurando fingir que estaba lejos del temido lugar al que nos dirigíamos, intentando que el coche aminorase la marcha. Me pregunté si le apetecía que estuviera con él. No porque fuera a afectarme estar allí; iba a quedarme junto a él de todos modos, y más ahora, pero me resultaría más fácil si supiera que deseaba mi compañía. Supuse que no. Probablemente habría preferido estar a solas con sus pensamientos, y sus pensamientos eran lo que más me asustaba.

—Por cierto —dijo de repente—, ¿leerás el texto del funeral de la madre de Amelia?

Me sorprendí. No había comentado gran cosa en el funeral, aparte de preguntar si lo había escrito yo. Me quedé muy conmovida. Aquel texto significaba muchísimo para mí. Miré por la ventanilla, pestañeé para contener las lágrimas.

Circulábamos por caminos rurales, el paisaje era exuberante y verde, vibrante incluso en la gélida mañana. Era territorio de caballos, lleno de criadores y cuadras con una de las mejores tierras para alimentar sus razas, fueran caballos de carreras o de exhibición; un gran negocio en aquellos pagos... excepto si fabricaban bombones, claro está. Pat no prestaba mucha atención a la carretera, no frenaba antes de tomar curvas cerradas, giraba a la izquierda y la derecha en cruces exactamente iguales entre sí. Reparé en que estaba clavando las uñas en el asiento de cuero.

Miré a Adam para ver si estaba tan nervioso como yo. Lo sorprendí mirándome.

Carraspeó y apartó la vista.

—Estaba... ¿Sabes que te falta un pendiente?

—¿Qué? —Me palpé el lóbulo de la oreja—. Mierda.

Empecé a registrar mi cuerpo en busca del pendiente, sacudiendo la ropa con la esperanza de que cayera. Tenía que encontrarlo. Como no lo encontraba, me puse a gatas en el coche.

—Cuidado, Christine —advirtió Adam, y noté su mano en mi cabeza al golpeármela contra la puerta cuando Pat volvió a girar bruscamente.

—Era de mi madre —dije, inclinándome hacia su lado y apartando sus pies para registrar el suelo.

Adam hizo una mueca como si sintiera mi dolor por haber perdido el pendiente.

Finalmente me di por vencida y me recosté en el asiento, colorada de vergüenza y aturullada. No quería hablar con nadie durante un rato.

—¿Te acuerdas de ella? —preguntó Adam.

Rara vez hablaba sobre mi madre, no por una decisión deliberada sino porque mi madre había sido parte de mi vida tan poco tiempo que carecía de referencias de ella. Intentaba evocarla de vez en cuando pero tenía poco que recordar y, por consiguiente, poco que decir.

—Estos pendientes son uno de los escasos recuerdos que tengo de ella. Solía sentarme en el borde de la bañera para mirarla mientras se arreglaba para salir. Me encantaba ver cómo se maquillaba. —Cerré los ojos—. Es como si la viera ahora, de cara al espejo, el pelo sujeto con una horquilla para apartarlo de los hombros. Llevaría estos pendientes; solo se los ponía en ocasiones especiales. —Me toqué el lóbulo desnudo—. Es curioso, las cosas que recordamos. En las fotos veo que hacíamos muchas cosas juntas, no sé por qué recuerdo ese momento más que cualquier otro.

Me quedé un rato callada y, al cabo, dije:

—Así que para contestar a tu pregunta, no. Es una manera muy larga de decir que no, que en realidad no la recuerdo. Supongo que por eso llevo estos pendientes cada día. No lo había pensado hasta ahora. Cuando la gente comenta algo sobre mis pendientes, sé que puedo decir: «Gracias. Eran de mi madre.» Es una manera de colarla en mis conversaciones cotidianas, un modo de hacerla real, de convertirla en una parte de mi vida. Tengo la sensación de que ella es una idea, un puñado de relatos de otra gente, una persona que cambia constantemente en las fotografías, que aparece distinta en cada una, con luces diferentes, ángulos distintos. Tiempo atrás, cuando miraba los álbumes con mis hermanas, solía preguntarles: «¿Esta es la mamá que recuerdas? ¿O es esta otra?» Pero decían que no y luego la describían de una forma que ninguna fotografía había captado. Incluso la imagen que tengo de ella es de su nuca, de su oreja derecha, su barbilla. A veces deseo que se vuelva en ese recuerdo para poder verla de cara; a veces hago que lo haga en mi imaginación. Me figuro que suena raro.

—No, no tiene nada de raro —dijo Adam gentilmente.

—¿Recuerdas a tu madre?

—Muy poco. Cosillas. El problema fue que no tuve a nadie con quien hablar de ella. Creo que compartir historias ayuda a conservar el recuerdo de una persona, pero mi padre nunca hablaba de ella.

—¿No había otras personas con las que hablar?

—Cambiábamos de niñera cada verano; el jardinero era lo

más parecido a una presencia habitual en la casa, pero no estaba autorizado a hablar con nosotros.

—¿Por qué no?

—Reglas de mi padre.

Dejamos que el silencio se prolongara un rato.

—Tu pendiente aparecerá —dijo Adam.

Eso esperaba.

—Maria dijo que iría a mi fiesta de cumpleaños.

Había olvidado preguntárselo. ¿Cómo era posible que lo olvidara?

—Bien. Fenomenal. Eso es... Adam, es realmente fenomenal.

Me miró. Grandes ojos azules abrasándome el alma.

—Me alegra que lo encuentres realmente fenomenal.

—Así es. Es...

No se me ocurrió otra palabra que no fuera fenomenal, de modo que dejé morir la frase.

Finalmente el coche aminoró y me incorporé, ansiosa por atisbar el lugar donde Adam había crecido. Las placas de los espléndidos pilares de la verja anunciaban Avalon Manor. Pat hizo caso al límite de velocidad y circuló lentamente por el camino de acceso, que se extendía kilómetros. Los árboles se abrieron para revelar una enorme casa solariega de época.

—¡Hala!

Adam no parecía impresionado.

—¿Te criaste aquí?

—Me crie en internados. Pasaba las vacaciones aquí.

—Tenía que ser de lo más excitante para un crío, con tantos sitios que explorar. Fíjate qué ruina.

—Tenía prohibido jugar ahí. Y esto era muy solitario. Nuestros vecinos más cercanos están a una distancia considerable. —Debió percatarse del tono de pobre niño rico de su voz porque lo cambió enseguida—. Eso es el antiguo almacén de hielo. Siempre pensé que lo renovaría para convertirlo en mi casa.

—O sea que querías vivir aquí —dije.

—En otro tiempo.

Se volvió hacia la ventanilla.

El coche se detuvo frente a la amplia escalinata que conducía a la enorme puerta principal. La puerta se abrió y una mujer de semblante afectuoso nos dio la bienvenida. La recordé de las historias de Adam: Maureen, esposa de Pat, el chófer. Había sido ama de llaves, o gobernanta según la llamaba Adam, durante treinta y cinco años, toda la vida de Adam. Aunque Adam nunca la consideraba una figura maternal de su vida —se contrataba a niñeras para que cuidaran de él y Maureen, aunque cariñosa, tenía hijos propios y su única responsabilidad como empleada era el buen funcionamiento de la casa— yo estaba convencida de que a Adam se le escapaba algo. Dudaba mucho de que Maureen hubiese ignorado a dos niños huérfanos de madre que vivían bajo el mismo techo que ella, y tenía claro que Adam estaba siendo muy obtuso si así lo creía.

—Adam. —Lo abrazó afectuosamente y él se puso tieso ostensiblemente—. Lamento tu pérdida.

—Gracias. Te presento a Christine, se quedará unos días.

Maureen no supo disimular su sorpresa al ver que la mujer que acompañaba a Adam no era Maria, pero enseguida la enmascaró su bienvenida aunque nada pudiera hacerse por ocultar la incomodidad que me constaba que ambas sentíamos cuando llegó el momento de disponer cómo íbamos a dormir. La casa tenía diez dormitorios y Maureen no sabía si llevarme a uno de ellos o a la habitación de Adam. Iba delante vacilantemente, volviéndose de vez en cuando para intentar que Adam la orientara, le diera alguna pista de lo que debía hacer, pero aparte de cargar con nuestro equipaje estaba perdido en sus pensamientos, con la frente arrugada mientras trataba de descifrar una clave. Supuse que se había marchado la semana anterior pensando que regresaría como un hombre prometido que no tardaría en casarse y que cuando de súbito eso se fue a la porra no tuvo intención de volver jamás. Ahora allí estaba, de vuelta en el lugar que tanto parecía detestar.

Había estado preocupada por nuestro «trato» toda la semana, pero esa inquietud no era nada comparada con lo que ahora sentía en compañía de Adam. Parecía distante, frío, incluso cuando cruzábamos nuestras miradas y le sonreía alentadoramente. Imaginé cómo se había sentido Maria cuando intentaba aproximarse a él, hablar con él, intimar con él y se topaba con su retraimiento. Primero pensé que era un caparazón de Adam, pero luego me di cuenta de que estaba completamente equivocada. Adam no estaba dentro de un caparazón, estaba poseído por otra persona, por un Adam que sentía furia, ira y rencor porque había perdido el control sobre su vida. Un Adam profundamente desdichado. Había perdido a su madre a muy temprana edad, pero por lo demás se había criado entre algodones. No había tenido que preguntarse acerca de la próxima comida, los libros del colegio, los juguetes en Navidad, un hogar que pudieran arrebatarle. En su vida, todas esas cosas se daban por sentadas. Y también había dado por sentado que era libre para romper con la autoridad de su padre, trazar su propio destino, con una hermana mayor que asumiría el negocio familiar. Después todo eso había cambiado. El deber, eso que tanto había evitado y que tanto había celebrado evitar con éxito, se le había acercado tranquilamente por la espalda, le había dado unos golpecitos en el hombro y le había pedido respetuosamente que lo siguiera. La fiesta había terminado, la creencia de que tenía el control sobre su destino, de que podía construir otro tipo de vida para él, se desvaneció, se derritió ante sus propios ojos como una casa de cera.

Estaba en el final y no le gustaban los finales, no le gustaban las despedidas ni los adioses y no le gustaba irse. Los cambios ocurrían a su manera, cuando él estaba preparado y dispuesto. Eran su mirada, su tono de voz, todo lo que hacía que Adam fuese Adam lo que se había alterado desde que habíamos puesto un pie en la casa, y, ahora que lo pensaba, esa alteración había comenzado a manifestarse a partir del momento en que había colgado el teléfono. Se me encogió el estómago porque fui consciente de lo sumamente en serio que iba Adam en cuanto a lo de abandonar este mundo, y supe que si lo volvía a intentar, esta vez acabaría la tarea, no pararía hasta tener éxito.

Una cosa era ayudar a alguien que quería ser ayudado, cosa a la que me pareció que Adam estaba bastante abierto en Dublín. Allí, en Tipperary, sentí que Adam ya había cerrado la puerta y se había distanciado emocionalmente de mí. Pasaba la mayor parte del día durmiendo con las cortinas corridas en un dormitorio enorme con chimenea y una zona de sillones, donde Adam insistía que dormiría después, pero por el momento él estaba en la cama y yo sentada, con las piernas apoyadas en el alféizar de la ventana, en el mirador que daba a Lough Derg. Escuchaba su respiración y observaba el reloj, mientras era consciente de que estábamos perdiendo el tiempo. El tiempo, en este caso, nada curaba; teníamos que estar hablando, haciendo cosas, era preciso que yo fuese desafiante con él y que le brindara mi apoyo, pero no podía hacer ninguna de estas cosas porque se había retirado, distanciado y encerrado en sí mismo, y estaba asustada.

Me volví para ver qué hacía Adam; dormía como un tronco. Tenía las palmas hacia arriba encima de la cabeza, con los brazos levantados como si se estuviera rindiendo. El pelo rubio le caía encima de una pestaña y se lo aparté. No se despertó y mi dedo se demoró junto a su delicada piel un poco más de lo preciso. Aquella mañana no se había afeitado y una incipiente barba blanquecina apenas visible brillaba con la luz. Tenía los labios juntos, con el mohín que hacía cuando se concentraba. Me hizo sonreír.

Maureen apareció en la puerta abierta y llamó discretamente para atraer mi atención. Me sobresalté y retiré la mano como si me hubiese pillado en un renuncio. Me pregunté cuánto tiempo llevaba allí. Me sonrió de una manera que daba a entender que se había fijado en mi gesto de ternura con Adam y, avergonzada, me dirigí a la puerta.

—Lamento molestarla, pero traigo las mantas que Adam me ha pedido antes.

Eran para el sofá, de modo que las dejé allí.

Me di cuenta de que Maureen tenía ganas de preguntar, pero en cambio dijo:

—Y, bueno... —miró hacia el cuerpo durmiente—, ha habido una llamada para Adam.

—No creo que debamos molestarlo —dije con delicadeza—. Puede decírselo después. ¿O es urgente?

—Era Maria.

—Oh.

—Ha intentado llamarlo al móvil, pero no contesta. Quiere saber si Adam quiere que venga al funeral. Ha dicho que habían tenido algunos problemas y que no estaba segura de que quisiera verla aquí. No quiere disgustarlo.

—Oh... —Miré a Adam y me pregunté qué hacer. El Adam de Dublín hubiese querido que viniera. Aquel Adam la necesitaba, pero no el Adam del que se había enamorado Maria ni del que se estaba volviendo a enamorar. Había resuelto que se reencontraran cuando él estuviera en plena forma. Si lo veía en aquel estado o Adam la trataba como la había tratado, Maria regresaría corriendo a los brazos de Sean. Tendría que hablar de eso con Adam más tarde pero estaba convencida de que estaría de acuerdo conmigo—. Me parece que preferirá que no venga, pero no porque esté disgustado con ella. Por favor, déjele claro esto último.

—De acuerdo. Se lo diré —dijo Maureen amablemente. Echó un vistazo a Adam, a todas luces preguntándose si debía confiar en mí o si debía preguntárselo a él.

Cuando Maureen ya había enfilado el pasillo salí en su busca, hablando más cómoda con ella al no correr el riesgo de que Adam me oyera.

—Maureen... —dije, retorciéndome las manos—. No estamos... juntos. Adam y yo. Últimamente no está muy bien, tiene algunos problemas personales.

Maureen asintió como si lo supiera de sobras.

—No le gustaría que se lo explicara. Seguro que usted lo conoce mejor que yo, pero estoy intentando... ayudarlo. Llevo toda la semana intentándolo. Pensaba que estaba dando resultado. No sé cómo es normalmente, pero en los días posteriores a nuestro primer encuentro me parece que ha estado menos pesaroso. Esto le ha hecho retroceder un poco. Aunque me consta que nunca es buen momento para perder a alguien...

—¿Conoció al señor Basil?

—Sí.

—Pues entonces entenderá que diga que, a pesar de haber trabajado treinta y cinco años para él, no estábamos precisamente muy unidos.

—Lo mismo podría decirse de su hijo.

Maureen frunció los labios y asintió.

—Estoy segura de que esto no saldrá de aquí, pero Adam

—bajó la voz— siempre ha sido muy sensible. Siempre ha sido muy exigente consigo mismo. Nunca se desprendía de las cosas con facilidad, ni siquiera de las menos importantes. Intenté darle mi apoyo, pero Adam prefería resolver sus asuntos solo, discretamente, y el señor Basil... Bueno, era el señor Basil.

—Lo entiendo. Gracias por su confianza, le aseguro que no repetiré una palabra de lo que me ha contado. Literalmente no le he quitado los ojos de encima en toda la semana —expliqué.

—La mayoría de mujeres no puede.

Sonrió y me sonrojé de forma reveladora.

—Por razones que no puedo explicar, no puedo perderlo de vista. De ahí el arreglo del dormitorio, pero en realidad ahora tengo que salir y quería preguntarle si usted podría vigilarlo un rato por mí. Seguro que tiene mucho que hacer por lo de mañana, pero solo estaré fuera una hora. ¿Le importaría?

Puse una silla fuera de la puerta del dormitorio para Maureen, de modo que si Adam se despertaba no flipara al encontrarla repantigada en el sofá a los pies de su cama.

—Por favor, llámeme si se despierta, si va al baño, cualquier cosa.

Miré preocupada a Adam acostado, intentando decidir si irme o no.

—Todo irá bien.

Maureen apoyó una afectuosa mano en mi brazo.

—De acuerdo —respondí nerviosa.

—Tenía razón —dijo Maureen.

—¿Quién?

—Maria. Me ha preguntado si Adam había venido con una mujer. Una joven guapa que parecía cuidar de él.

—¿En serio?

—Sí —contestó Maureen, asintiendo con la cabeza.

—¿Y usted qué le ha dicho?

—Le he dicho que tendría que hablar de los asuntos de Adam con Adam.

Logré esbozar una sonrisa.

—Gracias.

Encontré a Pat en la cocina del servicio, hincando el diente a un emparedado de huevo. Ya me estaba dando pavor el trayecto en un espacio cerrado con él por la velocidad, y ahora encima un huevo. Procuré aguardar cortésmente a que hubiera terminado, pero sabiendo que Adam estaba arriba sin mí me hacía ir de un lado a otro nerviosamente.

—Muy bien —dijo Pat. Se metió la segunda mitad del emparedado en la boca, retiró la silla, apuró su taza de té y se levantó. Cogió las llaves del coche y salió al exterior.

Mary Keegan, la mano derecha de Dick Basil, vivía a veinte minutos de allí, en una finca impresionante. Cuando nadie contestó en la casa, Pat me señaló las caballerizas y volvió a montar en el coche, donde la radio retransmitía deportes a todo volumen en un ambiente sobrecalentado que olía a pedo de huevo. Tuvo razón en cuanto al paradero de Mary. Me detuve en la cerca y observé a la elegante amazona que saltaba en la pista de obstáculos.

—Es *Lady Meadows* —dijo una voz a mis espaldas, y al volverme vi a Mary. Iba vestida para la ocasión: botas de lluvia, cálida lana y un chaleco acolchado.

—Creía que la estaba viendo a usted.

—¿A mí? ¡Ni hablar! —sonrió—. No dispongo de tiempo para ser tan buena. Solo soy buena en las galopadas matutinas y las cacerías. Me encantan las cacerías.

—¿Lady Meadows es el caballo o la mujer?

—La yegua —se rio—. La mujer es Misty. Es saltadora del circuito profesional. Faltó poco para que fuera a los últimos Juegos Olímpicos, pero su caballo, *Medicine Man*, se rompió una pata mientras entrenaba. Quizá la próxima vez.

—Este lugar es magnífico. ¿Cuántos caballos tienen?

—Doce. No todos son nuestros, pero ayuda a pagar cachés. Aunque estamos creciendo. Incluso está pensando en empezar a criar —agregó, señalando a la amazona.

—¿Es su sueño dedicarse a esto a jornada completa?

—¿Mi sueño? No. ¿Por qué, la han enviado de Basil's para despedirme?

Procuró que pareciera que estaba bromeando, pero el miedo que traslucían sus ojos me dejaron claro que estaba preocupada.

—No, en realidad, más bien lo contrario.

Mary me miró intrigada.

Terminamos nuestra conversación en lo que debería haber sido el calor de la casa, pero con la puerta abriéndose y cerrándose mientras los mozos de cuadra iban y venían era bastante difícil que el interior se mantuviera caliente. Mary se dejó el abrigo puesto y yo hice lo mismo, bebiendo tanto té caliente como pude y calentándome las manos con el tazón, sentada en un sofá infestado de pelo de animales, rodeada por tres perros; uno que dormía, otro con claustrofobia que recorría la habitación olisqueando las paredes en busca de una salida y un tercero en el regazo de Mary, que me observó de una manera desconcertante, sin pestañear durante toda la conversación. Mary no parecía percatarse de nada, ni del frío ni del pelo de perro que saqué de mi tazón. No estuve segura de si era porque estaba acostumbrada o por mi proposición.

Reaccionó con recelo, pero su interés era evidente.

—¿Y ha comentado esto con Adam?

—Sí —contesté. Solo era una mentira a medias—. Hoy no ha podido venir porque hay que hacer muchos preparativos para el funeral.

Pensé en Adam en su casa, tendido a oscuras con las mantas tapándole la cabeza.

—¿Y le complace este arreglo? —preguntó Mary, confundida—. ¿Sin tener una función en el día a día de la empresa? ¿Dejándome las decisiones a mí?

—Absolutamente. Será presidente de la junta, de modo que todas las decisiones tendrá que refrendarlas él, pero creo que es la mejor manera de seguir adelante. Todas las personas con las que he hablado están convencidas de que usted está capacitada para dirigir la empresa tal como quería el señor Basil. Usted ama la empresa.

—Fue el primer sitio en el que trabajé al salir del colegio. —Sonrió—. Antes tenían la sede en Dublín, pero cuando se trasladaron aquí fue fabuloso para la comarca. Y todavía lo es. Me pasé el primer año contestando el teléfono. Poco a poco fui ascendiendo. Pero...

Negó con la cabeza, confundida.

—¿Qué sucede?

—El viejo señor Basil no habría estado de acuerdo. La familia del señor Basil no estará de acuerdo. Lavinia preferiría entregarse y morir que verme ocupando su puesto. Los Basil prefieren mantener las cosas en el seno de la familia.

No habló mal de nadie, era demasiado profesional para eso, pero pude leer entre líneas y coincidía con lo que Adam había dicho sobre notar la presión de su familia dentro de la empresa, a propósito de que el trabajo fuese para él y no para ellos.

—Siempre y cuando no participe la familia de su tío —agregué.

—Claro, por supuesto —corroboró Mary—. No pasará a manos de Nigel, ¿verdad? —preguntó preocupada.

—Eso es lo último que quiere Adam. Y no creo que deba usted preocuparse por Lavinia.

—¿Está segura de que a Adam le parece bien? —preguntó otra vez.

Cambié de tercio.

—¿Puedo preguntarle por qué duda tanto? Creía que era obvio que Adam no quería el trabajo.

—Oh, de eso me di cuenta, por supuesto, pero pensé que sería distinto cuando el señor Basil muriera. Creía que lo vería de otra manera. Es duro hacer tu trabajo con el señor Basil detrás de ti todo el tiempo; apenas te deja un segundo para pensar y luego te grita por no haber pensado. Pensé que Adam querría hacer las cosas a su manera. —Se encogió de hombros—. Pensaba que el problema era con su padre, no con la empresa. Y ha demostrado que vale, el poco tiempo que ha estado en ella. Tuvo algunas ideas brillantes y, créame, no nos vendría nada mal un poco de sangre fresca. Sería una lástima que no ocupara el cargo. Pero, como usted dice, si esto es lo que quiere...

Me miró como si no me creyera. Volví a quedarme confundida.

Sonó mi teléfono. Era Maureen.

—Está despierto.

No tuve que decirle a Pat que pisara el acelerador, ya conducía a más de ciento cincuenta kilómetros por hora por carreteras donde yo no iría a más de ochenta. Cuando llegué a la casa, esperé encontrar a Adam fuera o abajo pero en cambio lo encontré todavía en su dormitorio, tratando de convencer a una ruborizada Maureen para que lo dejara salir.

—Pasa las llaves por debajo de la puerta, Maureen —dijo Adam, haciendo patente su impaciencia.

—Me parece que no van a caber —respondió nerviosa, y se llevó las manos a la cabeza, presa de una silenciosa agitación. Me oyó en la escalera y levantó la vista haca mí, aliviada—. Se ha dado una ducha y tenía hambre, de modo que le he servido un almuerzo y he cerrado la puerta —susurró frenética—. No paraba de decir que quería ir a dar un paseo.

—¿Por qué no se lo ha permitido?

—¡Usted me dijo que no lo perdiera de vista!

—Podría haberlo seguido.

Se tapó la boca con ambas manos por no haberlo pensado. Torcí los labios.

—Está muy enfadado —susurró Maureen.

—No se preocupe. Se desahogará conmigo. —Levanté la voz—. Tranquilo, Adam, ya estoy aquí.

Metí la llave en la cerradura y la hice repiquetear como si me costara abrir. Adam no dejaba de mover el picaporte impacientemente.

—¡Para, Adam! Estoy intentando...

Finalmente la llave se encajó en su sitio y la puerta se abrió de repente. Me sorprendió tanto la fuerza repentina que no tuve tiempo de apartarme. Adam salió de un salto, como un toro de un toril, me golpeó en el hombro y salí despedida hacia atrás, pero estaba demasiado enojado para detenerse y disculparse, y por suerte Maureen me sujetó.

—¡Ay, Dios, querida! ¿Está bien?

No noté el dolor hasta más tarde porque estaba preocupada por Adam, que corría escaleras abajo echando chispas. Me puse a perseguirlo.

—Quiero estar solo —dijo, saliendo de la casa, y torció a

la izquierda, caminando con brío, hacia un sendero que bordeaba el lago.

Sus piernas eran mucho más largas que las mías y tuve que correr para no rezagarme. Unos cuantos pasos rápidos, luego una carrera para alcanzarlo, unos cuantos pasos rápidos y luego otra carrera. Entre un ligero pánico porque se hubiese descarriado y el hecho de estar corriendo, ya me estaba faltando el aire.

—Sabes que no puedo hacer eso —dije, corriendo un poco, luego caminando, luego corriendo de nuevo para alcanzarlo.

—Ahora no, ¿vale?

Seguía su ritmo, no quería decir algo que lo molestara. Permanecí a su lado. Callada pero presente. Tampoco era que Adam no fuese capaz de hacer algo debido solo a mi presencia. Era fuerte, como bien demostraba el dolor punzante de mi hombro. Aun así, perseveré, no podía darlo por perdido, no podía dejarlo solo, no podía...

—¡Christine! —me gritó en la cara—. Lárgate.

Se había parado en seco y me había pillado por sorpresa. Gritó tan fuerte que su voz resonó en torno al lago, reverberó en mi cabeza, me hizo daño en los oídos, hizo que el corazón se me saliera del pecho. El destello de ira de sus ojos, la vena que le palpitaba en la frente y las que le sobresalían en el cuello, los puños cerrados, amenazadores sin querer, me hicieron contener la respiración. Me sentí como un niño al que le ha gritado un adulto, tuve esa misma sensación de sorpresa, vulnerabilidad y vergüenza. Y me sentí sola, súbitamente muy sola. Adam me dio la espalda y siguió su camino, y yo me desplomé, me puse en cuclillas, llevándome las manos a las rodillas mientras respiraba con dificultad. Rompí a llorar y por una vez no intenté contenerme.

Dejé que se fuera.

20

Cómo dar la cara por tus amigos

Sentí una extraña serenidad mientras estuve sentada en el cobertizo para botes, contemplando Lough Derg. Las orillas del lago se habían helado y los patos bajaban volando, picoteaban y acto seguido volvían a subir hacia el cielo como si el agua estuviera demasiado fría incluso para ellos, prefiriendo el hambre a un chapuzón. Volví a sorberme la nariz, que no paraba de gotearme, renunciando a secármela porque la tenía completamente entumecida, y los ojos enrojecidos e irritados. Estaba segura de que las lágrimas se habrían congelado si no hubiesen corrido tan deprisa. No me molesté en enjugarlas, de vez en cuando llegaban a mis labios y las lamía, saboreando la sal. Era una sensación muy rara aguardar, sintiéndome impotente para impedir un acto del que me había sentido la única responsable noche y día y que, sin embargo, me constaba que llegado el momento me sería imposible evitar. Al menos físicamente. Mis palabras eran todo lo que tenía, mis pensamientos eran todo lo que tenía, pero esta vez él no quería escucharme.

Oí pasos detrás de mí y el corazón comenzó a palpitarme. Eran ellos, venían a decirme que lo habían encontrado. Posiblemente me arrestarían; ¿podían hacerlo? ¿Mi fracaso no lo había incitado y contribuido? Mantuve la vista al frente, el lago oscuro y quieto pero frío, mi respiración cansada en el silencio. Las nubes se abrieron y levanté la vista hacia la luz y de pronto tuve una idea optimista. Los pasos eran lentos, no transmitían la menor sensación de pánico, ninguna amenaza. Se detuvieron detrás de mí y luego prosiguieron rodeando el cobertizo de los botes hasta que Adam apareció a mi lado.

Se sentó cerca de mí. Levanté una mano para que no se acercara más. Me mordí el labio para contener un nuevo ataque de llanto y, al darme cuenta de que no lo conseguiría, me volví hacia otro lado.

Adam carraspeó pero se quedó un rato callado. Era lo que correspondía hacer; estar sentados juntos, estar en mutua compañía bastaba para calentar el aire gélido que mediaba entre nosotros.

—Perdona —dijo, y aun habiendo tardado tanto en decirlo, su disculpa sonó repentina.

No contesté. Sabía que debía hacerlo pero no lo había perdonado.

—¿Adónde has ido?

—A desfogarme un poco. He asustado a un par de liebres y he hecho que un ciervo se cagara de miedo.

No pude evitarlo. Se me escapó una risita nerviosa.

—Eso está mejor —dijo Adam, corriéndose en el banco para rodearme con un brazo.

Decidí no hablar, incapaz de controlar el nudo que tenía en la garganta. Lo que hice fue apoyar la cabeza en su hombro. Me dio un beso en lo alto de la cabeza.

—Nunca soy yo mismo cuando estoy aquí —dijo—. Me convierto en un ser conflictivo, irritable... Bueno, ya sabes.

Hizo una pausa. No la llené. Iba a escuchar, no a ayudarlo.

—Y me prometiste que no se lo contarías a nadie. Eso me ha hecho enfadar.

—¿Contar qué? —pregunté, levantando la vista hacia él.

—Lo del domingo pasado.

—No se lo he contado a nadie.

Me miró.

—Christine, no me mientas. Por favor, no me mientas. Tú no. El resto del mundo puede mentirme cuanto quiera, pero tú no.

—No te he mentido —me aparté de él—. Nunca te mentiría. —Como para demostrarlo, dije de inmediato—: Pedí a Maureen que le dijera a Maria que no viniera al funeral, pensé que sería mejor que no te viera así.

Intentó descifrar mi semblante.

—Pero eso no es de lo que estoy hablando.

—Ya lo sé. Pero es lo único que no te he contado. Aparte de lo que voy a contarte ahora. Nunca contaré cómo nos conocimos.

—¿Qué vas a contarme? —preguntó, frunciendo el ceño.

—Te lo contaré luego.

—Cuéntamelo ahora.

—Adam, ¿a quién crees que se lo he contado?

—A Maureen —contestó, poniéndose tenso.

—No se lo he contado.

—Me ha encerrado en la habitación.

Hice una mueca.

—Le entró el pánico. Le pedí que te vigilara. Que estabas teniendo problemas personales, que...

—Jesús, Christine —interrumpió, gritando menos que la vez anterior. Dudé de que alguna vez fuera a oír de nuevo un grito a semejante volumen, pero el veneno era el mismo.

—Eso no es contárselo, Adam.

—Es decirle que algo va mal.

Fue mi turno para explotar.

—¿Crees que alguna persona que te conozca no se da cuenta de que te ocurre algo? En serio, Adam, piénsalo. ¿Sinceramente crees que nadie se percata, que a nadie le importa? Tenía que salir y me daba miedo dejarte solo. Maureen me ha dicho que estaría pendiente de ti. ¡No se me ha ocurrido pensar que fuera a encerrarte!

Dicho en voz alta sonó divertido a pesar de que estaba enojada, y sonreí.

—No tiene gracia —dijo Adam, sorprendido.

—Tienes razón —respondí, haciendo lo posible por dominar mi sonrisa—. Bueno, un poco sí tiene.

Sonreí abiertamente.

—¿Qué es lo que ibas a decirme?

—He ido a ver a Mary.

—¿Mary Keegan?

Asentí con la cabeza.

—Tenía una propuesta que hacerle. De tu parte. Todo el mundo coincide en que es la mano derecha de tu padre, ¿verdad?

Estuvo de acuerdo.

—Me preguntaba si daría resultado que tú fueses presidente de la junta, manteniendo el control sobre la empresa, cosa que cumple con los deseos de tu abuelo desde el punto de vista legal, y que Mary pasara a ser la directora ejecutiva. De esta manera ella podría llevar la empresa mientras tú conservarías el control, rubricando lo que sea preciso rubricar. Entonces podrías hablar con tu jefe para recuperar tu trabajo en la Guardia Costera. Puedes ser miembro de juntas y tener otros empleos a la vez, ¿no? Seguro que se mostrará comprensivo.

—Estaría en la junta de Basil's y conservaría mi trabajo.

—Igual que Batman.

Lo meditó.

—Eh, tampoco hay que pasarse de contento. —Le estudié el semblante, intrigada. Había resuelto sus problemas y sin embargo seguía debatiéndose. En su fuero interno luchaba contra la confusión—. ¿Estás de acuerdo en que resuelve el problema?

—Sí, por supuesto, gracias —contestó, distraído.

Por lo general, cuanto más empujas en la misma dirección y resulta que es vano, más se demuestra que te estás equivocando. Comencé a pensar que tal vez estaba empujando en la dirección equivocada. Había pasado una semana pensando cómo librar a Adam de un trabajo que decía aborrecer pero la solución no encajaba.

—Juguemos a un juego —dije, interrumpiendo sus pensamientos.

—Tú y tus juegos —rezongó.

—¿Qué haces cuando estás solo y nadie te mira? Y no seas asqueroso —agregué, viendo en su mirada adónde estaba yendo.

—Bueno, pues nada —dijo.

Me reí, contenta de que volviera a ser él.

—Por ejemplo, ¿hablas solo? ¿Cantas en la ducha? ¿Qué?

—¿Dónde nos lleva esto?

—Tú contesta.

—¿Me salvará la vida?

—Por supuesto que te salvará la vida.

—Bien. Sí, canto en la ducha, eso es.

Me constaba que estaba mintiendo. Carraspeé.

—Veamos, cuando me aburro, en una sala de espera o donde sea, elijo un color e intento ver cuántas cosas de ese color hay en la habitación, luego elijo otro color y cuento las cosas que hay de ese otro color, y gana el color que tiene más objetos en la habitación.

Se volvió para ponerse de cara a mí.

—¿Por qué demonios lo haces?

—¿Quién sabe? —Me reí—. La gente piensa cosas raras constantemente aunque nunca lo admita. También tengo una manía que consiste en pasarme la lengua por los dientes y cuento cada diente mientras lo hago. En los viajes en coche, escuchando hablar a los demás, ¿sabes?

Me miró de una manera extraña.

—O intento que se me ocurran ideas para mi libro.

Pareció interesarse.

—¿Qué libro?

—El libro que siempre he querido escribir. El libro que algún día escribiré. —Me entró vergüenza y subí las piernas al banco, abrazándolas debajo de mi barbilla—. Aunque probablemente no lo haga. Es solo un sueño tonto que tengo.

—No es una tontería. Deberías hacerlo. ¿Qué escribirías? ¿Ficción erótica?

Me reí.

—¿Como tu amiga Irma? No... un libro de autoayuda. Aunque no sé sobre qué escribir exactamente.

—Deberías hacerlo —repitió alentadoramente—. Sería un exitazo.

Sonreí, con las mejillas sonrosadas, agradeciendo el apoyo que nunca recibí de Barry y de inmediato supe que lo intentaría.

—Me gusta rimar cosas —dijo Adam de repente.

—¡Ajá! Cuéntame.

Me volví hacia él.

—No palabras cortas —dijo con timidez—. No puedo creer que te esté contando esto. Ni siquiera Maria lo sabe.

«Uno a cero a mi favor», pensé puerilmente.

—No gato y pato, sino palabras complicadas como...
—miró en derredor— ... repelente enseguida me dice transigente.

—Dios, mira que eres raro —comenté con una mirada recelosa.

—¡Oye!

Me reí.

—Es broma. Es muy guay.

—No tiene nada de guay.

—Oye, la mente secreta es un lugar muy poco guay.

—¿Este es el mensaje?

Miré el lago.

—¿Qué me dices de «Nunca jamás...»? Mis hermanas y yo jugábamos en el coche cuando nos íbamos de vacaciones.

—Debisteis hacer polvo a vuestro padre.

—En realidad creo que le dimos vida. Bien, empiezas tú. Nunca jamás...

—¿Sabes qué?, esto se parece mucho a una de las técnicas de Elaine sobre *Cómo enamorarse*.

—Bueno, quizá quiera que te enamores.

Noté que me clavaba los ojos.

—De la vida —aclaré—. Quiero que ames la vida. Así que adelante —le di un codazo.

—De acuerdo, nunca jamás... —se quedó un rato pensando—, comí una piruleta.

—¿Qué? —exploté—. ¡Explícamelo!

Se rio.

—De niños nunca nos dejaron comer piruletas porque eran peligrosas, cada día nos recitaban los peligros: nos asfixiaríamos, se nos romperían los dientes, perderíamos un ojo o haríamos que otro lo perdiera. Y finalmente nos dijeron que podíamos comerlas, pero teníamos que sentarnos para comerlas porque de lo contrario nos asfixiaríamos y moriríamos. A ver, ¿qué niño podía querer eso? De modo que nunca comí piruletas. Se me quitaron las ganas para siempre. Ni siquiera soporto ver a los niños comerlas.

Me reí.

—Te toca.

—Nunca jamás... —Sabía lo que quería decir pero no estaba segura de si decirlo o no. Tragué saliva—. Nunca jamás... he estado enamorada.

Me miró sorprendido.

—¿Y tu marido?

—Creí que lo estaba. Pero estoy comenzando a pensar que no.

—¿Por qué?

Nos miramos de hito en hito y en silencio le dije mentalmente «porque no se parecía en nada a esto», pero en cambio dije:

—No lo sé. ¿Crees que el amor no correspondido es verdadero amor?

—La respuesta está en la propia pregunta, ¿no? —dijo lentamente.

—Sí, pero si no es recíproco, ¿se experimenta plenamente?

Pensó en ello, realmente pensó en ello y aguardé una respuesta que representara todo aquel pensamiento, pero simplemente dijo:

—Sí.

Obviamente pensaba en Maria, aunque estaba segura de que Maria lo amaba de verdad pese a su desliz con Sean.

—Christine, ¿por qué estamos hablando de esto?

En realidad no lo sabía, ni siquiera recordaba cómo habíamos sacado el tema. Había intentado distraerlo y en cambio había terminado divagando en mis propios pensamientos.

—No lo sé. —Me estremecí—. Regresemos antes de que nos congelemos.

Puesto que estábamos en territorio de Adam le pedí que me lo mostrara. Quería formarme una idea de su infancia allí y de cómo sería su vida si regresaba de Dublín, quería saber qué era lo que tanto lo afectaba para convertirse en una persona diferente cuando estaba allí. Adam sacó un coche del garaje, que albergaba una colección de coches clásicos y deportivos, y me llevó a la fábrica de Basil's, que quedaba a unos veinte minutos, señalando lugares emblemáticos o relacionados con historias de su infancia.

—Una de mis ideas fue organizar visitas guiadas a la fábrica. Podríamos ganar dinero haciéndolo —dijo, pensativo—. Le presenté el proyecto a mi padre pero no demostró mucho entusiasmo.

—¿Cuáles son tus otras ideas? —pregunté. Mary había dicho que tenía varias buenas ideas, y estaba intrigada. Había dado la impresión de que la empresa no le importaba lo más mínimo, pero estar allí me había abierto los ojos a que en realidad le había importado, solo que su padre había hecho oídos sordos una y otra vez.

—Un parque temático.

—¿En serio? ¿Como Disneylandia?

—No tan complejo, pero quizás un zoo de animales domésticos, áreas de juegos, un restaurante, ese tipo de cosas. Lo están haciendo en muchos sitios, me consta, y pensé que sería bueno para la región.

—¿Qué dijo tu padre?

Se le ensombreció el rostro y no contestó. Puso el intermitente para entrar en la fábrica y dirigirse al estacionamiento del señor Basil, ahora el de Adam, pero allí ya había un coche aparcado.

—¿Qué demonios?

—¿De quién es ese coche? —pregunté.

—No tengo la más remota idea.

Aparcó en otra parte y nos dirigimos al interior, Adam con una expresión preocupada porque el peso del mundo había vuelto a caer sobre sus hombros. Tuve la sensación de que me iba a quedar sin visita cuando vi lo que estaba ocurriendo en la oficina. Se estaba celebrando una reunión. Una mesa llena por entero de hombres trajeados, ni rastro de Mary, y una mujer desconocida con un traje de pantalón presidiendo. La mujer miró por la ventana de la sala de juntas, vio a Adam y se disculpó ante los demás miembros del consejo. Todas las cabezas la siguieron y luego se volvieron unas hacia otras para murmurar en voz baja antes de que regresara.

—Hombre, Adam, qué bien que hayas venido.

—Lavinia —dijo Adam perplejo—. ¿Qué haces aquí?

No se abrazaron, no había afecto alguno.

—Un pajarito me dijo que nuestro papá había muerto. ¿No te has enterado?

Adam la fulminó con la mirada.

—Dirijo la empresa, Adam, ¿qué crees que estoy haciendo sino? —dijo con firmeza.

—Vives en Boston. No puedes dirigir la empresa.

—Nos vamos a mudar otra vez. Maurice se ha avenido a afrontar las consecuencias. Está cooperando con los *gardaí*, o al menos va a hacerlo. Antes tenemos que atar unos asuntos.

Sonrió forzadamente.

—Quieres decir que lo has convencido para que cargue con la culpa —la acusó Adam.

Lavinia me miró.

—¿Esta chica es nueva o Maria por fin ha cambiado de pintalabios?

Adam ignoró la pregunta.

—¿Qué crees que estás haciendo, Lavinia?

—Todo el mundo sabe que papá me quería al mando, de modo que estoy al mando. Simplemente obedezco sus deseos. Dios sabe bien que tú no lo harías.

—Me estaba dejando ese trabajo a mí.

—Adam, ahorrémonos uno de tus dramas. Ahora he vuelto y todo estará bajo control, de modo que puedes regresar a Dublín y seguir con tu vida. Todo el mundo sabe que no quieres tener nada que ver con la empresa.

La miró fríamente.

—Ahí es donde te equivocas.

Y noté el cambio de rumbo, y en ese momento todo encajó en su sitio y supe que esta vez no me equivocaba de camino.

Esa noche nos acostamos en el mismo dormitorio, yo en la gran cama, Adam en el sofá a mis pies. Me aguantaba el aliento mientras escuchaba su respiración, que era rítmica y profunda. Escuchaba y esperaba; esperaba que siguiera respirando mucho tiempo, que su corazón siguiera bombeando. Era como si me deleitara con el sonido que indicaba que estaba vivo. Me resultó tan relajante que al final me calmé y respiré con facilidad. No supe con certeza quién se durmió primero, pero el sonido de su respiración cerca de mí me llevó delicadamente a un sueño gozoso por primera vez en mucho tiempo.

21

Cómo cavar un agujero
hasta el otro lado del mundo

—Nuestro hermano se ha ido a descansar en la paz de Cristo. Que el Señor lo reciba en la mesa de los hijos de Dios en el Cielo. Con fe y esperanza en la vida eterna, asistámoslo con nuestras plegarias.

La congregación estaba reunida en la parcela de los Basil en Terryglass, Tír Dhá Ghlas en gaélico, que significa tierra de los dos arroyos, en la orilla noreste de Lough Derg, donde desembocaba el río Shannon. Una multitud había acudido al funeral de Dick Basil; no porque fuese un hombre popular, no, se sabía que eso no era verdad, sino por lo que había proporcionado al municipio, a la región, al país. Con una fábrica que empleaba a más de ochocientos trabajadores, había muchas familias preocupadas que se preguntaban qué ocurriría con sus empleos y los de sus hijos ahora que el señor Basil había fallecido. Cientos de familias sobrevivían con los salarios de Basil. Quizás había sido un hombre arrogante y grosero que no tomaba prisioneros y valoraba poco la amistad, pero era un hombre leal, un hombre patriótico que había nacido y crecido en North Tipperary. Aunque viajaba por el mundo en su jet privado, siempre regresaba a su casa, al lugar que amaba, y hacía lo posible por ayudar a su gente, sus pueblos y ciudades. En medio de una recesión, con los costes industriales, laborales y energéticos cada vez más elevados, se había empeñado en mantener la producción en aquel lugar que amaba por más que la opción rentable hubiese sido trasladarla al extranjero. Ahora el futuro de la fábrica estaba en entredicho. Dick Basil tenía sus motivos personales para mantener el negocio cerca, y los lugareños temían que quien lo sustituyera, en especial si era alguno de sus hijos, Lavinia y Adam, de pie junto a la tumba, ambos a todas luces fríos, y solo uno de ellos debido al tiempo gélido, asumía la dirección. Dos hijos que se habían marchado de Tipperary a la primera oportunidad, una que regularmente honraba con su presencia las páginas de sociedad como anfitriona de glamurosos actos benéficos con vestidos de firma, el otro lejos de la atención del público, dedicándose a labores de rescate en la Guardia Costera de Irlanda. Uno era generoso, la otra era egoísta. Tenían sus esperanzas puestas en Adam pero sabían que Lavinia era el cerebro del negocio, aunque había acusaciones que la implicaban en un abyecto esquema Ponzi. Ahora se rumoreaba que había matriculado a sus hijos en un internado cercano, añadiendo leña al fuego. Y luego estaba su primo Nigel, oculto entre los trajes negros que rodeaban la tumba, que cuando tomó la riendas de Bartholomew's había cerrado la fábrica irlandesa y trasladado la producción a China. Todos esperaban que si se implicaba en la gestión y las dos empresas se fusionaban tal como insinuaban los rumores, no cerrara también la fábrica de Tipperary. No le quitaban el ojo de encima. Observaron los rostros de los presentes, buscando señales de lo que estaba por venir, hasta que llegó el momento de que la congregación agachara la cabeza para el rito del enterramiento. Se avecinaban cambios, todos lo sabían y se estaban preparando para ellos. Era algo inminente e inevitable.

Me sentí fuera de lugar entre Lavinia y Adam junto a la tumba. Lavinia llevaba unas aparatosas gafas negras y un austero abrigo negro que parecía sacado de la época victoriana. Tenía el pelo rubio perfectamente teñido y peinado, la frente ilógicamente sin arrugas, los labios bien carnosos y recién inyectados. Su marido parecía considerablemente mayor que ella. Sin embargo, tenían la misma edad, pero los problemas recientes y la amenaza de la prisión lo habían reducido a un anciano pálido y canoso. Sus hijos estaban a su lado, diez y ocho años, sus rostros mostrando apenas tristeza por el deceso de su amante abuelo porque aquel hombre no existía para ellos.

A lo lejos las cámaras seguían disparando. Clic, clic, clic. *Paparazzi* y reporteros gráficos competían por la mejor foto del empresario caído en desgracia que había regresado a Irlanda para enterrar a su suegro. Las personas como Lavinia me daban miedo. Frías, calculadoras, emocionalmente atrofiadas, invencibles, eran cucarachas preparadas para sobrevivir, incluso si ello suponía destruir a sus adversarios, incluso si esos adversarios eran sus seres más próximos y queridos. Su manera de pensar era antinatural, su «amor», antinatural. Habiéndola visto en acción, compartía el convencimiento de Adam de que su hermana estaba implicada en el esquema Ponzi, pero que de un modo u otro había convencido a su marido para que fuera el cabeza de turco y la absolviera. Era un movimiento calculado que nada tenía que ver con la culpa y el arrepentimiento, y todo con el bloqueo legal sobre Lavinia para que no recibiera su herencia hasta después de haber trabajado durante diez años en la empresa.

Había leído mi texto tal como me pidiera Adam y cuando la misa terminó, Lavinia levantó la barbilla y me miró por encima del hombro.

—Una lectura preciosa. Muy conmovedora —dijo con una sonrisita de suficiencia, como si la mera idea de conmoverse por algo que no fuera un mandato judicial la divirtiera.

El funeral, que duró todo el día, fue de lo más incómodo para mí. Hubo quien me ignoró groseramente mientras otros me ofrecían sus condolencias por una pérdida que no sentía. Mujeres mayores con rostros afligidos y compasivos me habían estrechado con fuerza las manos con la intención de transmitir que comprendían mi dolor, cuando el único dolor que sentía era el de mis dedos y nudillos estrujados.

Cuando bajaron el ataúd a la tierra noté un cambio en el peso corporal de Adam, noté que el hombro le temblaba, se llevó la mano a la cara. Me constaba que quería vivir aquel momento a solas pero no pude evitarlo, le cogí la mano libre. Me miró sorprendido y vi que tenía los ojos completamente secos. Sonreía de oreja a oreja, y con la mano intentaba disimular su sonrisa. Lo miré pasmada, abriendo mucho los ojos a modo de advertencia. La gente lo veía, las cámaras lo apuntaban, pero saberlo solo sirvió para que a mí también me dieran ganas de reír. Reír mientras el ataúd de su padre bajaba a la fosa y le echaban tierra encima sin duda se llevaba la palma en cuanto a inoportunidad, pero eso aún hacía más difícil contener la risa.

—¿A qué venía eso? —pregunté en cuanto la gente comenzó a dispersarse y pudimos abrirnos paso libremente entre los dolientes hasta el coche. No había limusina para la familia; Lavinia y Adam no tenían intención de compartir coche. Abriendo el cortejo fúnebre, Lavinia iba con Maurice y los niños mientras Pat, silencioso como de costumbre, nos llevaba a Adam y a mí en el coche de su padre, que ahora era nominalmente de Adam aunque Lavinia hubiese anunciado su intención de ponerlo en tela de juicio.

—Lo siento, solo ha sido una idea que me ha venido a la cabeza. —Sonrió otra vez, y la risa burbujeaba bajo la superficie—. No voy a fingir que estoy triste, Christine. O sea, me entristece de verdad que mi padre haya fallecido. Es un día triste, un acontecimiento triste, pero no voy a mostrarme alicaído como si mi mundo se hubiese hecho pedazos. Y no pienso disculparme por ello. Lo creas o no, puedes funcionar perfectamente tras la muerte de un ser querido.

Me sorprendió tal demostración de fortaleza.

—Dime, ¿qué has encontrado tan divertido mientras bajaban el cuerpo de tu padre a la tierra para la eternidad?

Se mordió el labio, negó con la cabeza, la sonrisa volvió a asomarle a los labios.

—Intentaba recordarlo. Intentaba recordar algo conmovedor, un momento que hubiésemos compartido. No es moco de pavo ver cómo entierran a tu padre, intentaba sentir la pérdida, honrarlo... Pensaba que tener un recuerdo apropiado era lo que correspondía al momento, algo respetuoso. —Volvió a reír—. Pero solo podía pensar en la última vez que hablé con él. La última vez que lo vi, ya sabes, en el hospital.

—Claro que me acuerdo. Yo estaba allí.

—No, no estabas. Cuando los tipos de seguridad me soltaron y sacaron a todo el mundo de la habitación, él y yo hablamos. Quería dejarle bien claro que no había hecho lo que Nigel había dicho. Para mí era importante que lo supiera.

Asentí. Él sonrió.

—No me creyó. Y dijo... —Se echó a reír otra vez y no pude evitar contagiarme—. Dijo: «No me gusta esa zorra. Nada en absoluto. Ni una pizca.» —Apenas podía articular las palabras de tanto como reía—. Y entonces me fui —graznó, forzándose a pronunciar la última frase.

Dejé de reír porque dejó de hacerme gracia.

—¿A quién se refería?

Consiguió dejar de reír una fracción de segundo para soltar la palabra en cuestión y volvió a ser presa de la histeria.

—A ti.

Tardé un rato en ver el lado divertido y cuanto menos reía yo, más reía él, más histérico se ponía y más contagiosa me resultaba su risa. Pat tuvo que circular por la finca durante diez minutos para que Adam recobrara la compostura antes de unirse a los asistentes al funeral, y para entonces tenía los ojos enrojecidos de reír y parecía que hubiese estado llorando.

—En realidad no entiendo por qué es tan divertido —dije, enjugándome las lágrimas mientras subíamos la escalinata de la mansión.

Se oía el murmullo de corteses y reservadas conversaciones en el interior. Parecía que todo North Tipperary hubiese acudido, y el edecán del *Taoiseach* estaba presente; mi padre había acertado en cuanto a las relaciones de la familia Basil.

Adam se detuvo en la escalera y me miró, fue una mirada peculiar que me hizo encoger la barriga. Parecía que iba a decirme algo pero la puerta se abrió de par en par y Maureen nos recibió con cara de pánico.

—Adam, hay unos *gardaí* en la sala de recibir.

Adam decía que de pequeño la llamaba la sala de las malas noticias, y el nombre se le había quedado. La sala forrada de paneles de madera había sido el salón de la casa original, antes de que el edificio se ampliara tres mil veces en todas las direcciones. Era la sala donde su madre se había enterado de que tenía cáncer, era la sala donde había muerto, y mientras los dolientes se congregaban en el vestíbulo para honrar la muerte de Dick Basil, era la sala donde Maurice Murphy, marido de Lavinia, sería arrestado por los guardias antes de conducirlo al coche patrulla que aguardaba fuera para llevárselo a comisaría a fin de interrogarlo, y sería la sala donde la familia se enteraría de que iban a acusarlo de once cargos de robo y dieciocho de engaño por una suma de quince millones de euros. Los cinco millones restantes no se incluirían en la acusación dado que el señor Basil se había negado a presentar cargos y ahora estaba muerto y enterrado, silenciado para siempre.

22

Cómo resolver disputas sobre herencias y testamentos de ocho maneras sencillas

—No entiendo qué pinta ella aquí —dijo Lavinia, con el cuello alargado y el mentón levantado como si llevara una abrazadera invisible que le impidiera adoptar la postura de un ser humano normal.

Sentada en el sofá, no sabía dónde meterme de la vergüenza. Estaba completamente de acuerdo con Lavinia; yo tampoco acababa de entender qué hacía allí. Me resultaba inapropiado estar presente en un asunto tan privado como la lectura del testamento de Dick Basil, pero Adam había insistido en que debía asistir y lo secundé sin saber demasiado bien por qué. Que yo supiera, le preocupaba sentir un incontrolable impulso de tirarse por la ventana o hacerse un corte con el abrecartas o causar destrozos con el atizador del siglo XVIII que había en la chimenea si no le gustaba lo que oía cuando se leyera el testamento. Todavía no estaba segura de qué era lo que él quería oír; creo que él tampoco estaba muy seguro. Hasta entonces había supuesto que lo peor para Adam sería terminar como director general de Basil's, motivo por el que había intentado encontrar la manera de eximirlo de ese deber. Pero en cuanto Lavinia entró en escena, de pronto declaró que quería el trabajo. Ahora su misión consistía en asegurarse de que su hermana no tuviera nada que ver con la empresa. Era como si en el instante que ella apareció se hubiese dado cuenta de que le importaba. No era solo por el sentido del deber o de estar a la altura de las circunstancias y hacer lo que le correspondía, era algo más profundo que todo eso. Llevaba a Basil's en el corazón. Formaba parte de su propio ser, tanto como los huesos y la carne. Había sido preciso que la perdiera para que se diera cuenta.

—Debería irme —susurré a Adam.

—Te quedas —dijo con firmeza sin molestarse en susurrar. Todas las cabezas se volvieron hacia nosotros.

Todos los presentes estábamos inquietos: Adam y yo en un sofá de cuero marrón, y en el otro Lavinia y Maurice, cuyos abogados lo habían sacado bajo fianza hacía poco más de una hora. Daba la impresión de estar al borde del infarto; tenía los ojos rojos e irritados, el rostro chupado de agotamiento y la piel seca y llena de manchas.

El motivo de tanto nerviosismo era que si bien Adam creía, y le habían dicho, que el empleo sería para él, que ahora era el hijo mayor, Lavinia había regresado y tenía un derecho previo. Además era imposible saber qué había hecho para asegurar su futuro mientras su padre estaba en el lecho de muerte. De modo que Adam quería el trabajo y Lavinia lo quería más que nunca.

Arthur May, el abogado, carraspeó. Septuagenario de largo cabello blanco ondulado, engominado y sujeto tras las orejas, y una barba de mosquetero, había estudiado en el mismo internado que Dick Basil y era uno de los pocos hombres en que aquel confiara. Se hizo un momento de silencio mientras se cercioraba de que todos le estuvieran prestando atención, luego comenzó a leer el testamento con una voz clara, seca y autoritaria que dejaba claro que era un hombre con el que más valía no discutir. Cuando llegó a la parte en que, con arreglo a los deseos de Richard Basil y en cumplimiento de las últimas voluntades y el testamento del difunto Bartholomew Basil, Adam Richard Bartholomew Basil asumía el control de Basil's y se convertía en su director general, Lavinia saltó del sofá y dio un alarido. No dijo nada en concreto, solo fue el gemido de una *banshee*,* como si fuese una mujer acusada de brujería a quien estuvieran quemando en una hoguera.

—¡Imposible! —farfulló, súbitamente coherente—. Arthur, ¿cómo es posible? —Se volvió y señaló a Adam con un dedo acusador—. ¡Lo engañaste! Engañaste a un anciano agonizante.

—No, Lavinia, eso es lo que intentaste hacer tú —dijo Adam con absoluta frialdad. No me lo podía creer; allí estaba él, completamente en paz con la decisión y el papel, cuando solo una semana antes había amenazado con tirarse de un puente.

—¡Esa zorra tuvo algo que ver con esto!

Apuntó su dedo de impecable manicura hacia mí. El corazón me palpitó al verme convertida en el centro de atención en otro lío de familia.

—Déjala al margen, Lavinia. Esto no tiene nada que ver con ella.

—Siempre has sido igual, Adam, un calzonazos con todas las mujeres con las que has estado. Barbara, Maria y ahora esta. ¡Pues bien, he visto cómo habéis organizado vuestro nidito de amor y creo adivinar lo que está ocurriendo! —Me

* Las *banshees*, del gaélico irlandés *bean si* («mujer de los túmulos»), forman parte del folclore irlandés desde el siglo VIII. Son espíritus femeninos que, según la leyenda, se aparecen a una persona para anunciar con sus gemidos la muerte de un pariente cercano. Son consideradas hadas y mensajeras del otro mundo. *(N. del T.)*

miró entornando los ojos y retrocedí—. ¿Qué, no se acostará contigo hasta que os hayáis casado? Quiere tu dinero, Adam. Nuestro dinero, y no lo va a conseguir. No creas que puedes enredarme, zorra.

—¡Lavinia! —explotó Adam con una aterradora voz enojada. Se levantó de un salto como si quisiera arrancarle la cabeza a su hermana para comérsela. Lavinia se calló de inmediato—. La razón por la que nuestro padre me dejó la empresa a mí es que tú le robaste cinco millones. ¿Recuerdas?

—¡No seas tan pueril! —Al decirlo se volvió hacia otro lado de forma harto elocuente—. Nos lo dio para invertirlo.

—Vaya, ahora hablas en plural, ¿eh? Lástima que Maurice tenga que afrontar las consecuencias él solo, ¿verdad, Maurice?

Si antes Maurice ya presentaba el aspecto de un hombre acabado, ahora parecía estar al borde de la desintegración.

—Tienes razón, Lavinia —prosiguió Adam—, padre os dio el dinero para que lo invirtierais en vuestra mansión de Niza, en la ampliación de vuestra casa, en todas esas elegantes veladas que ofreciste para que tu cara saliera en las revistas y recolectar dinero para obras benéficas que estoy empezando a preguntarme si existían.

—No fue así —dijo Maurice en voz baja, negando con la cabeza y mirando al suelo como si leyera las palabras en la alfombra—. No fue así en absoluto.

Probablemente había repetido la misma frase insistentemente desde que la policía se lo había llevado para interrogarlo. Levantó los ojos hacia el abogado, con la voz todavía apagada por la preocupación.

—¿Qué pasa con los niños, Arthur? ¿Los incluyó?

Arthur carraspeó, se puso las gafas, contento de retomar el asunto que nos ocupaba.

—Portia y Finn recibirán su herencia de doscientos cincuenta mil cada uno cuando cumplan dieciocho años.

Lavinia aguzó el oído.

—¿Y qué pasa conmigo? ¿Su hija?

Había perdido el gran premio de dirigir la empresa pero, ¿qué había detrás de la puerta número dos? ¿Quizá todavía se podría salvar?

—Te dejó la casa de vacaciones de Kerry —contestó Arthur.

Incluso Adam se quedó atónito. A juzgar por la expresión de su rostro se debatía entre encontrarlo divertido y sentirse culpable por su hermana, que quería y quería tanto que había conjurado sus propios temores para acabar perdiéndolo todo.

—¡Esa casa es horrenda! —gritó Lavinia—. Ni las ratas veranean allí, y menos aún viven en ese lugar de mala muerte.

Arthur la miró como si estuviera de vuelta de todo y le aburriera el histrionismo.

—¿Y qué ocurre con esta casa? —preguntó Lavinia.

—Ha sido legada a Adam —contestó Arthur.

—¡Esto es un escándalo! —espetó Lavinia—. El testamento del abuelo está perfectamente claro: en el supuesto de la muerte de papá, la empresa pasa a ser mía.

—Si me permites explicarlo... —Arthur May se quitó las gafas lentamente—. Tu abuelo estipuló que a la muerte de tu padre la empresa debería pasar al mayor de los hermanos, que en efecto eres tú, Lavinia. Pero había una cláusula, de la que quizá no tengas conocimiento, que establecía que si el hijo mayor fuese condenado por un delito grave o un crimen, o se declarase en bancarrota, la empresa pasara al siguiente en la línea de sucesión.

Lavinia se quedó boquiabierta.

—Y tengo entendido —prosiguió Arthur, dedicándole una

prolongada mirada con sus vivarachos ojos azules, cosa que me hizo pensar que estaba disfrutando de lo lindo— que, dejando a un lado los recientes cargos criminales y las demás acciones que haya pendientes, hace poco te has declarado en bancarrota.

—¡Jesús, Lavinia! —Maurice se puso de pie de un salto, súbitamente animado—. Dijiste que todo iría bien. Dijiste que tenías un plan. Que daría resultado. Yo no veo el maldito resultado, ¿tú, sí?

La reacción de Lavinia hizo patente que aquella conducta de su marido era poco frecuente.

—Vale, cariño —dijo con una mesurada y serena voz—. Lo entiendo. Yo también estoy sorprendida. Papá me dio su palabra, pero ahora creo que me tendió una trampa. Me dijo que regresara. Vayamos a otra parte a hablar de esto. Hay gente que puede oírnos.

—Me he pasado el día entero, ¡el día entero!, siendo acosado e interrogado una y otra vez...

—Ya vale, mi vida —interrumpió nerviosa Lavinia.

—¿Sabes cuánto me han dicho que me puede caer?

—Solo intentan asustarte...

—Diez años. —La voz le temblaba—. La sentencia habitual es de diez años. ¡Diez años! —le gritó en la cara, como si dudara de que su esposa hubiese captado la enormidad de lo que le estaba diciendo.

—Ya lo sé, querido.

—Por un delito en el que no estaba solo...

—De acuerdo, cariño, de acuerdo. —Sonrió nerviosa, alcanzándole el brazo con la intención de llevárselo de la habitación—. Está claro que papá ha intentado ser el último en reír. —La voz también le temblaba para entonces—. Pero no pasa nada, yo también tengo sentido del humor y seré la última que se ría. Impugnaré este testamento —dijo, recobrada ya por completo la compostura.

—Llevas todas las de perder, Lavinia —manifestó Adam—. Date por vencida.

Apenas reconocía al hombre que había visto temblando en el puente, el hombre que había callado en presencia de su padre, que se había escondido en su caparazón en cuanto habíamos cruzado la verja de su casa. Lavinia tampoco, evidentemente, porque lo miraba como si estuviera poseído. Pero eso no le impidió asestar su golpe de gracia, una última injuria:

—No tienes ni repajolera idea de dirigir negocios. Pilotas helicópteros, por el amor de Dios. Eres completamente inepto y emocionalmente incapaz de lidiar con la presión que conlleva dirigir un negocio. Llevarás esta empresa a la ruina, Adam.

Intentó sostenerle la mirada, pero no dio resultado. Al final salió hecha una furia de la habitación con Maurice a remolque, arrastrando los pies detrás de ella como una sombra.

—Lamento todo esto, Arthur —dijo Adam.

—No te preocupes, colega. —Arthur se puso de pie y comenzó a meter los papeles en su maletín—. He disfrutado bastante —admitió, con un pícaro brillo en los ojos.

El teléfono de Adam sonó. Adoptó una expresión preocupada cuando miró la pantalla, se disculpó y fue a la otra punta de la sala para contestar.

Arthur se inclinó hacia mí y dijo en voz baja:

—No sé qué está haciendo con este hombre, pero siga haciéndolo; no había visto a Lavinia encajar una perorata como la de hoy en mucho tiempo y no recuerdo que este muchacho alguna vez se haya mostrado tan seguro de sí mismo. Le sienta muy bien.

Sonreí, sintiéndome orgullosa de Adam y de lo lejos que

había llegado en poco menos de dos semanas. Pero al mismo tiempo tenía un largo camino delante de él, y no pensaba en Basil's y las presiones que acarrearía consigo. Los problemas que Adam tenía no eran de los que desaparecían de la noche a la mañana, ni siquiera en un par de semanas. Solo me cabía esperar que ahora estuviera mejor situado, con las herramientas necesarias para defenderse. De lo contrario, había fracasado.

—Arthur, creo que vas a estar ocupado una temporada —dijo Adam, tras colgar el teléfono—. Era Nigel. Parece ser que Lavinia ya había llegado a un acuerdo con él para fusionar Bartholomew y Basil y vender el paquete al señor Moo.

—¿La empresa de helados? —preguntó Arthur, estupefacto.

Adam asintió.

—Estaban trabajando en la letra pequeña y tenían previsto anunciarlo en cuanto Lavinia tuviera el control.

Arthur se quedó pensativo durante un instante y acto seguido rio.

—Tu padre desde luego se la jugó bien jugada. Y además lo hizo con gran deleite. —Se puso serio—. Lavinia actuó sin ninguna clase de autoridad, no ocupa ningún puesto en Basil's, no se sostendrá... a no ser, claro, que tú quieras.

Adam negó con la cabeza.

Arthur sonrió.

—Nigel se va a enojar de lo lindo.

—Estoy acostumbrado a los Basil enojados.

—Probablemente te traiga sin cuidado, Adam, pero tu padre estaría orgulloso de ti. Él no te lo diría, por supuesto, antes preferiría morir, cosa que ha hecho. Pero acepta mi palabra, muchacho, estaría orgulloso de ti. Me dijo que no querías la empresa pero... —Levantó la mano para impedir que Adam le diera explicaciones—. Debes saber que él y yo trabajamos duro estos últimos meses, redactando este testamento. Sin lugar a ninguna duda, era a ti a quien quería al timón.

Adam asintió en señal de gratitud.

—Lo echarás de menos, Arthur. ¿Amigos cuántos años?

—Sesenta y cinco. —Arthur sonrió con tristeza y luego rio—. ¡Bah! ¿A quién pretendo engañar? Seré el único que extrañe al viejo cabrón.

Miré a Adam, que tenía las manos en los bolsillos de su elegante traje, de pie junto a la antigua chimenea de la mansión, un retrato de su abuelo sobre la repisa, el parecido asombroso. Estaba para comérselo. Nuestras miradas se encontraron y el corazón me comenzó a palpitar. Se me hizo un nudo en el estómago y esperé que no percibiera cómo me sentía.

—Me has preguntado qué solía hacer aquí de niño cuando estaba solo.

Asentí, contenta de que hubiese hablado él primero, pues dudaba de que yo fuera capaz de hablar.

—Es mediodía. —Miró el reloj—. Tenemos otras cuatro horas de luz y luego podemos regresar a Dublín. ¿Te parece bien?

Asentí. Cuanto más tiempo lo tuviera para mí, mejor.

En cuatro horas me hice una idea de cómo había sido la vida de Adam en Avalon Manor. Salimos al lago casi congelado en bote, tomamos un *picnic* que Maureen nos había preparado; emparedados de pepino y zumo de naranja recién hecho, que era lo que él solía tomar de pequeño. Luego montamos en un cochecito de golf y me paseó por las cien hectáreas de la finca. Hicimos tiro al plato, probamos el tiro al arco, me mostró dónde iba a pescar... pero el rato más largo lo pasamos en el cobertizo de los botes, envueltos en mantas, bebiendo whisky de una petaca, contemplando la puesta del sol sobre el lago.

Suspiró; fue un suspiro profundo y cansado.

Lo miré.

—¿Seré capaz de hacerlo?

Mi mente repasó una selección de palabras y frases de mis libros de pensamiento positivo, pero al final me paré, conformándome con un simple:

—Sí.

—Todo es posible contigo, ¿verdad?

—Casi todo es posible. —Y agregué, más para mí misma—. Pero no todo.

—¿Como qué?

«Como lo nuestro.»

23

Cómo prepararte para un adiós

A última hora de la tarde comenzó a envolvernos el ocaso y tras unas pocas horas sintiéndonos como si estuviéramos solos en el mundo, volví a la tierra de repente. Había llegado el momento de regresar a Dublín. Pat nos llevó y viajamos en un confortable silencio. De vez en cuando intentábamos charlar, pero cada vez que volvíamos a callarnos se me hacía un nudo en el estómago. Cuanto más nos acercábamos a Dublín, menos faltaba para su cumpleaños, y pronto llegaría el momento de decirnos adiós. Dos intensas semanas habían transcurrido sin que nos diéramos ni cuenta. Las dos semanas más intensas de mi vida, en realidad, terminadas de repente. Por supuesto era posible que pudiéramos volver a vernos, pero nunca sería lo mismo, nunca sería tan íntimo, tan intenso. Y tendría que haber estado contenta. Debería estar celebrándolo: cuando lo conocí, Adam quería poner fin a su vida, y ahora en cambio parecía estar en el buen camino para labrarse un futuro. Si él en verdad me importaba, lo último que debería desear era que no me necesitara como me había necesitado al principio.

Pat salió de la autopista en dirección al centro de la ciudad.

—¿Adónde vamos? —pregunté, incorporándome.

—He reservado una habitación en el Morrison Hotel —explicó Adam—. Está más cerca del ayuntamiento. He pensado que sería más cómodo.

Noté una presión en el pecho y un ligero pánico. Nos estábamos separando, cada uno se iría por su lado. Respiraciones profundas. Respiraciones profundas. Dentro, fuera. Tal vez fuese a mí, y no a él, a quien angustiaba la separación.

—Pero nuestro pacto todavía no ha terminado. Nos queda un día. Adam, si crees que vas a librarte de mí antes de haber concluido, te equivocas. Dormiré en tu sofá.

Sonrió.

—Estoy bien.

Parecía estar bien.

—Bueno, quizás estés bien ahora mismo, en este momento, pero ambos sabemos lo deprisa que eso puede cambiar. Además, te queda mucho trabajo que hacer contigo mismo. Esto es solo el principio, ¿sabes? Y de verdad que tendrías que aceptar ir a ver a un terapeuta.

—Lo acepto —dijo simplemente. Parecía divertido.

—No tiene gracia, Adam. Que Maria vaya a la fiesta no significa que sea algo seguro, todavía no. Insisto en quedarme contigo hasta que venza nuestro acuerdo.

—He pedido habitaciones comunicadas. —Sonrió—. Y gracias por el recordatorio.

Hice una pausa, avergonzada.

—Oh. No intentaba asustarte, solo quería, ya sabes, prepararte para lo que pueda suceder.

Y una vez más me di cuenta de que era yo quien tenía que prepararse.

Cuando llegamos al Morrison Hotel nos acompañaron de inmediato en ascensor hasta el ático, donde Adam había reservado una suite con dos dormitorios.

—La vista que solicitó, señor —dijo el botones con orgullo.

Me acerqué a los ventanales que iban del suelo al techo y me asomé. Nuestra habitación daba al río Liffey y justo debajo de nuestra ventana estaba el Ha'penny Bridge, resplandeciendo magníficamente iluminado en aquel oscuro atardecer, con focos verdes apuntando al cielo y sus tres farolas decorativas brillando sobre el agua. Miré a Adam, sonaron timbres de alarma en mi cabeza y procuré no reaccionar.

—¿Contenta? —preguntó Adam.

—Nuestras habitaciones no están conectadas —dije descaradamente.

—No —se rio—. Al parecer están separadas por un comedor, una cocina y una sala de estar. —Me miró, divertido—. Pensé que te gustaría.

Era la habitación más lujosa en la que había estado jamás, y solo había estado en dos habitaciones verdaderamente lujosas, ambas cortesía de Adam.

—Es asombroso —respondí asintiendo. «Y no solo por la vista panorámica.»

Era tarde cuando llegamos al hotel, y a los dos nos apeteció pedir una cena ligera al servicio de habitaciones y ver la televisión en la enorme pantalla de plasma, sentados en el enorme sofá. Sentada con Adam sin hacer nada estaba más cómoda de cuanto lo había estado alguna vez con Barry. Estábamos a gusto. La guinda era que yo deseaba mucho, pero mucho, mucho, acostarme con Adam. Pocas veces había tenido tantas ganas de hacerlo con Barry. Al principio su incertidumbre me parecía tierna pero luego, a medida que fue pasando el tiempo, comenzó a frustrarme; deseaba unas manos firmes, varoniles en mi cuerpo y me irritaba lo insatisfecha que me sentía después, mientras él jadeaba a mi lado, sin aliento, cuando yo ni siquiera había comenzado. Por supuesto que al principio las cosas habían sido diferentes, pero no tardamos en acomodarnos a esa rutina. Y ni siquiera llevábamos casados un año. No podía imaginar cómo habría sido al cabo de treinta.

Mientras que con Adam... Estar con Adam me hacía sentir viva. Adam me embriagaba con efectos vertiginosos. Pese a que el sofá era enorme, nos sentamos juntos en medio. Yo era como una colegiala chiflada por él. Me quedaba paralizada y alelada. ¡Estaba pegado a mí! Cuando nuestros codos se rozaban, me encendía toda. No podía concentrarme en la película. Estaba demasiado contenta, demasiado exaltada, demasiado enardecida en ese momento para poder concentrarme. También era demasiado consciente de su proximidad, sus pies descalzos sobre la banqueta que compartíamos, su cuerpo musculoso en pantalones de chándal y camiseta, recostado a mi lado, relajado y, oh, tan sexy al mismo tiempo.

Tenía miedo de apartar los ojos del televisor, miedo de mirarlo por si resultaba obvio, por si se notaba, por si se daba cuenta de que la mujer que confiaba que lo ayudaría a salir de las profundidades de su desesperación estaba soñando en secreto en bajarle los pantalones y tomarlo allí mismo, en el sofá. Lo miré con el rabillo del ojo: miraba el televisor, totalmente absorto, llevando la mano mecánicamente del cuenco de palomitas a la boca. Miré un momento, vi las palomitas caer entre sus labios carnosos. Tragué saliva. Tomé otro sorbo de mi copa.

—Voy a darme una ducha —dijo de pronto, dejando el cuenco en la banqueta, y se fue a su habitación. El enorme sofá lo pareció todavía más cuando me quedé sentada sola, y me sentí como una idiota. Me agarré la cabeza con las manos, golpeé la frente repetidamente contra las rodillas dobladas e intenté recordarme que el hombre que me obsesionaba había jurado matarse si no recuperaba a su novia para su cumpleaños. Su novia. Su cumpleaños era al día siguiente. Lo último en que estaría pensando sería en acostarse conmigo.

Era preciso que volviera a meterme en mi papel. Había perdido el norte por completo. Dejé la copa de champán en la mesa, sintiendo un apuro repentino, como si fuera la única chica de la fiesta porque la fiesta había terminado y no me había dado cuenta hasta entonces. Me incorporé, las mejillas me ardían de vergüenza por lo que había estado pensando, por lo egoísta que había sido, por no hablar del peligro que habría supuesto habida cuenta del estado anímico de Adam.

Caminando de puntillas, fui hasta su dormitorio y arrimé la oreja a la puerta. Esperaba oír los habituales sollozos pero lo único que oí fue el agua cayendo desacompasadamente, salpicando en distintas direcciones al son de los movimientos de su cuerpo debajo del chorro. Nada de lágrimas. Sonreí. Estaba preparado. Solo faltaba que Maria no lo echara todo a perder. Crucé la lujosa y mullida alfombra hasta mi dormitorio, me desvestí para acostarme y marqué el número de Amelia. Había estado tan abrumada por mi propia vida en los últimos días que ni siquiera se me había ocurrido llamarla para preguntarle cómo le iba. El teléfono sonó y sonó y finalmente contestó una jadeante Amelia.

—¿Qué estás haciendo, un maratón? —bromeé con voz cansina, tratando de levantarnos el ánimo a las dos.

—No, perdona, estaba... Mmm... —Se rio con disimulo—. Lo siento. ¿Estás bien? Quiero decir, ¿cómo estás?

Fruncí el ceño, escuché detenidamente los ruidos de fondo.

—¿Hola? —preguntó otra vez.

—¿Con quién estás?

—¿Yo?

—Sí, tú —sonreí.

—Pues... Con Bobby. Ya sabes. Me está ayudando con eh... la investigación.

Oí una risotada.

—¿Estáis en Kenmare?

—No. Hemos abandonado esa idea por el momento, digamos que nos desvió otro asunto aquí en Dublín, ya ves. —Volvió a reír—. Christine, la verdad es que ahora mismo no puedo hablar.

Me reí.

—Sí, ya me doy cuenta. Solo quería saber si estabas bien.

Entonces la voz de Amelia devino más clara.

—¿Sabes qué?, lo raro es que lo estoy. Que lo estoy de verdad.

—Me alegro.

—¿Y tú qué me cuentas? Sé que mañana es... la fiesta de cumpleaños. ¿Cómo está Adam? ¿Qué tal va todo?

—Bien, sí, muy bien —contesté, y oí el temblor de mi voz—. Ya hablaremos mañana. Te dejo seguir con lo que estuvieras haciendo.

Colgué y me agarré la cabeza con las manos. Cuando levanté la vista vi que Adam estaba en la puerta, la puerta que siempre dejaba entornada para oír cualquier ruido que él hiciera durante la noche. Estaba chorreando, con la toalla atada a la cintura. El agua le goteaba de la nariz y el mentón como si literalmente hubiese salido corriendo de la ducha sin secarse. Se secó la cabeza sin prestar atención, se echó el pelo para atrás, lo alisó con las dos manos. Al hacerlo, aún se perfiló más su musculatura. Le clavé los ojos descaradamente, pues pensé que su aparición repentina en mi puerta medio desnudo me daba licencia.

Intenté pensar qué decir. ¿Estás bien? O: ¿Puedo ayudarte? No, sonaba demasiado a dependiente de tienda. De modo que me quedé callada, de pie en ropa interior, mirándolo y siendo mirada. Entonces, de repente, muy de repente, por primera vez en dos semanas cruzó el umbral, pasando de su mundo a mi mundo, y de pronto estuvo en mi habitación viniendo hacia mí, y mi rostro estaba entre sus manos, y me miraba, y el agua de la ducha le goteaba del pelo y me mojaba la piel, sus labios estuvieron sobre los míos y me sostuvo así, un instante bellísimo y prolongado, un suave roce de sus labios contra los míos durante una eternidad. Me entró miedo de que fuera a apartarse, de que decidiera que aquello era una equivocación, pero en cambio me separó los labios con su labio inferior y me metió la lengua en la boca. Cuando por fin tuve claro que no se iba a arrepentir, levanté las manos hacia su torso y me arrimé a él. Estaba mareada, todo daba vueltas dentro de mí como un mensajero alarmado que tratara de difundir la noticia. Me derretí literalmente y al mismo tiempo cobré vida, una sensación de lo más extraña. Lo conduje a la cama y al tendernos puso fin a su beso y abrió los ojos. Me sonrió, correspondí a su sonrisa y proseguimos.

Proseguimos dos veces más.

Mientras Adam dormía debajo de mí con sus brazos en torno a mi cuerpo, y mi cabeza subiendo y bajando sobre su pecho, me sentía satisfecha y adormilada. Había algo en sus latidos, en su respiración, en el hecho de que estuviera vivo, que me había ayudado a relajarme casi todas las noches que habíamos compartido habitación. Era un remedio que mi libro *Cómo acallar tu mente y conciliar el sueño* no mencionaba: enamórate de un hombre guapo y escucha los latidos de su corazón. Me ayudó a relajarme y me quedé frita.

Cuando cerré los ojos me vi en el bloque de apartamentos con el detective Maguire, solo que esta vez el bloque de apartamentos era un deteriorado Avalon Manor, en Tipperary. Había cinta amarilla de la policía en torno al edificio y Simon estaba en el tejado. El detective Maguire había pedido una escalera de mano para que subiera y yo protestaba diciendo que no podía subir porque llevaba un vestido y hacía viento. No obstante, al final trepaba por la escalera, el viento me levantaba las faldas hasta la cintura y todos los que estaban debajo de mí se echaban a reír. Había olvidado ponerme ropa interior porque acababa de acostarme con Adam, cosa que no dudé en decirles. Maria estaba presente y todos estuvieron de acuerdo en que deberían arrestarme por haber hecho un comentario tan fuera de lugar. Todo el mundo estuvo de acuerdo, incluso Leo Arnold, que estaba al lado de Maria. El detective Maguire les dijo que me arrestaría, pero que antes debía salvar a Simon. A gritos para que lo oyera desde lo alto de la escalera, se puso a negociar un acuerdo conmigo: si salvaba a Simon, no me arrestaría. Pero no paraba de reír mientras hablaba, mofándose de mí. Sin embargo, acepté y cerramos el trato. Trepé y trepé escalera arriba sin llegar a parte alguna, todo el mundo seguía riendo debajo de mí dado que mi falda seguía hinchándose para que todos me vieran. De pronto la escalera comenzó a inclinarse hacia atrás, separándose de la casa. Levanté la vista y vi a Simon en el borde del tejado; estaba llorando, mirándome exactamente con la misma mirada que había visto en su rostro aquella noche. Podía ver la culpa que traslucía su expresión, ver que si no llegaba hasta él, moriría. Maguire, Maria y Leo se desternillaban de risa. La escalera estaba en el limbo, sosteniéndose en precario equilibrio, acercándose a Simon para luego cambiar de opinión y volver a alejarse, y nada podía hacer yo para detenerla.

Entonces apareció Adam, muerto de vergüenza por mí y mi evidente fracaso, deseando no haberme conocido. Se lo estaba diciendo a todo el mundo, y fue lo último que oí antes de que la escalera se inclinara completamente hacia atrás y yo cayera en picado al suelo.

Me desperté dando un respingo. Miré el reloj y vi que solo había dormido veinte minutos.

—¿Estás bien? —gruñó Adam.

—Mmm.

Sus brazos me estrechaban el cuerpo, su pecho subía y bajaba, y volví a dormirme. Estaba de nuevo en el bloque de apartamentos, el verdadero esta vez, solo que estaba completamente amueblado y con personas viviendo en él, y en cada apartamento se oían los múltiples sonidos de la vida, tal como debía ser. Simon estaba delante de mí con un plátano en la mano, que había cogido de un frutero que había sobre la encimera de la cocina. Me estaba diciendo que era una pistola.

Comencé a hablar, pero hablaba demasiado deprisa y mis palabras se embarullaban y no tenían sentido. Aun así, Simon me entendió. Cuando terminé mi disparatada charla, dejó la pistola sobre el mostrador. Suspiré aliviada. Miré en derredor en busca del detective Maguire, pero allí no había nadie, de modo que aguardé a que los *gardaí* me relevaran; ¡había cumplido con mi cometido, había terminado, lo había convencido! Pero nadie vino. ¿Dónde estaban todos? Sentía un gran alivio y también inquietud, el corazón me palpitaba en el pecho. Simon se veía perdido, agotado después de aquel trance. Me constaba que debía decir algo, llenar el silencio.

—Ahora puedes irte a casa, Simon, a casa con tus hijas.

Supe que la había pifiado en cuanto lo dije. Simon me había estado diciendo todo el rato que aquel apartamento era su hogar, que habían intentado echarlo de su hogar, y lo único que quería era regresar con su familia al hogar para el que había ahorrado, el hogar que había comprado con su esposa, el hogar donde tenía planeado vivir con sus hijas; su primer hogar familiar. La habitación se vació de repente, se volvió gris e invivible, y caí en la cuenta de que estábamos en casa de Simon. Había dicho lo peor que cabía decir. Me miró, y supe al instante que había cometido un craso error.

Cogió el plátano, que se había convertido en una pistola.

—Esta es mi casa.

Apretó el gatillo.

Me desperté, sus palabras resonaban en mis oídos. El corazón se me iba a salir del pecho, Adam ya no estaba debajo de mí, estaba a mi lado en la cama, el reloj señalaba las cuatro de la madrugada. Me senté, acalorada y pegajosa por la pesadilla, el pánico y el pavor se revolvían dentro de mí por el recuerdo de lo que había ocurrido. Alcancé el bloc de notas de la mesilla de noche y escribí: «He tenido que salir. Ya te contaré. Hasta luego.»

Cavilé sobre si firmar con una X* y opté por no hacerlo. No quería transmitir la impresión de estar demasiado encariñada, de ser demasiado presuntuosa. Para entonces ya había perdido bastante tiempo y no disponía de tiempo para cavilar más. Con un poco de suerte, estaría de vuelta antes de que se despertara. Me levanté de la cama, me vestí de cualquier manera y enseguida estuve en recepción aguardando un taxi. Veinte minutos después entraba en el hospital.

Irrumpí en la sala y, al ver mi expresión, el agente de segu-

---

* En inglés, la X al final de un mensaje representa un beso. *(N. del T.)*

ridad entendió que debía permitirme entrar. Afortunadamente, Angela estaba de turno.

—¿Qué ocurre, Christine?

—Fue culpa mía —dije, conteniendo las lágrimas.

—No es culpa tuya, ya te lo he dicho.

—Tengo que decírselo. Acabo de recordarlo todo. Tengo que pedirle perdón.

Intenté apartar a Angela pero me retuvo.

—No vas a ir a ninguna parte hasta que te calmes, ¿me oyes?

Su voz era firme. Una enfermera se asomó al pasillo para comprobar que todo estuviera en orden y, puesto que no quería armar un escándalo, me obligué a serenarme de inmediato.

Me senté junto a la cama de Simon, inquieta. Lo habían desconectado de la máquina durante mi estancia en Tipperary, pero seguía en cuidados intensivos. Respiraba sin ayuda aunque todavía no había abierto los ojos ni recobrado por completo la conciencia. Los dedos me temblaban mientras las palabras que había pronunciado la noche del disparo —que había olvidado, borrándolas de mi mente— reverberaban en torno a mi cabeza, burlándose de mí, culpándome, señalándome acusadoras.

—Simon, he venido a disculparme. He recordado lo que te dije. Probablemente lo habrás recordado en todo momento y habrás tenido ganas de echármelo en cara a gritos, pero ahora ya lo sé —me sorbí la nariz—. Habías soltado la pistola. Permitiste que llamara a los guardias. Se te veía distinto, aliviado, y yo también estaba muy aliviada, muy contenta de haber impedido que te pegaras un tiro, pero no sabía qué hacer. Seguramente no fueron más de cinco segundos, pero la espera se eternizaba. Tenía miedo de que volvieras a coger la pistola.

—Cerré los ojos con fuerza, las lágrimas me resbalaban por las mejillas y me situé de nuevo en la habitación donde habíamos estado hacía poco más de un mes—. «Bien hecho, Simon —repetí—. Los guardias están en camino. Van a llevarte a casa, junto a tu esposa y tus hijas.» Y de pronto cambiaste de expresión. Fue por lo que dije, ¿verdad? Casa. Dije ir a casa, pero tú te habías pasado todo el rato diciéndome que aquella era tu casa, la que te habían obligado a abandonar. Te escuché de veras, Simon, te entendí completamente... y al final patiné. Cometí un error y lo lamento.

Tuve ganas de cogerle la mano pero algo me dijo que el contacto físico sería una intromisión. No era un amigo, no era un familiar, yo era la mujer que no había logrado salvarlo de sí mismo.

—Estaría mal por mi parte, sería egoísta insinuar que había un motivo para que hicieras lo que hiciste, que algo bueno pudiera haber salido de lo que has hecho, pero cuando te perdí me angustió tanto pensar que podría cometer la misma equivocación otra vez que me pasé de rosca, me he estado pasando de rosca un montón en mi empeño por salvarle la vida a otro hombre. Y si no hubiera fallado contigo quizá no habría tenido éxito con él.

Pensé en Adam y en la noche que acabábamos de pasar juntos. Se me escapó una sonrisa.

Me quedé haciéndole compañía en silencio un buen rato. De repente sonó un pitido en una máquina que había junto a la cama. De entrada me paralicé, pero acto seguido me levanté de un salto. Al mismo tiempo Angela entró corriendo en la habitación y se puso en acción.

—Solo le he estado hablando —dije, presa del pánico—. ¿Qué he hecho?

—No has hecho nada malo —contestó enseguida. Corrió a la puerta, disparó una lista de órdenes a otra enfermera de turno y luego me miró—. No has hecho nada. Deja de culparte. Me alegra que estuvieras con él. Ahora vete.

Un frenesí de actividad invadió la habitación y me marché.

Aquella noche el médico dictaminó el fallecimiento de Simon Conway.

24

Cómo regodearte en tu desesperación de una manera fácil

Llegué de nuevo a la suite del Morrison Hotel a las cinco y media de la mañana, completamente exhausta. Deseaba volver a meterme en la cama al lado del cuerpo fuerte y cálido de Adam, sentirme segura, hacer que me recargara de amor y alegría, de fe y bondad. Eso era lo que esperaba hacer, pero cuando entré en la suite ya se había levantado.

Su mera visión me hizo sonreír y me levantó el ánimo, viéndolo como la mejor medicina que pudiera tomar, pero cuando vi la expresión de su rostro al adentrarme en la sala mi sonrisa se desvaneció. Sonaron timbres de alarma. Reconocía el arrepentimiento en cuanto lo veía, lo había estado viendo en el espejo cada día desde que me casara con Barry. Me preparé, hice de tripas corazón, levanté mi muralla para repeler el ataque. Las defensas de la reina del hielo se activaron.

—Has estado llorando —dijo Adam.

Miré mi reflejo en el espejo del vestíbulo y me vi hecha un desastre. La ropa que me había puesto no hacía juego, no me había cepillado el pelo, no iba maquillada, tenía la nariz roja, la piel llena de manchas. No presentaba precisamente el aspecto ideal para conquistarlo. Estaba a punto de hablarle de Simon Conway cuando todo comenzó.

Comenzó con una mirada y supe, lo supe antes de que dijera palabra, sintiéndome en el acto como una asquerosa que se había aprovechado de un hombre enfermo, y deseé que el momento terminara cuanto antes para poder recoger mis cosas y emprender el camino de la vergüenza de regreso a Clontarf. ¿No había aprendido nada de la experiencia Simon Conway? ¿Qué le había hecho a Adam? Estaba hecho un lío; ¿había deshecho todo el buen trabajo que él había hecho consigo, confundiéndolo y disgustándolo, desorientándolo lo suficiente para enviarlo derecho al puente que había debajo de nuestra ventana? ¿Cómo iba a abandonarlo ahora? ¿En semejante estado? ¿Aunque me pidiera que me fuera?

—No es... No tendríamos que... No tendría que haber —intentó comenzar—. Asumo toda la responsabilidad —dijo finalmente—. Lo siento, Christine. No tendría que... haber ido a verte anoche.

—No, soy yo quien tendría que haber sido más consciente. —Tragué saliva, tenía la voz ronca, sonaba como si tuviera que recorrer una larga distancia—. Tienes a Maria, la gran fiesta, el gran día y estupendas noticias que comunicar acerca de tu trabajo, así que no te preocupes. —Le ayudé a decir lo que no se atrevía a decir—. Olvidemos lo ocurrido. Y, por favor —me llevé una mano al pecho y se me quebró la voz—, perdóname. Me disculpo desde el fondo del corazón por haber sido tan...

¿Perjudicial? ¿Necesitada? ¿Satisfaciendo egoístamente mis necesidades cuando tendría que estar pensando en las suyas? ¿Por dónde comenzar?

Adam me miró apenado.

—Estuvo mal. —Procuré mantener la barbilla alta, pero ¿cómo lograrlo? Estaba muy incómoda—. Lo siento —susurré, dirigiéndome deprisa hacia mi dormitorio—. No quiero irme por si...

—Estoy bien —me interrumpió. Estaba derrengado, hastiado, pero le creí. Mi presencia allí de nada le serviría. Tendría que arriesgarme a dejarlo solo.

»¿Te veré luego? —preguntó—. ¿En la fiesta?

Me quedé helada.

—¿Todavía quieres que vaya?

—Por supuesto.

—Adam, no tienes por qué...

—Quiero que asistas —dijo con firmeza, y asentí, confiando en que ahora Maria completara el cuadro de modo que dejara de necesitar mi presencia como creía necesitarla.

Conseguí aguantar hasta que llegué a mi apartamento para romper a llorar.

Me escondí en la cama de mi apartamento, ignoré el teléfono, la puerta y el mundo mientras me tapaba la cabeza con el edredón y deseaba poder rebobinar todo lo ocurrido. Pero el problema residía en que ni siquiera podía desear eso de veras porque la noche anterior había sido demasiado buena, algo increíble, algo que nunca había experimentado hasta entonces, algo más que simple buen sexo. Adam había sido tierno y cariñoso, pero yo había percibido una conexión, se había mostrado tan confiado y seguro como si supiera qué era lo correcto. No hubo titubeos, nada de besos ni caricias indecisos. Y si en algún momento sentí un leve aleteo de duda, una mirada a sus ojos o un beso me bastaban para saber que era lo correcto y lo más normal del mundo. No había sido como uno de los ligues de una noche que había tenido. Hubo ternura, hicimos el amor como si nuestra historia hubiera hecho que realmente significara algo y estuviéramos haciendo promesas silenciosas para el futuro. O de lo contrario

Adam era así de bueno en la cama y yo una ingenua de remate.

Había estado ignorando el teléfono y la puerta, pero tampoco era que alguien se hubiera molestado en llamar. Lo sabía porque lo había comprobado. Tenía el teléfono conmigo debajo del edredón y pese a estar ignorándolo adrede no podía dejar de comprobar a quién estaba ignorando. A nadie. Pero era sábado por la mañana y la mayor parte de la gente estaba disfrutando de la vida en familia y no se molestaba en enviar mensajes de texto. Ni siquiera Adam. Era la primera vez en dos semanas que no estaba con él y lo extrañaba espantosamente, como si hubiera un agujero en mi vida.

Sonó el timbre de la puerta.

Me animó pensar que Adam estuviera en mi puerta con el corazón en la mano o, mejor aún, con el corazón sobre una hoja de nenúfar, ofreciéndomelo. Pero en el fondo sabía que no encontraría a Adam al otro lado de la puerta.

El timbre sonó otra vez, cosa que, pensándolo bien, era inusual. Nadie sabía que vivía allí, aparte de mi familia y algunos amigos íntimos. Casi todos mis amigos andaban atareados con sus nuevas familias o dormían la resaca de la víspera. A no ser que se tratara de Amelia. Me constaba que había percibido mi tristeza cuando la noche anterior habíamos hablado por teléfono y no me hubiese sorprendido que estuviera allí con dos cafés en la mano y una bolsa llena de magdalenas, dispuesta a levantarme la moral. Lo había hecho en otras ocasiones. El timbre sonaba una y otra vez y, dejándome ganar por la idea del café y la compasión, me destapé, sin preocuparme en absoluto por mi aspecto, y me arrastré hasta la puerta. Abrí la puerta, esperando ver el hombro sobre el que llorar, pero en cambio me encontré frente a Barry.

Pareció más sorprendido de verme a mí que yo a él, pese a que había llamado cuatro veces al timbre.

—Pensaba que no estarías —dijo, mirándome de arriba abajo.

—¿Pues por qué no has parado de llamar al timbre?

—No lo sé. He venido hasta aquí. —Se encogió de hombros. Me miró de arriba abajo otra vez, a todas luces nada impresionado por mi aspecto—. Estás fatal.

—Es porque me siento fatal.

—Bueno, es lo que suele pasar —dijo puerilmente.

Puse los ojos en blanco.

—¿Qué hay en la caja?

—Unas cuantas cosas tuyas.

Me pareció una excusa bastante patética para venir a acosarme. Cargadores de teléfonos que había tirado tiempo atrás, auriculares, fundas vacías de cedés.

—Pensé que querías esto —dijo, apartando la basura de arriba para revelar el joyero de mi madre.

Rompí a llorar en el acto, me llevé las manos a la cara. Se quedó desconcertado, sin saber qué hacer. Antes su cometido había sido consolarme, y el mío permitir que lo hiciera, desear que lo hiciera, pero nos quedamos allí plantados como dos desconocidos, salvo que dos desconocidos habrían sido más amables, mientras yo lloraba y él me observaba.

—Gracias. —Me sorbí la nariz, procurando recobrar la compostura. Cogí la caja que me ofrecía y se quedó allí, incómodo, sin saber qué hacer con sus inquietas manos y ninguna barrera tras la que esconderse. Se metió las manos en los bolsillos.

—También quería decirte... —comenzó.

—No, Barry. Por favor, no —dije débilmente—. De verdad que no creo que pueda aguantar más cosas que quieras decir. Lo siento, ¿sabes?, siento mucho, muchísimo más de lo que puedas imaginar, haberte hecho daño. Lo que hice fue espantoso, pero no lograba amarte como mereces ser amado. No estábamos hechos el uno para el otro, Barry. No sé de qué otra manera decir que lo siento, no sé qué más podría haber hecho. ¿Quedarme? ¿Y dejar que los dos fuésemos unos desgraciados? Jesús... —Los ojos me escocían. Me enjugué las lágrimas—. Me consta que en esto la mala soy yo, Barry, lo siento. Lo siento. ¿De acuerdo?

Tragó saliva, guardó silencio un rato y me preparé para oír otra de las cosas más hirientes que se le ocurriera decirme.

—Quería pedirte perdón —masculló.

Eso me pilló por sorpresa.

—¿Por qué, exactamente? —pregunté, comenzando a enojarme pese a que intentaba refrenarme—. ¿Por destrozar el coche de Julie? ¿Por vaciar nuestra cuenta conjunta? ¿O por insultar a mis amigas? Porque sé que te hice daño, Barry, pero no metí a otras personas en nuestros asuntos.

Apartó la vista. Todo el arrepentimiento pareció haberlo abandonado.

—No, por eso no —dijo enojado—. No lamento nada de eso.

No pude dar crédito a su descaro. Se recompuso.

—Lamento el mensaje de voz. No tendría que haber dicho lo que dije. Estuvo mal.

El corazón comenzó a palpitarme, solo podía referirse a un mensaje de voz, el que yo no había oído, el que Adam había escuchado y borrado.

—¿Cuál, Barry? Me dejaste un montón.

Tragó saliva.

—El que iba sobre tu madre, ¿vale? Lo que dije no estuvo bien, quería herirte en lo más íntimo. Sé que es tu mayor temor, así que...

Se calló e intenté entenderlo. Tras una incómoda pausa lo

entendí y me di cuenta de que lo había sabido desde el principio. A veces sabes algo y no lo sabes al mismo tiempo.

—Dijiste que me suicidaría, igual que mi madre —dije, con voz temblorosa.

Tuvo la decencia de mostrarse avergonzado.

—Quería hacerte daño.

—Bien, pues me lo habrías hecho —dije tristemente, pensando en Adam escuchando el mensaje. De modo que sabía que mi madre se había suicidado, que en mis momentos de más profunda oscuridad, cuando todo el mundo me decía lo mucho que nos parecíamos yo y mi madre, en secreto me preocupaba que fuéramos demasiado parecidas. Un secreto que había compartido con mi marido había regresado para acosarme cuando ya sabía que no era como mi madre en ese sentido. Mi madre había sufrido una grave depresión toda su vida, había estado entrando y saliendo de clínicas y terapias desde la adolescencia. Finalmente, incapaz de vencer a los demonios que poblaban su cabeza, se había quitado la vida cuando yo tenía cuatro años. Había sido una pensadora, una mujer inquieta, una poetisa. Y entre todos los pensamientos y poemas que había escrito a lo largo de su vida para intentar comprender su desconcertante cabeza había uno al que me había aferrado, haciéndolo mío: el que había leído en los funerales de la madre de Amelia y del padre de Adam.

Siempre había sabido, incluso de niña, cómo había abandonado el mundo mi madre. Para cuando fui adolescente, la gente no paraba de decirme lo mucho que me parecía a ella, y eso me daba miedo. Llegué a temer la frase «te pareces tanto a tu madre...». Luego, cuando al volverme adulta me empecé a conocer mejor, me di cuenta de que yo no era mi madre, que tenía opciones distintas a las que ella había elegido.

—En fin... —dijo Barry, retrocediendo.

No supe qué más decir. Bajó la escalera hasta la planta baja y comencé a cerrar la puerta.

—Tenías razón en cuanto a nosotros —le oí decir de pronto—. No éramos una pareja apasionada ni romántica, no solíamos salir mucho y probablemente nunca lo habríamos hecho. No nos reíamos como Julie y Jack ni viajábamos por el mundo como Sarah y Luke. Seguramente no habríamos tenido cuatro hijos como Lucy y John. —Levantó las manos—. No sé, Christine, a mí me gustaba cómo éramos. Siento que a ti no.

Se le quebró la voz y se tomó un momento. Abrí más la puerta para verlo.

—Durante este último mes he deseado que fueras desdichada, que te hundieras en las profundidades del infierno. Y ahora te veo así... Ya no puedo seguir sintiendo lo mismo. Estás peor que yo. —Negó con la cabeza—. Si me abandonaste porque pensabas que iba a suponer una mejora para ti, significa que estábamos mucho peor de lo que creía. Te compadezco.

Esto me encendió de nuevo. Barry salió a la calle. Cerré la puerta y regresé a la cama para esconderme del mundo.

Al cabo de unas horas seguía sin haberme movido. Tenía hambre, pero sabía que no había nada que comer en el apartamento, y no podía enfrentarme a la idea de salir a las tiendas con el aspecto que presentaba y sintiéndome como me sentía.

Mi teléfono se puso a sonar y miré la pantalla para ver a quién estaba ignorando. El detective Maguire. Estaba claro que iba a ignorarlo. El teléfono paró y volvió a sonar. Clavé la mirada en el techo, con el corazón palpitándome como un loco. No volvió a latir con normalidad hasta que el teléfono dejó de sonar. Aguardé a que terminara y lo puse en silencio.

El teléfono llamó otra vez.

—Deje un mensaje —gruñí.

Me levanté de la cama y me mareé un poco al ponerme de pie. Luego pensé en Adam y me entró el pánico. Quizás había hecho un disparate. Me lancé sobre el teléfono y pulsé el botón para devolver la última llamada.

—Maguire —ladró.

—Soy Christine. ¿Adam está bien?

—¿Adam?

—El hombre del puente.

—¿Por qué, acaso lo ha perdido?

«En cierto modo», me dije. Pero suspiré aliviada al saber que no estaba herido.

—Escuche, la necesito en el Hospital Crumlin ahora mismo. ¿Puede venir?

—¿El Crumlin? —pregunté extrañada. Era un hospital infantil.

—Sí, el Crumlin —me espetó—. ¿Puede venir? ¿Enseguida?

—¿Por qué?

—Porque se lo estoy pidiendo.

Estaba absolutamente confundida.

—No puedo, tengo que... Ahora mismo no puedo. —Busqué una mentira, pero no me atreví a decírsela—. No me siento muy bien hoy.

—Bueno, pues reaccione, porque aquí hay alguien que se siente muchísimo peor.

—¿De qué va todo esto? No tengo por qué ir a ningún...

—Por Dios, Christine —dijo Maguire, y sonó casi como un sollozo—. ¡Necesito que venga enseguida, carajo!

—¿Está bien? —pregunté.

—Usted venga —dijo—. Por favor.

25

Cómo pedir ayuda sin perder la dignidad

El detective Maguire me aguardaba en la entrada principal del hospital. En cuanto me vio, hizo lo que había hecho todas las otras veces que me había encontrado con él: dar media vuelta y alejarse. Capté que debía seguirlo. Tuve que trotar un poco para alcanzarlo, y mientras lo hacía miré en derredor buscando a su compañero. No lo vi. En realidad, no había ningún tipo del equipo de apoyo. Doblé la esquina y me encontré en un pasillo sin rastro del detective Maguire. Un silbido me hizo echar a correr hacia el ascensor como el perro que al parecer creía que era. Entré y fue entonces cuando reparé en el aspecto tan espantoso que presentaba. Se me hizo un nudo en el estómago, detectando el peor de los panoramas. Tragué saliva, procurando serenarme. No estaba en condiciones para todo aquello, no tras haber perdido a Simon hacía tan poco, tras haberla pifiado tan espectacularmente con Adam, tras haber tenido que lidiar con Barry. Necesitaba pasar un día a solas, pero nadie parecía dispuesto a concederme ese pequeño favor. Necesitaba regodearme; se conseguían muchas cosas regodeándose. Tal vez mi libro podría versar sobre eso. *Cómo regodearte en tu desesperación de cinco maneras fáciles*, por Christine Rose.

—Tiene muy mal aspecto —le dije.

—Tampoco es que usted esté rebosante de vida —respondió, sin su habitual malicia. Actuaba por pura fórmula, involucrándose apenas. Sin lugar a dudas, algo iba muy mal. Peor de lo habitual.

—¿A quién voy a ver? —pregunté.

—A mi hija —contestó con la voz hueca, vacía—. Ha intentado suicidarse.

Me quedé boquiabierta y él salió del ascensor y dobló por un pasillo. Tuve que reponerme de la impresión antes de que las puertas se cerraran y el ascensor descendiera. Lo seguí.

—Oiga, detective, lamento mucho enterarme de esto, de verdad que estoy... —Tragué saliva—. Pero ¿puedo preguntarle por qué me ha hecho venir?

—Quiero que hable con ella por mí.

—¿Qué? ¡Un momento! —Finalmente lo agarré del brazo y tuvo que parar en seco—. ¿Qué dice que quiere que haga?

—Hablar con ella —contestó, revelando sus ojos inyectados en sangre—. Aquí hay gente, pero se niega a hablar con ellos. No les dirá una palabra. Me acordé de usted. No me pregunte por qué, o sea, no la conozco, pero parece que usted tiene mano en este tipo de cosas y yo soy demasiado cercano, no puedo...

Negó con la cabeza, los ojos se le arrasaron en lágrimas.

—Detective...

—Aidan —interrumpió.

—Aidan —dije en voz baja, apreciando el gesto—. No soy capaz. No ayudé a Simon Conway, y con Adam...

No quise entrar en detalles sobre lo que había sucedido con Adam.

—Logró que Simon le permitiera llamarnos —dijo Maguire—. Eso estuvo bien. Convenció a Adam Basil para que bajara del puente, y después él preguntó por usted. La he visto con él en comisaría: la respeta. Además sé lo que ocurrió con su madre —agregó.

Bajé la vista.

—Vaya.

—Tiene experiencia en esto. Hable con ella, por favor.

Lo seguí por el laberinto de pasillos de la planta hasta que me hizo pasar a la sala. De las doce camas que había en la habitación, solo una tenía las cortinas corridas alrededor por completo.

Retiré despacio la cortina y me encontré cara a cara con la esposa de Maguire, Judy, con los ojos enrojecidos, sosteniendo la mano de la chica que estaba en la cama. Miré a la chica: abundante pelo caoba como el de su padre, sinceros ojos azul claro como los de su madre.

—Caroline —dije amablemente. La muñeca izquierda de la chica llevaba un abultado vendaje y descansaba sobre la cama, su madre se la sujetaba con firmeza.

—¿Quién es usted? —preguntó Judy, poniéndose de pie lentamente pero sin soltar la mano de su hija.

—Me ha llamado Aidan —contesté.

Entonces asintió y miró a su hija. Vi que el rostro del detective Maguire se descomponía justo antes de que diera media vuelta y saliera de la sala, como si lo avergonzara exteriorizar sus sentimientos.

—¿Por qué no va a tomar un café? —sugerí a Judy—. Caroline, ¿te parece bien que me quede un rato contigo?

Caroline me miró con incertidumbre. Judy seguía agarrándole la mano.

—Creo que a tu madre le iría bien darse un respiro. Apuesto a que lleva aquí un buen rato.

Caroline hizo una seña de asentimiento a Judy y la ayudó

a desprenderse de su mano. En cuanto se retiró, corrí la cortina otra vez y me senté al lado de Caroline.

—Me llamo Christine. Conozco a tu padre.

Caroline me observó con recelo.

—¿Trabaja aquí?

—No.

—Pues entonces no tengo que hablar con usted.

—No, no tienes que hacerlo.

Guardó silencio mientras cavilaba al respecto.

—No paran de enviar gente a hablar conmigo. Me preguntan por qué, por qué, por qué. Me dejaron un puñado de folletos. Son repugnantes. Insinúan cosas asquerosas.

—¿Qué clase de cosas?

—Pues que si mi papá me tocaba, cosas de ese estilo. O sea, no lo dijeron tan claro, pero noté que se lo preguntaban. Luego me dieron todos esos folletos.

—No voy a preguntarte nada de eso, créeme. No soy médico ni terapeuta. Quiero hablar, eso es todo. Parece ser que lo has pasado realmente mal y quiero escucharte, sin juzgarte.

—¿Es *gardaí*?

—No.

La chica me miró de soslayo, luego toqueteó las sábanas de la cama con la mano sana. La otra permaneció flácida e inmóvil.

—¿Por qué le ha pedido que viniera mi padre?

—Porque sabe que cuando era pequeña mi madre se suicidó.

Entonces me miró de hito en hito, prestándome toda su atención.

—Se suicidó cuando yo tenía cuatro años. De modo que sé cómo es vivir con alguien que sentía como tú.

—Oh. —Bajó la vista a su vendaje—. Lo siento.

—Entiendo que no quieras hablar con tus padres. Resulta embarazoso, ¿verdad? Mi padre todavía se violenta, y ya tengo treinta y tres años.

Caroline esbozó una sonrisa.

—Por eso no pasa nada si quieres hablar conmigo. No te juzgaré, no te diré que no tendrías que haber hecho esto o aquello, solo te escucharé. A veces sienta bien hablar, decir las cosas en voz alta. Y si no sabes a quién recurrir para hablar, puedes pedírmelo a mí y haré lo que pueda por ayudarte. Siempre hay alguien a quien recurrir, Caroline. Y esto puede quedar entre nosotras dos; no tendrás que preocuparte de que cuente a otros algo que no quieras que se sepa.

El rostro de Caroline se descompuso y rompió a llorar. Intentó disimular tapándose con la muñeca sana, dejando la otra sobre la cama como si la hubiese olvidado, como si hubiese muerto en el intento. Sacudía los hombros al sollozar desconsoladamente.

—Creía que no había nadie —reconoció.

—Ahora ya lo sabes —dije con ternura, dándole un pañuelo—. Siempre hay alguien dispuesto a escucharte y a ayudarte. Siempre.

Se enjugó los ojos, recobró la compostura, parecía estar reflexionando.

—Me corté la muñeca —dijo. Levantó la mano y me mostró el vendaje como si no me hubiese fijado en él—. Supongo que pensará que estoy loca.

Me miró, escrutadora.

Negué con la cabeza.

—Me conecté a internet y averigüé cómo hacerlo. Usé mi cuchilla de depilar, pero era muy difícil. Tardé demasiado en atravesar la piel. Y me dolió. No me pasaba nada a pesar de estar sangrando. Estaba tendida en la cama, esperando morir, pero no pasó nada. Solo me hacía daño. Tuve que volver a conectarme para ver qué había hecho mal. Finalmente bajé en busca de mamá para que lo viera porque estaba asustada. —Seguía llorando—. Mamá me chillaba: «¿Qué has hecho? ¿Qué has hecho?» Y juro que tuve ganas de subir y volver a hacerlo para morir de una vez y no tener que ver cómo me miraba. Me sentía como un bicho raro. Papá no paraba de preguntarme por qué. Nunca lo había visto tan enfadado. Es como si quisiera matarme.

—No quiere matarte, Caroline. Está impresionado y asustado y lo único que quiere es protegerte. Tus padres quieren hacer las cosas mejor. Quieren entender qué ha ocurrido para poder ayudarte.

—Me matarán. —Se puso a sollozar otra vez—. ¿Usted se sentía así? ¿Odió a su madre?

—No —contesté en tono tranquilizador. Las lágrimas me asomaban a los ojos por los borrosos recuerdos de papá regresando a casa desde el hospital, con una falsa jovialidad en su mirada como si hubiesen estado de vacaciones, y de mamá tendida en una gandula en el jardín trasero, completamente vestida bajo una lluvia torrencial porque quería «sentir algo». Incluso cuando estaba en la misma habitación que yo me daba la impresión de que no estaba allí en absoluto. La amaba, lo único que quería era sentarme con ella, estar con ella. Le cogía la mano y me preguntaba si se daba cuenta de que yo estaba allí—. Nunca la odié, ni un solo instante. —Hice una pausa—. ¿Por qué fue tan insoportable para ti? ¿Qué ocurrió?

—No puedo contárselo a ellos. Además, no tardarán en descubrirlo. Me sorprende que no lo sepan ya. Cada día, cuando llegaba a casa después del colegio, esperaba que se dieran cuenta. Estaba aterrorizada. En el colegio lo sabe todo el mundo, todos me miran, se burlan de mí, me dicen cosas. Incluso mis amigas. No tenía a nadie, nadie que me ayudara, nadie que quisiera hablar conmigo. Ni siquiera Aisling...

Se calló, su rostro era todo confusión y traición.

—¿Aisling es amiga tuya?

—Lo era. Era mi mejor amiga. Desde que teníamos cinco años. Ni siquiera me miraba. Durante un mes entero. Primero fueron los demás y ella seguía siendo mi amiga, pero luego fue peor: empezaron a dejar cosas en mi taquilla, cosas asquerosas, no paraban de decir cosas en Facebook, contando mentiras. Luego también empezaron a meterse con Aisling, diciendo cosas sobre ella. Me echó la culpa de lo que estaba pasando y dejó de ser mi amiga. O sea, ¿cómo pudo hacerme eso?

—¿Ocurrió algo y todo el mundo se enteró? —aventuré.

Asintió, las lágrimas le resbalaban por la cara.

—¿En internet?

Asintió otra vez. De pronto se sorprendió.

—¿Lo sabe?

—No. No eres la primera persona a quien le ocurre, Caroline. ¿Estabas... en una situación comprometida?

—Me dijo que sería solo para nosotros —dijo, roja como un tomate—. Y le creí. Y entonces una amiga mía me envió un mensaje de texto y me dijo que estaba colgado en Facebook, y de repente todo el mundo empezó a llamarme. Unos se reían, otros estaban muy enfadados, me llamaban puta y demás... y se suponía que eran mis amigos. Me conecté para verlo y juro que vomité. Si no soporto verme a mí misma haciendo eso, no digamos ya unos desconocidos. La intención era reírnos un rato. No pensé que fuera a mostrárselo a alguien. Pensé que a lo mejor un amigo le había quitado el teléfono y lo había hecho, o que lo había hecho un pirata informático, pero...

—¿Qué te dijo?

—No me dirigía la palabra, ni siquiera se dignaba mirarme. Entonces un día lo arrinconé, le dije cómo me sentía, que no lo soportaba más, y solo me miró y se echó a reír. Reía como un loco. No entendía por qué estaba tan alterada. Dijo que debería estar contenta. Que montones de celebridades se han hechos famosas así y ahora son millonarias. Vamos a ver, ¡vivimos en el puto Crumlin! ¿Qué fama vamos a alcanzar? ¿Dónde están nuestros millones?

Rompió a llorar otra vez.

—¿Estabais manteniendo una relación sexual, Caroline?

Mi pregunta la dejó muerta de vergüenza y tardó un rato en decirme que le estaba haciendo una mamada a su amigo, durante una fiesta en una casa, y que ambos habían bebido más de la cuenta. La idea de filmarlo fue de él. Ya había comenzado a filmar antes de que ella tuviera ocasión de oponerse, y cuando vio que la cámara la estaba enfocando no quiso parar, no quiso parecer una cobardica.

—¿Cuánto hace de eso? —pregunté, montando en cólera. Si yo me sentía así, podía imaginar la reacción del detective Maguire. Convertiría en un verdadero infierno la vida del muchacho del teléfono-cámara, pero después de lo que había hecho, ese chico debería considerarse afortunado si Maguire le permitía seguir vivo. No envidié a Caroline, siendo una adolescente hoy en día; el panorama en cuestiones como la confianza, la intimidad y el sexo habían cambiado por completo desde que yo tenía su edad, dejando a los chicos y chicas a la deriva en un campo minado.

—Hará unos dos meses, pero el vídeo lo colgó hace tres semanas. Intenté ignorarlo. Intenté seguir yendo al colegio, mantener la cabeza gacha, pasar de todo el mundo, pero sigo recibiendo mensajes de texto. Mire.

Me dio su teléfono y fui pasando los mensajes de sus supuestos amigos, casi todos tan aberrantes y maléficos que apenas podía dar crédito a lo que estaba leyendo.

Comprendí por qué Caroline había tenido la sensación de no tener a quién recurrir. Sus amigos le habían dado la espalda; el chico que le gustaba se había reído de ella, ridiculizándola; cada día era objeto de mofas en el pequeño mundo de las redes sociales, un mundo del que nadie podía escapar, donde las mentiras brotaban como setas sin dar tiempo a desmentirlas. Y la pobre chica estaba demasiado avergonzada y asustada para recurrir a sus padres, temerosa de que la fueran a «matar». De modo que decidió hacerlo ella misma, poner fin a la vergüenza, al dolor, a la soledad. Una solución permanente a un problema temporal. Aquel sufrimiento no duraría para siempre; tendría las cicatrices de la experiencia y la recordaría el resto de su vida, sin duda influiría en cada decisión que tomara a partir de aquel momento. Pero donde había dolor, podía haber curación; donde había soledad, podían surgir nuevas relaciones; donde había rechazo, cabía encontrar un nuevo amor. Solo era un momento. Y los momentos cambiaban. Tendría que vivir ese momento para pasar al siguiente.

—¿Se lo explicará? —preguntó con un hilo de voz, flacucha y aniñada en la cama—. ¿Por favor?

Nos despedimos. Caroline prometió ponerse en contacto conmigo o con los números de los folletos que el hospital le había dado si alguna vez necesitaba a alguien con quien hablar. Salí al pasillo donde Judy estaba sentada medio comatosa en una silla de plástico y donde el detective Maguire iba de acá para allá como un animal enjaulado.

—Cuéntenos —me ladró en cuanto me acerqué.

—No —respondí con firmeza—. No pienso decir palabra hasta que me haga una promesa.

Temí que fuera a saltarme al cuello.

—Tendrá que dominar su genio. A Caroline le da mucho miedo su reacción. Ahora mismo se siente aislada y teme que usted la rechace. Si quiere ayudarla, no la juzgue y ofrézcale el apoyo que necesita.

—Aidan. —Judy le tocó el brazo—. Escúchala.

—Ella ya sabe que ha cometido una equivocación; no le dé un sermón. No haga que se sienta idiota. Al menos no ahora, no mientras sea tan vulnerable.

Judy asintió enérgicamente, mirándome a mí y a su marido como queriendo meterle mis palabras en la cabeza.

—Necesita su amor y apoyo incondicionales. Necesita que le diga que no está enojado. Que no está avergonzado. Que no está indignado. Que la ama. Que está de su parte.

Maguire masculló algo que sonó a amenaza.

—Hablo en serio, Aidan. Ahora no está tratando con uno de sus delincuentes. Caroline es su hija. Ya es hora de que corte con la intimidación, de que se deje de interrogatorios y de tanta cabezonería y de que preste atención a lo que ella tenga que decir.

Y entonces les referí lo que Caroline me había contado.

Esta vez escuchó. Los dedos de Judy se pusieron blancos al apretarle el brazo mientras yo hablaba. Le clavó las uñas cuando pareció que iba a salir disparado, bien al lado de su hija o en busca del chico que le había hecho aquello, pero se quedó y yo me quedé con él hasta que la ira ciega que veía en sus ojos se desvaneció, dando paso a la preocupación paternal y a un corazón rebosante de amor. Entonces lo observé alejarse de mí con Judy, cogidos de la mano, apoyándose mutuamente mientras se aproximaban a su hija.

Exhausta, me fui del hospital a casa para arreglarme para la fiesta de cumpleaños de Adam. Pese a que sostuviera que ya se sentía seguro, Adam apenas había iniciado el camino de su curación. Esperé que Maria acudiera y lo amara. Si no lo hacía, me daba miedo la posibilidad de perder al hombre a quien yo amaría para siempre.

26

Cómo encontrar lo positivo en una paradoja

Cuando llegué al ayuntamiento, tarde, Adam estaba en la puerta principal, recibiendo a sus invitados. Estaba deslumbrante con su esmoquin y me dejó sin aliento cuando me apeé del taxi. Solo cuando el conductor me gritó que cerrara la puerta porque estaba dejando escapar todo el calor me di cuenta de que me había quedado helada, petrificada ante semejante visión.

A diferencia de mis hermanas, que ya habían llegado y se habían gastado un dineral en vestidos nuevos para la recepción de etiqueta, yo había ido contra corriente de mi vestuario multicolor, eligiendo un vestido apropiado a mi humor: mi fiel traje largo negro, poco escotado pero con una raja en el costado y sin espalda. La raja se había abierto un poco al bajarme del taxi. Mientras trataba de ocultar el muslo expuesto al subírseme el vestido, me di cuenta de que Adam ya no estaba saludando a los invitados sino que se había vuelto para observar mi poco grácil y absolutamente atrevida llegada. Saqué mi segunda pierna del coche, me ajusté el chal de piel de imitación y ascendí la escalinata, con los ojos de Adam clavados en mí todo el camino. Me sentía tan desnuda y expuesta como lo había estado en la escalera de mano de mi sueño, pese a que esta vez llevaba bragas. Apenas pude disimular mi humillación y congoja, y mucho menos mirarlo a los ojos. De modo que no lo hice.

—Estás preciosa —murmuró Adam.

No se le daba bien la torpeza. Estaba sereno, serio, vigilante, en pleno dominio de sí mismo. Aquel era el Adam de los últimos días, el Adam que no estaba acostumbrada a tratar.

—Uh, gracias. No he tenido mucho tiempo para arreglarme —dije—. Barry se ha presentado en casa esta mañana, y otra persona necesitaba mi ayuda, y no sé si te has enterado de lo de Simon Conway, el tipo que... bueno, ya sabes, falleció anoche. Es donde estaba esta mañana cuando me he ido del hotel, así que ha sido uno de esos días.

Aún sentía lástima de mí misma, me asomaron las lágrimas a los ojos y miré hacia otra parte.

—Un momento, ¿qué has dicho? —preguntó preocupado.

—¿Qué parte quieres que te repita?

—¿Simon ha muerto esta madrugada? —Palideció súbitamente—. ¿Por eso te has ido?

Asentí.

—Bueno, me he ido porque he recordado algo que debía decirle. Y mientras estaba allí ha sufrido un paro cardíaco.

Me estremecí. No había sido un buen día, había comenzado con una muerte y esperaba que no terminara con otra.

Adam pareció impresionado con la noticia, mucho más interesado por Simon Conway y sus tribulaciones de lo que podría haberme imaginado.

—¿Maria ha llegado? —pregunté.

Tardó un poco en captar el cambio de tema, el cambio de mi lenguaje corporal, pero enseguida reaccionó bien, tal como él sabía que yo quería que lo hiciera.

—No, todavía no.

—Vaya —respondí, sorprendida—. Pensaba que estaría aquí a las siete.

—Yo también —dijo, mirando otra vez hacia la puerta con cierta inquietud.

Eran las ocho.

Tuve una intensa sensación de alivio, seguida de inmediato por una de pavor en cuanto se puso de manifiesto mi paradójica situación. Si las cosas no salían bien con Maria, no sería en mis brazos donde Adam se arrojaría, lo más probable era que fuese en el puente más cercano o el edificio más alto. Necesitaba que Maria acudiera y le dijera que lo amaba, pues de lo contrario ni siquiera podría amarlo a distancia. De repente, sufrir por él y no tenerlo para mí era vital, era un gusto, era un plus. Era la perspectiva que necesitaba.

—Escucha, Adam. —Me calmé y lo miré a los ojos—. Si esta noche no viene necesito que pienses en el plan de crisis. Me consta que hicimos un trato, pero quiero que sepas que no lo apruebo. No quiero que... —tragué saliva—... te suicides. Piensa en todo lo que hemos hablado. ¿Recuerdas el plan? Has sobrevivido a estas dos últimas semanas, ¿no? Usa las herramientas que te he dado. Si por alguna razón algo sale mal esta noche, y no digo que vaya a ocurrir —agregué enseguida—, pero si algo falla, recuerda lo que te he enseñado.

—¡Feliz cumpleaños!

Oí una voz femenina detrás de mí. Justo cuando debería saltar de júbilo, la sensación de derrota volvió a adueñarse de mí.

Adam seguía mirándome fijamente.

Maria se unió a nosotros.

—Perdón, ¿molesto?

—No —dije, pestañeando para contener las lágrimas—. Me alegra mucho que hayas venido —agregué, mis palabras un susurro—. Es todo tuyo.

—¿Todo en orden? —preguntó papá cuando me reuní con ellos.

Solo pude asentir con la cabeza; no me atrevía a hablar mientras los ojos se me arrasaban en lágrimas.

—Huy, ya me lo figuraba —dijo Brenda con compasión, abrazándome—. Estás enamorada de él, ¿verdad? Toma —cogió una copa de champán de una bandeja que pasaba—. Emborráchate, alivia el dolor.

Di un sorbo a las burbujas, deseando que fuese verdad.

—Ya que estamos con el tema del desengaño —dijo Adrienne—, Graham y yo hemos roto.

No suscitó ni de lejos la misma reacción que yo por parte de la familia.

—No ha encargado los pasteles hechos de queso —dijo papá, decepcionado—. ¿Por qué no ha encargado los pasteles hechos de queso?

Me encogí de hombros.

—Pero si son la mar de ocurrentes —prosiguió, confundido.

—Ya sé que a nadie le importa, pero algo fallaba entre nosotros —agregó Adrienne malhumorada.

—Un pene, quizá —dijo papá, y no pude evitar reírme tontamente.

—¡Ah, esta es mi niña! —Me guiñó el ojo—. Dime dónde está esa novia ruin que tanto te ha costado que recuperara para que le lance miradas de padre enojado.

—Ni hablar, papá. —Suspiré—. Están hechos el uno para

el otro, son tal para cual. O sea, ese hombre iba a tirarse de un puente si no lograba recuperarla. ¿No te parece romántico?

—De romántico, nada —terció Adrienne, todavía molesta porque no habíamos hecho caso a su anuncio.

—Salvarlo de saltar de un puente es mucho más romántico —apostilló Brenda.

—Tienes suerte de haberlo salvado —dijo papá, y las tres nos quedamos calladas.

Hacía casi treinta años desde que nuestra madre se había quitado la vida, desde que papá había llegado a casa para encontrarla en el suelo de su cuarto de baño con el bote vacío de pastillas junto a su cuerpo. Nos había confesado que no había intentado salvarla, revelación que fue acogida con distintos grados de comprensión. Brenda lo entendió, Adrienne captó su punto de vista, pero hubiese preferido que llamara antes a la ambulancia, y yo no le dirigí la palabra durante meses. Tenía diecinueve años y estaba en la universidad cuando me lo contó. Creyendo que podía salvar a todo el mundo o al menos deseando intentar salvar a todo el mundo, le dije que nunca lo perdonaría. Fue muy duro para papá en ese momento, pues ya le había salvado la vida a su esposa seis veces. Le había practicado reanimación cardiopulmonar dos veces, la había sacado de una bañera, le había hecho sabía Dios cuántas más cosas, la había llevado a urgencias tantas veces que ya no le quedaban ánimos para seguir intentándolo, para convencerla de que se quedara.

—¿Sabes una cosa, papá? —dije de pronto—. Creo que en realidad la salvaste. Ella no quería estar aquí.

Se conmovió tanto que tuvo que volverse hacia otro lado para recobrar la compostura.

—Ahí está —dije, observando a Maria entrar en la sala delante de Adam.

—Huy, no sabré si darle la mano o lamerle la cara —dijo Brenda.

—Por favor, dale la mano —repuse.

—¿Esa es ella? ¿La de los labios muy rojos? —preguntó Adrienne.

—Quieres lamerle la cara, ¿verdad? —le dijo papá.

Adrienne se rio tontamente.

Suspiré.

—Lo sabía. Te dije que era guapa.

—Sí, con un aire a lo Morticia Addams —dijo Brenda.

Adam y Maria se adentraron en la sala. Maria saludaba afectuosamente a la concurrencia, dejando claro que conocía a buena parte de los invitados por el tiempo que había estado con Adam. Apuré mi champán y le arrebaté a Brenda su copa.

—¡Eh! —protestó.

Entonces alguien se puso a hacer sonar una copa y todo el mundo miró a un hombre que desde el escenario intentaba acallar al gentío.

Dio las gracias a unos cuantos invitados ilustres por su presencia —el ministro de Comercio, no el *Taoiseach* como papá había esperado—, y cada vez que nombraba a alguien importante papá hacía una mueca de pasmo. Habló sobre el triste fallecimiento del señor Richard Basil, a quien se echaría mucho de menos —estaba claro que no lo había conocido muy bien—, y luego anunció que Adam era el nuevo director general de Basil Confectionery. Hubo una gran ovación y Adam se dirigió al escenario.

Subió los escalones y ocupó su sitio. Parecía una estrella de cine.

—Una amiga mía me ayudó a redactar este discurso —dijo, mirando a la multitud. Maria le sonrió entre bastidores y se me hizo un nudo en la garganta—. No se me da muy bien hablar de lo que siento. Noches como la de hoy no siempre son las más fáciles y resultan abrumadoras, pero me siento... honrado por vuestra presencia. He oído decir que estamos ante un nuevo comienzo de Basil, pero espero que más bien sea una continuación de su éxito, quizás el inicio de un nuevo crecimiento de la empresa. Me siento... animado y apoyado por tantas palabras de tantas personas acerca de mi padre, aunque está claro, pese a vuestra buena intención, de que sois unos mentirosos.

El comentario fue recibido con risas por parte del público.

—Mi padre era muchas cosas, pero sobre todo era muy bueno en su trabajo.

Algunos asistentes asintieron con la cabeza. Localicé a Arthur May, el abogado, entre la multitud.

—Se dedicó en cuerpo y alma a la empresa. De hecho, creo que puso tanto de sí en la empresa que le quedó muy poco para el resto de nosotros.

Le gente volvió a reír.

—Me siento... orgulloso de que me haya nombrado su sucesor y de que me considerase capaz de ocupar este puesto. Me consta que yo mismo, el consejo de administración y la maravillosa Mary Keegan, nuestra nueva directora ejecutiva, estamos unidos en nuestros objetivos para la empresa. Me siento... preparado. Quizá mi experiencia sea corta y esté poco familiarizado con la tarea que me aguarda, pero en mi padre y mi abuelo tengo un ejemplo que seguir con certidumbre y confianza para asumir las tradiciones de Basil aunque sin dejar de mirar hacia el futuro. Y, finalmente, tengo una gran deuda de gratitud con quienes han planeado esta velada y con quienes han hecho posible que hoy esté aquí. —Sus ojos se posaron en mí. Reinaba un considerable silencio. Carraspeó—. Gracias de todo corazón.

Mientras todo el mundo prorrumpía en aplausos, me abrí paso entre la muchedumbre con prisa, no lograba salir de la sala suficientemente deprisa, me faltaba el aire. Bajé corriendo un tramo de escaleras, agradecí que los aseos estuvieran vacíos durante los discursos, me encerré en una cabina y rompí a llorar.

—¿Christine?

Era la voz de Brenda. Me quedé helada. El servicio se había llenado muy deprisa después de que terminaran los discursos y había cola para entrar en las cabinas. Estaba aguardando a que los ojos se me deshincharan antes de arriesgarme a abrir la puerta y enfrentarme a quien estuviera fuera. El problema era que llevaba tanto rato encerrada que me había convertido en tema de conversación para quienes hacían cola.

—¿Christine? —llamó Adrienne—. Christine, ¿estás ahí dentro?

—Pensamos que ese está averiado —dijo alguien.

Muerta de vergüenza, saqué el teléfono y me puse a mandar mensajes de texto a mis hermanas para que me dejaran en paz, pero empezaron a golpear la puerta, dándome un susto e interrumpiendo mi frenesí telefónico.

—Christine, ¿Adam está ahí dentro contigo? —preguntó Adrienne, justo al otro lado de la puerta.

—¡¿Adam?! ¡Claro que no! —espeté. Me había delatado y oí que una mujer de la cola decía:

—Habrán sido los *vol-au-vents*.

—Ha desaparecido —dijo Brenda enseguida—. ¿Me has oído? Están sacando el pastel y nadie lo encuentra.

—No está con Maria, si es lo que estás pensando —agregó Adrienne.

Aquello era exactamente lo que estaba pensando.

—Le hemos preguntado dónde estaba Adam mientras se marchaba. Ha dicho que no tenía ni idea. —Adrienne bajó la voz y sin duda se arrimó a la puerta porque parecía fuera de sí—. No se han reconciliado, Christine —agregó con apremio.

De repente el pulso me palpitaba en los oídos y no podía oír nada más y tenía que salir de la cabina cuanto antes. Abrí la puerta y de pronto no me importaron las veinte mujeres que me miraban perplejas como tampoco que nadie fuese a entrar en mi cabina después de que yo la hubiera ocupado tanto rato. Lo único que veía eran los rostros preocupados de Brenda y Adrienne, rostros que nunca reflejaban preocupación, no ante su hermana pequeña que siempre andaba más preocupada de la cuenta; por lo general mantenían una charla alegre y simpática con la intención de animarme por si, Dios no lo quisiera, después de todo fuese como mi madre. Pero ahora me miraban serias, preocupadas, espantadas.

—¿Sabes dónde está? —preguntó Brenda, y me devané los sesos buscando una pista sobre su paradero en nuestro archivo de conversaciones.

—No, no lo sé —balbucí, procurando aclarar mis ideas—. No puedo creer que Maria le haya hecho esto —dije enojada. Le había partido el corazón dos veces; ¿no se daba cuenta de lo increíble que era Adam?—. Tendría que haberme quedado con él, ¿en qué estaría yo pensando?

—Tranquila, no te preocupes por eso ahora, concéntrate en dónde puede estar. Piensa.

Pensé en el ático, en la noche que habíamos pasado juntos, la noche anterior. La vista del Ha'penny Bridge. Me paralicé. Lo había planeado desde el principio.

—Lo sabe —dijo Adrienne.

—Ve, Christine —me instó Brenda.

Me recogí el borde del vestido y eché a correr. Correr con tacones no es tarea fácil, pero un trozo de cristal en mi pie descalzo tampoco era una opción. Como tampoco lo era subir al coche con Pat, que estaba aparcado fuera. Tenía que torcer a la derecha en Parliament Street para llegar al puente, y aquella calle era de una sola dirección. Pat tendría que dar un rodeo para llevarme hasta el puente. No teníamos tiempo para eso. Corría con temperaturas bajo cero, sujetándome el chal de piel de imitación con una mano y el vestido con la otra. Recorrí Parliament Street y seguí derecha por Wellington Quay, atrayendo miradas y comentarios de juerguistas de noche de sábado. Divisé el puente a lo lejos pero no vi que hubiera alguien allí. Seguí corriendo, el frío me quemaba la nariz al inhalar, el pecho me ardía con cada bocanada de aire. Cuando el puente se acercó, lo vi. Exactamente en el mismo sitio donde nos habíamos conocido dos semanas antes, una figura de negro, de pie bajo el resplandor naranja de las tres farolas, los focos verdes enmarcándolos a él y al puente en una luz fantasmagórica. Pese a mi agotamiento, saqué fuerzas de flaqueza y me pegué un *sprint* hasta el puente. Subí los escalones.

—¡Adam! —chillé, y se volvió hacia mí, sobresaltado—. ¡No lo hagas, por favor!

Me miró preocupado, triste, sorprendido.

—No voy a tocarte, no voy a acercarme, ¿de acuerdo?

La gente seguía caminando por el puente sin saber muy bien qué hacer, rodeando a Adam en un amplio círculo, temerosa, como si fuese una mina.

Yo lloraba. Había comenzado en algún momento de mi *sprint* hacia el puente y ahora estaba plantada delante de él hecha polvo, helada, temblando, sin aliento, gimoteando.

Él no dijo palabra.

—Sé que las cosas no han ido bien con Maria... —Procuré recobrar el aliento—. Y lo siento, lo siento mucho. Sé que la amas y sé que ahora te sientes como si no tuvieras nada, pero eso no es verdad. Tienes Basil's y hay un salón lleno de gente encantada con la idea. Y tienes... —rebusqué en mi mente—... muchas cosas más. Tu salud, tus amigos... —Tragué saliva—. Y me tienes a mí. —Levanté las manos patéticamente—. Me consta que no soy lo que quieres, pero siempre estaré al otro lado del teléfono. Juro que haré cualquier cosa para hacerte feliz, para que estés contento. La verdad es que... —respiré profundamente—... te necesito. Cuando nos conocimos y prometí mostrarte la belleza del mundo no sabía por dónde demonios empezar. ¡Compré un libro! —Me reí, lastimosamente—. Pero la felicidad no se puede perseguir. La alegría surge espontáneamente, no obedece a una fórmula numérica que puedas seguir. Solo que entonces no lo sabía y no sabía qué hacer. Creo que había dejado de ver la belleza del mundo por un tiempo, sin siquiera darme cuenta. Estando contigo... me ayudaste a ver lo bonito que es, lo divertido que es. Fuiste mi maravillosa guía a medida para encontrar la felicidad. Me enseñaste que lo único que necesitas es hacer cosas sencillas, siempre y cuando las hagas con alguien que quiera estar contigo. Se suponía que yo debía enseñarte a escuchar, pero terminaste siendo tú quien me mostró el camino. Y me consta que esto no es lo que quieres oír, pero me ayudaste a enamorarme. A enamorarme de verdad. Y no solo de la vida. —Tragué saliva—. Sino de ti. Me parece que siempre he querido jugar sobre seguro. Siempre he intentado arreglar las cosas a quienes me rodean y siempre he estado con personas que me parecían... seguras.

Pensé en Barry y en nuestra relación. Había elegido a alguien con quien sabía que no habría drama alguno, ninguna sorpresa, nada que pudiera romperse y que por tanto nada tendría que arreglar. No me había permitido enamorarme de verdad. No hasta que conocí a Adam, que no había traído más que drama y sorpresa cada día que había pasado con él.

—No me importa que mi amor sea correspondido o no, porque estar contigo y la mera idea de ti me hacen feliz. Lo que intento decir es que eres amado porque yo te amo, Adam. Por favor, no lo hagas. Por favor, no saltes, te necesito.

Los ojos de Adam estaban arrasados en lágrimas. Una pareja que se había demorado para escuchar susurraban cogidos de la mano, obviamente sin fijarse en que Adam amenazaba con tirarse del puente.

Me sentía bastante patética, debilitada tras mi confesión. Estaba agotada y muerta de frío. Abrir mi corazón era lo único que podía hacer para salvarlo. De modo que aguardé esperanzada, deseosa, rezando para que no solo oyera mis palabras sino que las sintiera, que de alguna manera penetraran en esa parte de su cerebro que lo estaba manipulando para que pensara que ya nada merecía la pena. Había fallado con Simon, no podía fallar con Adam y no lo haría.

—Mírame —dijo.

No pude hacerlo. No quería oír su razonamiento ni su despedida. Todavía lloré más.

—Míralo —me instó la mujer, y levanté la vista.

Adam estaba sonriendo y me quedé perpleja. Aquello no tenía pizca de gracia, ¿por qué lo encontraba divertido? La pareja también sonreía, como si todo fuese una broma y me hubiesen dejado al margen. Tuve ganas de abofetearlos y decirles: «¡No entendéis nada, aquí hay una vida en juego!»

—¿En qué lado del puente estoy? —preguntó Adam, sin dejar de sonreír.

—¿Cómo? —Fruncí el ceño, mirándolos a él y a la pareja—. ¿Qué estás diciendo?

¿Era metafórico? ¿Se supone que significaba algo? Seguía sonriéndome, completamente tranquilo, como si estuviera pensando racionalmente cuando me constaba que no era así. Rememoré la primera vez que lo vi en el puente, entonces estaba en el otro lado de la barandilla, los pies en la cornisa, a punto de saltar. Volví a mirarlo, los pies sobre el hormigón, sin colgar por encima del borde, sin agarrarse a la barandilla desde fuera. ¡Estaba de pie en el puente contemplando la vista y eso significaba que no había estado a punto de saltar!

—Joder —susurré.

—Ven aquí —se rio, alargando los brazos hacia mí.

Me agarré la cabeza con las manos, sumamente avergonzada, maldiciendo a mis hermanas, maldiciéndolo a él, maldiciéndome a mí misma. Había desnudado mi alma delante de él. Di unos pasos atrás, muerta de vergüenza.

—Oh, mierda, perdona, pensaba que..., mis hermanas me han dicho que..., he supuesto, equivocadamente...

Caminó hacia mí, me agarró y me detuvo para que no me alejara más. Era tan alto que tuvo que bajar la vista hacia mí.

—Le he dicho a Maria que lo nuestro no saldría bien.

Me quedé boquiabierta.

—¿Cómo dices? ¿Por qué lo has hecho?

Parecía divertirse conmigo.

—Porque es la verdad. Me hizo daño, no quiero volver a pasar por ahí. Entiendo que no la traté como era debido durante el último año, pero ya me he disculpado. Ha admitido que la había conmovido todo lo que he hecho para recuperarla, pero de lo que realmente tenía nostalgia era de cómo éramos antes, al principio de nuestra relación. Me figuro que a mí me ocurría lo mismo. Pero ahora sé que no podemos volver a ser esa pareja, han cambiado demasiadas cosas, la vida ha seguido adelante. Hemos terminado, no hay vuelta atrás. No quiero rebobinar.

Me estremecí, todavía en estado de *shock*, y me atrajo hacia él.

—Maria me ha dicho: «¿Es por esa chica?» Y me he dado cuenta de que en gran parte sí.

—¿Qué chica? —pregunté, con la sensación de haber perdido el hilo por completo.

Adam se rio.

—Adam, esto no tiene gracia. No tengo ni idea de qué está pasando. Hace un momento pensaba que estabas a punto de tirarte del puente porque no habías recuperado a Maria y ahora me dices que no ibas a saltar y que no quieres a Maria debido a otra chica de la que nunca me has hablado. Y yo te he dicho cosas —protesté gimiendo. Apoyé la cabeza en su pecho, avergonzada por lo que había dicho.

—¿Las has dicho en serio? —preguntó en voz baja.

—Por supuesto. Si no, no las habría dicho. Pero, Adam, tienes que entender por qué las he dicho. Las circunstancias...

—La chica eres tú —interrumpió mi divagación. Me callé—. La chica de la que hablaba Maria. Me he dado cuenta de que no amo a Maria. Que esté o deje de estar con ella no va a determinar que viva o muera. Mi problema era que no estaba a gusto conmigo mismo. Tú me has devuelto el amor propio. Me has ayudado a vivir mi vida otra vez. Y tanto si te tengo como si no, no tengo intención de saltar ni de poner fin a mi vida. Necesito estar contento de mí mismo. Todas esas cosas que hemos hecho por Maria las he disfrutado porque las he hecho contigo. Me he divertido contigo. Ella quizá fuese el motivo, pero tú has sido la causa. Mientras has intentado que

Maria se enamorase de mí y que yo me enamorase de mi vida, me he enamorado de ti.

Sus manos estaban en mi rostro, mi rostro anonadado. Se rio nerviosamente.

—Puedes dejar de mirarme así.

—Perdón —susurré.

—Cuando esta mañana me he despertado y te habías ido, he pensado que habías cambiado de parecer —explicó.

—No, yo...

—Y cuando luego has regresado al dormitorio y he visto que habías estado llorando, he pensado que ibas a decirme que te arrepentías.

—No, yo...

—Cuando me has dicho lo de Simon todo ha cobrado sentido. Me había equivocado de plano. Quería decírtelo antes de que me lo dijeras. He pensado que así te lo pondría más fácil.

—Eres un idiota —dije con ternura, por fin autorizada a hablar.

Sonrió.

—Besaos —dijo la mujer que estaba a nuestro lado.

—Con una condición —anuncié, deteniéndolo.

»Sabes bien que todavía tienes un largo camino que recorrer —dije—. Te he ayudado tan bien como he podido, y seguiré haciéndolo, pero está claro que no soy terapeuta, Adam, no sé cómo ayudarte cuando te conviertes en... ese hombre.

—Ya lo sé —respondió, poniéndose serio—. He venido aquí a reflexionar sobre lo lejos que he llegado. No soy el mismo hombre que estuvo aquí hace dos semanas, pero sé que puedo volver a ser esa persona si no recibo ayuda, si no me ayudo yo mismo. Me siento como si me hubiesen dado una segunda oportunidad de vivir. Tú me has ayudado a conseguir esa oportunidad, y voy a aprovecharla e intentar sacarle el mejor partido. Estoy convencido de que a veces la pifiaré, pero lo cierto es que por primera vez en mucho tiempo tengo ganas de disfrutar de la vida. De modo que sí, iré a ver a alguien. No quiero estar tan deprimido nunca más.

Nos miramos a los ojos y sonreímos. Se inclinó hacia mí y nos besamos. El hombre y la mujer aplaudieron y acto seguido oí sus pasos alejarse por el puente, dejándonos a solas.

Adam se quitó la chaqueta del esmoquin y me cubrió los hombros, que me temblaban. Los dientes me castañeteaban y tenía los dedos de los pies congelados.

—Había olvidado darte esto. —Metió la mano en el bolsillo y sacó el pendiente de mi madre que había perdido—. Pat lo ha encontrado en el coche esta mañana.

—Gracias —susurré, sumamente aliviada. Apreté la esmeralda en la mano, honrada porque mi madre hubiera devenido parte de uno de los momentos más destacados de mi vida. Sentía su presencia a mi lado.

»No podemos abandonar la fiesta —protesté mientras Adam me conducía hacia el otro lado del puente.

—Ya lo hemos hecho. —Me rodeó con el brazo—. Es mi fiesta, puedo hacer lo que quiera. Y me voy a llevar a la mujer que amo a mi hotel.

Sonreí.

—¿Sabes?, se me ha ocurrido una idea para mi libro —dije con coqueta timidez. Se me había ocurrido mientras pasaba el día acurrucada debajo de mi edredón, llorando por mi vida. La inspiración surgía en los lugares más inusitados.

—¿En serio? ¿Cuál es?

—Se titula *Cómo enamorarse*. Será la historia de cómo te conocí.

Sonrió.

—Tendrás que cambiarnos los nombres.

—Tendré que hacer algo más que eso. Creo que hay un motivo por el que he tardado tantos años en empezarlo. Me equivocaba en lo que intentaba escribir. Voy a escribirlo como una ficción, así nadie sabrá que es verdad.

—Excepto nosotros —dijo. Me besó en la nariz.

—Excepto nosotros —corroboré.

Cruzamos el Ha'penny Bridge cogidos de la mano, llegando sanos y salvos al otro lado.

27

Cómo celebrar tus logros

Estaba situada en Talbot Street con un cartel de FELICI-DADES en la mano, un gorro de papel en la cabeza y una matasuegra en la boca. Recibía algunas miradas desagradables de los transeúntes pero procuré ignorar mi vergüenza y concentrarme en la gente que bajaba del autobús, justo delante de mí. El último en apearse fue Oscar, un tanto inseguro y concentrado, con la cabeza gacha para bajar los peldaños.

Hice sonar la matasuegra y levantó la vista sorprendido. Sonrió de oreja a oreja y se echó a reír cuando agité el cartel en sus narices, atrayendo sonrisas de la gente.

—¡Lo has conseguido! —grité—. ¡Has hecho todo el trayecto hasta el centro!

Sonrió, avergonzado pero orgulloso.

—¿Cómo te sientes?

—Pues... ¡Estoy vivo!

Sacudió el puño en el aire, como si fuera a reventar.

—¡Bien! —Me reí—. Tienes que recordar esta sensación, Oscar. Cada vez que tengas un mal día o un momento de duda, recuerda lo bueno que es sentirse vivo. ¿De acuerdo?

Asintió con entusiasmo.

—Por supuesto, por supuesto, nunca olvidaré esto.

—Llama a Gemma y pídele hora para el martes. Empezaremos a buscarte trabajo, ahora que puedes viajar hasta el centro.

—¿Gemma ha vuelto? Me gusta Gemma. Pero ya sabes que siempre prefiero los lunes. Me ayuda a comenzar la semana —dijo, preocupado.

Gemma se había avenido a regresar después de que le enviara por correo un ejemplar de *Cómo decir a alguien que has cambiado de parecer sin parecer indeciso*. Un día después encontré en mi escritorio *Cómo tratar con un jefe difícil* y a la mañana siguiente se reincorporó al trabajo. Nunca habíamos comentado el incidente.

—El lunes estaré en Tipperary —dije la mar de contenta, aguardando con ganas mi próximo viaje. Había renunciado a la búsqueda de mi lugar feliz tras darme cuenta de que el libro era un montón de basura que solo conseguía que me sintiera peor conmigo misma porque era imposible que viviera a la altura de lo que preconizaba. Lo había llevado a Tipperary para leerlo en el cobertizo de los botes mientras Adam estaba en la oficina y me había frustrado tanto que lo había tirado al lago. Irónicamente, cada vez que pienso en cómo me sentí en ese momento sonrío y tengo una gran sensación de libertad, sensación que puedo evocar cada vez que es preciso.

Mientras íbamos a comer algo antes de que Oscar tomara el autobús para regresar a su casa, sonó mi teléfono. Era el detective Maguire. Me detuve, Oscar siguió caminando hasta que se dio cuenta de que me había dejado atrás.

—Eh, ¿qué pasa? —me gritó.

Miré fijamente el teléfono, dándome cuenta por primera vez de que probablemente siempre me sentiría así a propósito de Adam en el futuro inmediato, insegura de lo que le deparaba el futuro, siempre preguntándome si estaba bien cuando no estaba con él. Finalmente contesté, con miedo a lo que oiría pero con más miedo aún a ignorarlo.

—Llamo de parte de Caroline —ladró Maguire—. La semana que viene cumple dieciséis años. Vamos a dar una fiesta el viernes. Se diría que va a ir a la entrega de los malditos Oscar. En fin, quiere que venga. —Carraspeó y redujo la agresividad de su tono—. Y yo también quiero que venga.

—Gracias, Aidan. No faltaré.

Antes de colgar agregó:

—Oh, y traiga a ese hombre del puente también, si le apetece. Bueno, ya sabe, si está en un buen momento.

Sí, Adam estaba en un buen momento. La vida es una serie de momentos y los momentos siempre están cambiando, igual que los pensamientos, negativos y positivos. Y aunque pensar demasiado quizá forme parte de la naturaleza humana, carece de sentido, como tantas otras cosas naturales, permitir que un solo pensamiento habite una mente porque los pensamientos son como invitados o como amigos cuando las cosas marchan bien. En cuanto llegan pueden marcharse, e incluso los que tardan mucho en surgir pueden desaparecer en un instante. Los momentos son muy valiosos; a veces se prolongan y otras veces son fugaces, y sin embargo puede hacerse mucho en ellos; en un momento puedes cambiar una mente, puedes salvar una vida y puedes incluso enamorarte.

Agradecimientos

Quisiera dar las gracias a mi editora, Lynne Drew. *Cómo enamorarse* es nuestra décima novela juntas: apenas puedo creerlo y te debo buena parte del éxito de mis libros. Gracias por tu comprensión, tu paciencia, tu apoyo, tu orientación y sincero entusiasmo por lo que hacemos y lo que está por venir. Aprecio la libertad que se me otorga para crear y también por las sesiones de *brainstorming* cuando las necesito. ¡Por otros diez libros! Gracias, Thalia Suzuma, por tu serenidad e inteligencia y por ayudarme a dar forma a las historias. Sé muy bien que tiendo a precipitarme hacia el final, siempre lo he hecho y siempre lo haré...

Gracias a Louise Swannell, Martha Ashby, Elizabeth Dawson, Lucy Upton y Moira Reilly, con quienes he tratado casi a diario, y que son increíbles y me hacen mucho más agradable la parte del trabajo que no consiste en escribir.

También me gustaría dar un agradecimiento especial a Victoria Barnsley, una mujer visionaria a quien se echará mucho de menos en HarperCollins. Gracias por tu sabiduría, tu amor a los libros, tu energía para mantener la originalidad de las cosas y por tu apoyo y tu fe en mí. Te deseo lo mejor para el futuro.

Gracias, familia y amigos, por vuestro apoyo y por fingir interés cuando anuncio excitada que acabo de tener una nueva idea, y por escuchar las nuevas ideas, y por no preguntar nunca qué ocurrió con las ideas que no se han convertido en libros, televisión o películas, pero que para mí siguen siendo igual de placenteras. Gracias por saber que todo esto es importante para mí y por olvidarlo enseguida para luego pasar a conversar sobre cosas de la vida real. Gracias a todos por entenderme. O por fingirlo.

Enormes gracias a Marianne Gunn O'Connor, la más castigada por mi sinfín de ideas, emails, llamadas, argumentos, mis «y si» y mis «imagínate si» y que me ayuda a hacer realidad mis ideas. Hay personas que quieren que las cosas ocurran, hay personas que desean que las cosas ocurran, hay personas que hacen que las cosas ocurran. Tú eres una de esas personas que hacen que las cosas ocurran. Por otros diez...

Gracias, Vicki Satlow, por tu apoyo creativo, por ensanchar siempre los límites y ayudarme a llegar a más lectores en todo el mundo. Gracias a Pat Lynch, Mary Lavan y Anita Kissane. Gracias a Liam Murphy por mantener unidas partes de mi cerebro que no siempre se sostienen juntas.

Siendo el tema el que es, fue importante la presión para abordarlo correctamente y por eso doy las gracias a Allison Keating, de bWell Clinic, por tu tiempo y comentarios sobre la historia de Adam y Christine, que en última instancia me obligaron a remodelarla para que fuera mejor. Gracias a Maureen Black y Co. Solicitors por vuestra ayuda en las cuestiones legales de las que está claro que no tengo ni idea. Al reverendo Michael McCullagh por el rito funerario. Tomé la información que me dieron todos lo que tuvieron la amabilidad de aconsejarme y luego me la hice mía, de modo que cualquier error que haya en esta novela es por entero mío. Recurrí a *Cómo sobreviví cuando mi cerebro intentó matarme: una guía personal para evitar el suicidio*, de Susan Rose Blauner, para entender mejor a mis personajes.

Gracias a David, Robin y Sonny, mi alocada familia, que son la evasión que me impide evadirme del mundo...

Índice